KB196654

문이 열리면

The Opening Door

문이 열리면

The Opening Door

Helen Reilly

블랙 라이브러리 장 르ㅣ 최승정 옮김

1

살인이 일어난 건 12월 2일 저녁 7시가 지나서였다. 그날 오후 4시 20분에 이브 플라벨은 이전엔 자기 집이었던 헨더슨 스퀘어의 그 집에 도착했다. 그녀는 모퉁이를 돌면서 손목시계를 봤다. 오전부터 날씨가 추워졌고 바다에서 안개가 몰려와 사방을 뒤덮었다. 헨더슨 스퀘어는 안개에 잠겨 있었다. 그 옆 사유지 공원에 우뚝 솟은 나무 꼭대기들이 잿빛 안개 속에서 그와 대조적으로 누런, 혹은 거무스레한 가지들을 희미하게 내보이고 있는 것은 참나무와 너도밤나무에 아직도 잎새들이 끈덕지게 붙어 있었던 까닭이다. 예전 같았으면 아름다운 숲에 마치 색색의 등불들을 장식해 놓은 것처럼 불 켜진 창들이 헨더슨 스퀘어를 사방으로 에워싸기 시작했을 테지만 등화관제로 인해 그 창들은 실상 없는 것이나 마찬가지였다.

공원에서 놀던 아이들은 대부분 집으로 돌아가고 없었다. 높은 철책과 관목 뒤에 여전히 남아 있던 아이들은 보이지도 않고, 시끄러운 소리도 내지 않았다. 참새 한 마리가 짹짹거리고 택시 한 대가 경적을 울렸다. 바람은 황량했다. 이브 플라벨은 몸을 부르르 떨고는 선홍색 트위드 코트 아래 어깨를 폈다. '이제 거의 다 왔어.' 그녀는 생각했다. 마지막으로 온 게 언제였던가, 두 달 전, 아니면 석 달 전? 기억나지 않았다.

그녀는 오랜 세월 자기가 살았던 집, 지금은 손님이 되어 찾아온 그 집을 맞은편에 두고 잠시 멈춰 섰다.

그 집은 이복 여동생 나탈리의 소유였고, 식구들은 나탈리가 다섯 살 때 시골에서 이곳으로 왔다. 오래전에 사망한 나탈리의 어머니가 어릴 때 다녔던 헨더슨 플레이스의 미스 그랜트 유치원에 그녀를 보내기 위해서였다. 창에는 파란 덧문이 있고 하얀 현관문 위쪽에는 부채꼴 창이 있는 따뜻한 색감의 그 붉은 벽돌집은 아름다웠다. 사람의 손길로 쓸고 닦은 흔적이 고스란히 담긴, 화사하면서도 단아하고 우아하며 온화한 그런 집이었다. 그 집은 헨더슨 스퀘어 서쪽에 있었는데 양옆으로는 별 꾸밈없는 두 이웃집과 특색 없이 크게 솟은 아파트식 호텔이 있었다.

이브는 어스름을 뚫고 반짝이는 놋쇠 손잡이를 바라봤다. 다음 순간 그녀는 길을 건너 계단을 오를 것이고 그 손잡이를 잡을 것이다. 손잡이가 쿵 소리를 내며 문이 열리고, 그러면 그녀가 살아온 인생의 한 부분이 끝날 것이다. 적어도 그건 그녀가 지켜내기 위해 열심히 싸웠고 너무나 포기하고 싶지 않았던 부분이었다. 그녀는 빨간 가죽 샌들을 신은 가녀린 발을 앞으로 내밀었다가 도로 거두고, 그냥 전화를 하는 게 더 낫지 않았을까 하고 한 시간 사이에 스무 번째로 되물으며 길가에 머물러 있었다. 그 소식은 직접 전하나 유선을 통해 전달하나 다를 바가 없을 것이었다. 그녀는 바보같이 굴고 있는 자기에게 화가 났다. 어차피 다 된 일인데 어떻게 하느냐가 무슨 차이가 있을까? 조만간 그녀는 그들 모두를 직접 만나게 될 것이다. 그리고 보통은 차를 마시러 온 사람들이 있곤 했다. 사람들이 모여 있으면 좀 더 수월할지도 모른다. 과연 그럴까? 그 문제는 별안간 그녀의 손을 떠나고 말았다.

"**어머나**, 이브."

공원 안쪽에서 한 여자가 그녀를 부르고 있었다. 이브는 뒤돌아봤다. 오빠인 제럴드의 아내 알리시아였다. 그녀는 이슬이 몽글몽글 맺힌 덤불 사잇길로 내려오고 있었다. 알리시아는 하이힐을 신고 엉덩이를 흔들며 부자연스럽게 걷고 있었다. 이브는 자기가 얼마나 오래 거기 있었는지, 이러지도 저러지도 못하고 우유부단하게 있던 자기 모습을 그녀가 지켜보고 있었을지 궁금했다. 알리시아는 높은 철문을 열고 그 문을 쾅 하고 뒤로 닫고서 인도에 있는 이브에게 다가섰다. 그녀의 눈은 환했고 호기심이 어려 있었다. 바로 앞에 온 그녀가 부드럽고 또렷하며 예의 바른 목소리로 말하기 시작했다.

"이브, 정말 좋다. 이게 정말 **얼마 만인지**, 몇백 년은 된 것 같아. 우리 추수감사절 파티에 왜 오지 않았어? 전화했을 때는 내가 집에 없어서 미안했어. 변명하는 게 아니야. 일은 아주 잘 되고 있지만 끝이 없잖아. 모자가 어쩜 이렇게 멋질 수가, — 그런데 사실 아가씨는 언제나 눈부신걸."

이브는 자기 모습이 전혀 그렇지 않다는 것을 알고 있었다. 48시간 동안이나 정신적으로 힘든 시간을 보낸 후인데 온전한 모습일 리가 없을 터였다. 그녀는 짙은 립스틱과 볼 화장으로 할 수 있는 최선을 다했지만, 자신의 창백한 안색과 타는 듯한 눈꺼풀을 의식하며 기분이 좋지 않았다.

알리시아는 커다란 갈색 눈으로 그녀를 살피고 있었는데, 눈에서 마치 볼 베어링이 굴러가는 것 같았다. 살짝 튀어나온 그녀의 눈은 예리하기 그지없었다. 이브는 그 눈이 두려웠다. 그녀는 서

둘러 오빠와 조카의 안부를 물었다. "제럴드 오빠는 어떻게 지내고 있어요? 버니는?"

제럴드와 버니는 잘, 그냥 잘 지내고 있었다. 제럴드는 당연히도 전쟁 때문에, 그리고 사업 때문에 걱정이 많았다. 투자 시장이 타격을 입었으니까. 그것도 절대적으로. 그리고 유모는 — 알리시아는 손사래를 쳤다. — 사실상 구하기가 불가능했다. 그녀는 몇 주 동안 세 명을 만났었다. 막 공원에서 나온 것도 제일 최근에 지원한 귀한 사람을 만나 보기 위해서였다. 만나보니, 이는 다 빠지고 턱은 천으로 감아 놓아야 할 것 같은 여자였다. 그녀는 쾌활함 속에 한 줄기 쓰라림이 묻어나는 목소리로 말했다. "나탈리는 전쟁 때문에 점점 더 부자가 되어가고 우리는 점점 더 가난해지니, 재미있지 않아? 뭐, 세상이 그런 식인 거지."

그녀의 의미 없는 웃음이 이브의 신경을 건드리며 귓가를 스쳤다. 알리시아가 입고 있던 은색 밍크 재킷은 나탈리의 선물이었고 수제화와 악어 핸드백도 아마 그럴 것이었다. 이브는 칼로 긋듯이 말했다. "나탈리가 항공기 계기 생산 공장에 투자한 이상 그 애가 뭘 어쩔 수 있겠어요? 안 그래요?"

알리시아는 소리를 질렀다. 그녀는 억울하고 상처받은 표정이었다. "물론 그렇지. 유치하게 굴지 마, 이브. 내 말은 전혀 그런 뜻이 아니야. 자기는 말을 꼬는 데 **뭐가** 있다니까. 근데, 오는 중인 거야? 아님, 가는 중인 거야?"

"들어가는 중이에요."

두 여자는 함께 길을 건너 계단을 올라갔다. '거의 다 됐어.' 이브는 생각했다. 알리시아는 계속 말을 했다. "근데, 샬럿 이모님이 돌아오셨어. 농장에 머물러 계시는 게 건강에 전혀 도움이 안 된 것 같아. 이모님은 7월에 버몬트로 가셨을 때보다 더 나빠 보이셔. 끔찍한 모습이야. 보면 알 거야."

"이미 봤어요. 그저께 가게에 들르셨거든요." 이브가 조용히 말했다.

알리시아는 놀랐다는 표정을 지었다. "그럼, 화해한 거구나. 어머 이런, 난 정말 기뻐. 서로 반목하며 지내는 건 어리석은 일이잖아." 말투는 온화했지만, 그녀의 눈은 진실을 캐고 있었다. "얼굴이 안 좋아 보이지? 난 이모님을 처음 보고서 까무러칠 뻔했어. 당연히 전혀 더 젊어지지도 않으셨고…. 그러니까 두 사람은 다시 친해진 거네."

이브와 샬럿 포이는 결코 친할 수가 없는 사이였다. 샬럿은 그들 삼 남매, 그러니까 그녀의 오빠와 나탈리, 그리고 그녀 자신을 키워준 이모였다. 둘은 극과 극처럼 멀었고, 서로를 극히 싫어하고 나탈리를 사랑한다는 점을 제외하고는 단 하나의 공통점도 없었다. 그녀의 이모는 이브가 어렸을 때부터 그녀를 싫어하고 불신했다. 이브가 그곳에 온 것은 샬럿이 틀렸다는 것을 증명하기 위해서, 그녀가 나탈리에게 상처를 주지 못하게 하기 위해서였다. 그녀는 알리시아에게 그런 말은 하지 않을 것이었다.

그녀는 가볍게 미소 지으며 큰 소리로 말했다. "우리는 속으로는 친하지 않았던 적이 없어요. 그저 서로를 이해하지 못했던 것뿐이죠. 하지만 사람은 나이 들수록 더 현명해지는 법이고, 또 그러길 바라고 있어요."

문이 열리고 있었다. 이브는 굳어진 근육을 이완시키려 애쓰면서 올케를 따라 문턱을 넘었다. 계단이 오른쪽으로 우아하게 올라가서 뒷벽을 가로지르며 휘돌았다. 접이식 작은 테이블 위에는 갈색이 도는 붉은 국화 한 다발이 풍성하게 피어 있었고, 그 테이블 위 오래된 거울 속에는 화가 쉐버린이 신부인 나탈리의 어머니를 그린 붉은 분필 소묘의 정교한 선이 비치고 있었다. 층계참에서 시계가 똑딱거렸다. 이브가 도망쳐 나온 질서정연하고 우아하며 고요한 분위기가, 그렇지만 그녀에게만큼은 너무나 지독하기만 했던 그 분위기가 여전히 바뀌지 않은 채 그녀를 다시 에워싸고 있었다. 숨이 막힐 듯했다. 그 순간, 그녀는 거의 뒷걸음질 치려 했다. 그러나 너무 늦었다. 안개와 12월의 냉기를 차단하며 하녀가 그들 뒤쪽의 현관문을 닫아버렸던 것이다. 그러는 동안 이브의 이복 여동생 나탈리가 왼쪽 아치형 통로로 들어왔다.

나탈리는 예쁘지는 않았으나 말할 수 없이 영리했다. 그녀는 키가 168센티미터로 어린 나이에 비해 컸으며, 가늘고 긴 매력적인 얼굴이 밝은 금발 머리카락에 감싸여 있었다. 어깨를 덮는 긴 단발머리였다. 볼록한 이마 아래 반짝이는 커다란 갈색 눈에서는 진지한 어린아이의 분위기가 풍기고 있었다. 곧게 뻗은 코, 가늘고 긴 입술, 팔과 다리, 손과 발, 모든 것이 길고 가늘었다. 잘록한 허리에 치마폭이 풍성한 갈색 모직 원피스의 7부 소매 아래 드러난 가느다란 손목에는 푸른 정맥이 보였다. 그녀는 실제로는 연약하지 않았으나 샬럿은 아기 적부터 그녀의 건강에 대해 유난을 떨었다. 이브의 견해로는, 그녀의 이복 여동생은 녹슨 양철 컵을 들고 숲을 뛰어다니며 풀을 뜯고 놀았다면 뼈에 필요한 만큼 금세 체중이 늘었을 것이었다. 그녀의 표정은 냉담하고 약간 도도했다.

그 표정은 이브를 보자 금방 기쁨으로 바뀌었다.

"언니…. 언니가 오는 줄 몰랐어." 그녀가 소리를 질렀다. "새언니일 걸로 생각했는데 언니라니. 정말 기뻐…. 어떻게 그렇게 가버릴 수가 있었어? 그런 건 어쨌건 상관없어. 언니는 지금 여기 있는걸. 벽난로 있는 데로 가자." 그녀는 황급히 움직여서 이브의 팔에 한쪽 팔을 걸었다. "사람들이 좀 와 있어. 하지만 금방 갈 거니까 우리는 얘기를 나눌 수 있어. 난 언니에게 전화하려던 참이었어. 브루스가 돌아오면 우리 모두 시골에 가서 주말을 지내면 어떨까 생각 중이었거든. 지금 워싱턴에 있잖아."

나탈리의 약혼자인 브루스 커닝엄은 공군 중위였다. 그는 태평양전 참전 중에 부상을 입어 상이군인으로 귀국했고 병가로 뉴욕에 와 있었다.

이브는 오래 있지는 못한다고 말했다. 그녀는 나탈리가 더 여위었고 피곤해 보인다는 것을, 더 활기차게 굴지만 웃음은 너무 불안정하고 목소리는 너무 즐겁다는 것을 알아차리고 살짝 불편해졌다. 옅은 색 머리카락에 자연스럽게 어울리는 백옥 같은 그녀의 피부에는 누르스름한 기미가 희미하게 끼어 있고 곧은 콧잔등에는 확연히 보일 정도로 주근깨가 퍼져 있었다. 그녀가 평소 같지 않을 때 늘 보이던 징후였다.

그녀가 어렸을 때, 그리고 자라날 때 사람들이 — 유모와 가정교사, 과외 선생들, 샬럿 — 항상 했던 말이 "냇, 주근깨가 생겼네"라는 것이었다.

알리시아가 지금 그 말을 했다. 그녀는 지극히도 관찰력이 좋았다. "주근깨네, 냇…. 뭐가 문제일까? 끝도 없는 그 봉사 활동을 하느라 너무 무리한 것 아니야? 지쳐 떨어지겠어. 그러면 안 되는데….”

나탈리는 살짝 조바심을 드러내며 — 그녀는 필요할 때는 거만하게 굴 줄 알았다. — 말했다. “난 괜찮아요. 새언니, 제발 그러지 말았으면 해요. 내 말은… 샬럿 이모 앞에서는 아무 말도 하지 말라는 거예요. 제발요. 이모는 걱정을 너무 많이 해요. 게다가 건강이 좋지 않잖아요.”

세 여자는 복도 왼쪽 나지막한 계단 아래 쑥 들어가 있는 커다란 거실로 들어갔다. 창문에는 바다처럼 푸른색 커튼이 드리워져 있었다. 전등 불빛이 거울같이 반질반질 닦인 오래된 멋스러운 가구의 은은한 빛을 빨아들이며 낮은 책장과 밝은색 실크 의자들, 그리고 상아색 벽에 걸린 훌륭한 그림 몇 점 위를 고요하게 비추고 있었다. 나탈리는 4월에 스물한 번째 생일을 맞아 그곳을 새롭게 단장했다. 거실은 한층 좋아진 느낌이었다. 남녀가 군데군데 무리를 이루어 앉거나 서서 조용하고 품위 있게 대화를 나누고 있었는데, 플라벨 가족의 파티는 언제나 그런 분위기였다. 알리시아는 총총걸음으로 친구들에게 합류했고 이브는 몇몇 지인들을 향해 멀리서 고개 숙여 인사하며 나탈리를 따라 난로 쪽으로 갔다.

불꽃이 밝게 타오르는 하얀 벽난로 선반 옆에 소파들이 배치되어 있었다. 이브의 아버지인 휴 플라벨과 그녀의 이모 샬럿 포이가 그중 한 소파에 앉아 있었다. 샬럿은 차 도구들을 앞에 두고 똑바로 앉아 재바른 손을 부지런히 움직였다. 휴는 그녀 옆에 편안한 자세로 앉아 있었다. 그는 키가 크고 말랐으며 학자들이 그렇듯 등이 살짝 구부정했다. 코안경 너머 눈은 연푸른빛이었고 매부리코의 잘생긴 얼굴에 머리는 이마 위로 매끈하게 빗어 넘긴 상태였다. 그의 평온함과 재치, 그리고 태양 아래 어떤 상황이건 통제할 수 있을 것 같은 그의 분위기를 상쇄하는 것은 그와는 대조적으로 작고 단정한 입이었다. 짧게 다듬은 콧수염 아래 그의 입은 가만히 있을 때도 뿌루퉁하고 고집스러워 보였다.

그는 이브가 기억하는 것보다 더 젊고 더 생기 있어 보였다. 그와는 반대로, 샬럿은 더 늙고 더 굳어 보였다. 그러나 휴는 쉰한 살이고 샬럿은 쉰네 살로, 그들은 나이 차이가 별로 나지 않았다.

"아빠, 샬럿 이모, 누가 왔는지 봐요." 나탈리가 즐겁게 말했다. "제가 맹세컨대, 언니는 자진해서 온 거예요."

오래전에 자기 발로, 극단적으로 집을 나갔던 이브가 불청객으로 그 집에 나타난 것에 대해 그녀의 아버지나 이모는 조금도 놀라는 기색을 내보이지 않았다. 아마도, 샬럿이 너무 길게 그녀를 쳐다봤다는 것만 빼면 그럴 것이다.

"아, 이브, 우리 딸. 어떻게 지내니? 좋아 보이는구나." 휴가 말했다. 예의를 차린 말이지만 반가움은 없는 인사였다. 이브는 그럴 것이라고 기대하지 않았다. 그녀의 아버지와 그녀는 한 번도 친밀했던 적이 없었고 4년 전, 그녀가 젊은 혈기에 어떤 말들을 내뱉은 이후, 앞으로도 그렇게 될 일은 결코 없을 것이었다. 휴는 용서를 모르는 사람이었다. 그녀는 아버지를 탓할 수는 없을 것 같았다. 샬럿은 말을 할 때 마치 숟가락으로 설탕을 계량하듯 재어서 하곤 했다. 지금 그녀는 예의 그 잘 조절된 말투로 말했다. "네가 여기 온 걸 보니 반갑다, 이브. 앉으렴. 차 마시겠니? 싫으니? 아마

마시고 싶을 것 같구나.”

이브는 차를 마시고 싶었다. 그녀는 맞은편 소파 한구석에 자리를 잡고 이모에게 미소를 지었다. “한 잔 주세요, 샬럿 이모. 하지만 올바르게 처신하려는 그 끔찍한 습관은 제발 버리셨으면 좋겠네요. 이모는 저를, 제 모든 죄를 너무 잘 아시잖아요.”

그 말을 한 순간 그녀는 후회했다. 샬럿은 얼굴을 붉히더니 숨을 들이마셨고 휴는 눈썹을 우스꽝스럽게 치켜올렸다. 하녀 한 명을 손짓으로 부르려고 옆으로 몸을 돌리고 있던 나탈리는 괴로운 표정이었다. 이브는 자기가 어리석음을 알았다. 하지만 아무리 애를 써도 어쩔 수가 없었다. 샬럿을 보는 것만으로도 그녀는 기분이 상했다. 언제나 그랬었다. 그녀는 너무나 옳았고, 너무나 올바르다는 태도를 온몸에 휘감고 있었다. ‘그런 걸 다른 사람에게 강요하지만 않는다면 얼마나 좋겠어.’ 이브는 생각했다. 그리고 자기는 말다툼하려고 여기 온 게 아니라는 사실을 다시 떠올렸다. 그녀는 다른 이유로, 그것도 아주 분명한 목적을 가지고 온 것이었다. 그 목적을 달성하고 나면 가서 다시는 오지 않을 수 있을 것이었다.

그럼에도 불구하고 그 익숙한 방에 앉아 있다 보니, 갑자기 치기 어린 덩어리 같은 것이 목젖으로 올라왔다. 그녀는 잠시 자기가 좀 더 평범한 유년기를 보냈더라면, 어머니가 살아 계셨더라면, 아버지가 돈을 보고 재혼하지 않았더라면, 심지어 새어머니가 돌아가시지 않았더라면 얼마나 좋았을까 하는 생각이 들었다. 그랬다면 샬럿 이모가 등장하는 일은 결코 없었을 것이다. 샬럿은 이브의 친어머니와 자매 간이었지만 그녀의 사랑은 이브의 오빠인 제럴드를 향했고, 이브를 건너뛰고 휴의 두 번째 아내에게서 태어난 나탈리에게 고정되었다.

'넋두리는 그만, 넌 진짜 콤플렉스만 쌓아가고 있어.' 그녀는 속으로 말했다. 샬럿은 훌륭한 여성으로서 매우 정직하고 공정했으며 일부러 못되게 구는 일은 절대 없었다. 그런데 창의성 같은 것은 없는 것이나 마찬가지였다. 그건 그녀의 잘못이 아니었다. 타고난 성격이 그랬던 것이다. 가계와 살림의 책임자로서 집안을 매끄럽게 굴러가게 하는 관리자의 역할을 그녀가 맡게 되자 이미 잘 구축된 그녀의 권위는 한층 더 공고해졌다. 그녀가 결혼한 적이 없다는 것이 애석했다. 그녀는 여전히 미인이었는데 잘 어울리게 손질한 은발 머리에 세련된 검정 드레스를 입고 있었다. 그녀가 어떤 손님에게 말을 걸려고 몸을 돌리자 이브는 흠칫 놀랐다. 알리시아와 냇의 말이 맞았다. 샬럿의 건강에는 뭔가, 뭔가 심각한 문제가 있었다. 벽난로 불길이 확 타올랐다. 순간적으로 번뜩이는 그 불빛에 비친 그녀는 무시무시해 보였다. 안색이 형편없었고 몸이 좋지 않은 게 분명했지만, 그게 다가 아니었다. 마치 크고 튼튼한 그 몸의 성벽 안에서 정신이 구겨져 버린 것 같은, 그래서 죽어 있는, 혹은 죽어가고 있는 것 같은 기묘함이 그녀를 사로잡고 있었다.

이브는 그때 처음으로 그런 점을 느꼈으나 그 12월의 오후에 그 집에, 그 공간에 있으면서 그 후에도 여러 번 그런 느낌이 들었다. 그녀 자신의 개인적인 문제와는 관계없는 어떤 낯선 느낌, 뭔가 잘못된, 뒤틀린 느낌이었다.

그녀의 아버지와 나탈리에게도 이모와 똑같은 긴장감이 감돌았다. 그녀는 그 근원을 추적해 보려 애썼지만 실패했다. 하지만 그곳에는 긴장감이 ― 그것도 아주 분명하게 ― 있었으니, 그것은 손님들을 대하는 휴의 공허한 쾌활함에, 굳게 닫힌 그의 입에, 불안정하게 흔들리는 단아한 그의 손에 있었다. 그것은 나탈리의 표면적인 밝음의 이면에, 의무적으로 방을 둘러보는 움직임 속에, 갈색 모직 옷 위에서 반짝이는 그녀의 아름다운 머리에 존재하고 있었다.

이브는 얼굴을 찌푸렸다. 나탈리는 변덕이 심하고 감정의 동요가 심했지만 그들의 아버지는 그런 사람이 아니었다. 그의 마음이 심하게 흔들리는 것은 자신의 안락이 위협받을 때뿐이었다. 이브는 이복 여동생을 관찰하며 샬럿이 얼마나 최선을 다해 그 아이를 망쳤는지 생각했다. 하지만 나탈리에게는 샬럿이 건드릴 수 없었던 한 가지 특성이 있었다. 그것은 관대함이었다. 나탈리의 어머니가 그녀에게 남긴 부의 지갑은 결코 동이 나지 않는 화수분이었다. 그녀는 언제나, 때로는 어리석을 정도로, 도움을 요청하는 곳이 있으면 그 지갑을 활짝 열었다. 그녀는 자신들의 늙은 유모인 푸시에게 평생 연금을 주고, 대장장이의 아들이 대학을 졸업하도록 지원했고, 지역의 전쟁 구호 단체 여섯 곳의 후견인이기도 했다. 게다가 알리시아의 경우, 제럴드나 수많은 친구, 지인이 요청하는 때는 말할 것도 없고 무슨 '일'만 생기면 항상 그녀에게 달려오곤 했다.

이브는 담배를 불길 속으로 던졌다. 그녀가 다른 사람들을 관찰하고 있었다면 샬럿은 그녀를 관찰하는 중이었다. 이브는 등골이 뻣뻣해졌다. 그녀는 벽난로 쪽으로 몸을 돌리고 하이볼을 홀짝거리며 휴의 정중한 질문에 대답했다. 가게는 잘 되고 있다고,

기대했던 것보다 훨씬 잘 된다고 했다. 스타킹이 동이 나서 사러 달려갔었다고도….

그녀의 아버지는 흠칫하지 않았다. 작고 날카로운 그의 눈은 차가웠지만, 그의 태도는 마치 그녀가 했던 일이 이제는 전혀 중요하지 않다는 듯 무덤덤하기만 했다. 그렇지만 사실 그는 그녀가 사업에 뛰어드는 것을 격렬하게 반대하고 집에 있다가 결혼하기를, 그러니까 나탈리의 부와 지위에 힘입어 결혼해서 플라벨 가문에 명성을 보태주기를 원했다. 서점이라면 그가 받아들였을 수도 있었다. 책이란 교양이고 품위 없는 일이 아니니까 말이다. 그러나 그녀가 스타킹과 장갑을 추가하자 그는 손을 들고 말았다.

"대학 4년을 마치고 여성 잡화상이라니, 사랑하는 우리 딸이 말이야. 대단한 성취구나! 넌 자랑스럽기도 하겠다."

그녀가 나탈리의 집에서, 나탈리의 돈으로 더는 살지 않겠다고 선언한 건 바로 그날이었다. 그녀는 그 일을 단행함으로써 다른 사람들, 즉 아버지와 샬럿 이모, 오빠인 제럴드와 알리시아는 그렇게 살고 있다고 간접적으로 비난한 것이었다. 너무 어리고 너무 어리석고 미숙한 방식이었다. 그들이 그녀의 태도에 분개한 것은 당연했다. 그들은 그녀가 고집불통에다 은혜를 모르고 질투심에 사로잡혀 있다고 말했다. 이 마지막 말은 적어도 사실이 아니었다. 그녀는 자신의 이복 여동생을 무척 좋아했다. 그러나 나탈리의 부와 그녀의 친구들, 그녀가 즐기고 추구하는 것들과 인생관은 이브의 것이 아니었고 결코 그렇게 될 수가 없었다.

그녀는 가능한 한 완전히 인연을 끊었다. 때로는 힘들었지만 전반적으로는 신나는 일이었다. 그녀가 진짜 힘들었던 유일한 문제는 나탈리와의 관계였다. 막대한 수입을 마음대로 관리하는 나탈리는 이브가 왜 자신의 입출금 계좌를 이용하거나 그 돈으로 아파트의 살림을 마련하지 않으려 하는지 이해하지 못했다. 어쨌건, 그래서 그녀는 처음에는 자신들이 떨어져 살게 된 것을 속상해하고 슬퍼했다. 그러나 일상적인 교류가 줄어들었다 해도 서로를 향한 그들의 애정은 그 어느 때보다 강했다.

이브는 고개를 숙이고 있는 나탈리를 쳐다봤다. 초록색 실크 망토를 입고 있으니 얼굴이 그와 대비되어 창백해 보였다. 그녀는 책상 앞에 서서 베이지색 우아한 옷을 입고 모피를 걸친 어떤 뚱뚱한 여자에게 무슨 자선기금용 수표를 쓰는 중이었다. 단단히 죽어 있던 이브의 마음속에 따뜻한 온기가 꿈틀거렸다. 그녀는 옳았다. 그녀는 해야 했던 유일한 일을 했던 것이었고….

거실이 비어가기 시작했다. 떠나는 손님들이 계속해서 휴와 샬럿에게 다가와 작별 인사를 했다. 이브는 긴장된 신경을 억누르며 담배를 피우면서 기다렸다. 이제 오래 걸리지 않을 것이다. "책은 어떻게 돼 가고 있어요, 아버지?" 소강상태가 되자 그녀가 물었다.

휴는 빅토리아 시대의 경제에 관한 책을 집필 중이었다. 그것은 그가 꽤 장기간 몰두하고 있는 일이었다. 9년 전에 출간된 1편은 호평을 받은 바 있었다. 찬사 일색의 그 단평들은 스크랩북 안에 깔끔하게 붙여져서 그의 서재 독서대를 점령하고 있었다.

그녀의 아버지는 입에서 담배를 빼지 않고 고개를 끄덕였다. '그런 걸로 내게 다가오려 하지 마. 넌 내 연구나 나에 대해 일말의 관심도 없잖아. 한 번도 관심을 가진 적이 없지.' 그의 냉담한 눈빛은 그렇게 말하고 있었다.

이브는 얼굴을 붉히면서도 굴하지 않고 계속 말했다. "해야 할 연구가 어마어마하겠죠."

"그렇다."

그는 다른 일을 생각하고 있는 게 분명했다. 대화는 시들해졌다. 샬럿은 대화를 살리려는 어떤 노력도 하지 않았다. 차를 담당하는 일이 끝나자 그녀는 뜨개질을 다시 시작했다. 그녀의 침묵은 불쾌하고 위협적이었다. 그 침묵은 심판의 분위기를 풍겼는데, 이브에게 그녀는 항상 그런 식이었다. 이브가 무슨 유별나게 중대한 죄를 저지르기라도 한 것처럼 미리 비난하는 것이었다. 그러나 그녀가 일어나서 누군가에게 말을 걸러 갔을 때 안도감은 들지 않았다. 이브는 언제나 아버지와 단둘이 있는 것이 너무나 싫었다. 그에게 무슨 말을 해야 할지 전혀 몰랐던 것이다. 지금 그는 무슨 생각인지 몰라도 생각에 골몰해 있어서 무시무시함이 배가 되어 있었다.

다행히도 알리시아가 샬럿의 빈자리로 들어왔다. 휴는 사회적 배경이 훌륭하고 밖에 내보이기 좋은 며느리, 자신이 생각할 때 좋은 아내이자 어머니이고 자기의 비위를 맞춰줄 줄 아는 그 며느리를 좋아했다. 둘 사이에서 물 흐르듯 대화가 이어졌다.

"아버님, 안색이 좋지 않아 보이세요." 알리시아가 성모 마리아처럼 매끄러운 검은 머리를 한쪽으로 갸우뚱했다. "눈이 그래요. 맞아요, 아버님 눈빛이 밝지 않은 것 같아요. 헨드릭스 박사가 시킨 대로 하고 계신 거죠?"

휴는 자기도 모르게 긴장을 풀었다. "난 그 모든 말도 안 되는 일 따위는 하기 싫다."

"아유, 하지만 하셔야 해요. 운동 말이에요. 산책은 하고 계시나요?"

"그거야 하고 있어. 아침 먹고 광장을 다섯 번 돌고, 저녁 먹고 다섯 번 돈단다."

"그리고 주무시기 전에 드시는 건요?"

"보통은 바나나와 우유 한 잔을 먹는다. 하지만 바나나는, 괜찮은 것들 말이다, 구하기가 힘들어."

"바나나는 꼭 드셔야 해요. 아버님이 좋아하시는 유일한 과일이잖아요."

알리시아는 컨디션이 좋았다. 나탈리는 어떤 남자와 대화를 나누다가 그 남자의 어깨 너머로 이브에게 즐거운 눈길을 보냈고 두 사람은 서로를 향해 희미하게 미소 지었다. '나탈리는 어른이 됐어.' 이브는 판단했다. 그녀는 이제 더는 어린아이가 아니었다. 그녀는 샬럿의 치마에서 벗어났다. 자유, 결혼, 새로운 출발이 그녀 앞에 눈부시게 펼쳐질 것이었다. 그녀는 번득이는 불안감에서 벗어나 햇살 아래 식물처럼 꽃을 피울 것이었다. 그때 샬럿이 돌아왔다. "저녁은 몇 명이 먹을 거지?" 그녀가 담뱃불을 붙이며 알려 달라고 했다. 이브는 고개를 저었다. "저도 안 먹어요." 알리시아가 말했다. "그러고 싶지만, 보퍼트 부부와 저녁을 먹기로 되어 있어요. 제럴드가 저를 데리러 올 건데…. 저기 왔네요."

'식구들이 다 모이게 됐구나.' 이브는 마음속에 모순된 감정이 스치는 것을 느끼며 생각했다. 그리고 자신의 오빠가 벽난로 쪽으로 다가오는 모습을 지켜봤다. 맵시 좋은 회색 양복을 입고 큰 키에 올곧은 자세, 그리고 우아한 걸음이었다. 제럴드는 언제나 흠잡을 데 없는 모습이었다. 대학을 다닐 때 그는 산더미 같은 청구서로 집안을 뒤집어 놓곤 했었다. '너무 매력이 넘쳐서 문제였지.' 그녀는 생각했다. 그에게는 모든 일이 항상 너무 쉽게 이루어졌다. 그는 아버지의 얼굴을 물려받았지만 눈만은 어머니였다. 짙은 회색 속눈썹에 사람을 끄는 아련한 눈이었다. 그의 눈가에는 까마귀발같이 자글자글한 주름이 새로 생겨 있었다. 알리시아가 말한 것처럼 그는 아마도 사업 때문에 걱정이 많을 것이었다. 유지해야 할 값비싼 설비가 있었으니까. 하지만 그것이 그가 원하는 삶의 방식이었다.

제럴드는 휴와 샬럿에게 따뜻하게 인사를 하고 알리시아의 뺨에 가볍게 입을 맞추고는 이브를 보고 놀라며 기뻐하는 표정을 지었다. "돌아온 탕아로군, 멋진 탕아. 모자가 잘 어울리네요, 아가씨. 케케묵은 집엔 어쩐 일로 오신 거지? 사업을 접었어?"

'이제 때가 됐어.' 이브는 생각했다. 그러나 그녀는 아치형 입구 근처에서 어떤 남자와 젊은 여자에게 작별 인사를 하고 있던 나탈리를 기다리고 싶었다. "가게? 고맙지만 그건 아니야. 가게는 성황이야, 오빠." 이브가 큰 소리로 말했다.

그때 나탈리가 그들에게로 왔다. 그러자 휴와 제럴드, 두 사람 모두 자리에서 일어났다. '아버지는 나를 맞으러 일어난 적이 없었지.' 이브는 회상했다. 앞으로도 없을 것이었다. 그는 항상 무의식적으로 나오는 그런 무례함으로 그녀를 대하곤 했다. 나탈리는 피곤해 보였다. 여윈 뺨은 창백했고 콧등을 덮은 주근깨 더미가 어느 때보다 선명하게 두드러져 보였다.

"이리로," 제럴드는 나탈리의 어깨를 안고서 그녀를 의자 깊숙이 밀어 앉혔다. "엄청 피곤해 보여, 우리 강아지."

나탈리가 그에게 미소를 지었다. "좀 그래."

"넌 한 잔 마셔야 해." 제럴드가 말했다. "내가 모두에게 한 잔 만들어 줄게. 이건 맛있을 거야. 옛날 호프만 하우스에 있었던 친구한테서 얻은 거거든." 그는 벽에 있는 18세기 주류 수납장으로 가서 쪼그리고 앉아 그 문을 열었다.

알리시아는 희미한 불빛 사이로 그를 유심히 응시했다. "벌써 몇 잔이나 마신 거야?"

날카로운 말투였다. 샬럿은 그녀를, 그다음 제럴드를 재빨리 쳐다봤다. 휴는 입을 꾹 다문 채 벽난로를 응시했다. 그는 아리스토텔레스 철학을 실천하는 사람으로서 모든 일에 절제해야 한다고 믿었다. 칵테일 두 잔, 저녁 전에는 딱 두 잔이 그가 허용하는 선이었다.

"마시려면 끝을 보고, 아니면 입에 대지도 말 것." 제럴드가 뒤돌아보고 정겹게 웃으며 말했다. "알리시아는 사랑하는 나의 금주론자죠. 그거 알아요?"

그건 사소하고 중요하지 않은 가정 문제였다. 아니, 이브는 그때 그렇게 생각했다. 그럼에도 불구하고 그녀는 제럴드와 알리시아에게도 역시 부서질 듯한 불안이, 그들의 내면을 깊이 뒤흔들고 있지만 보이고 싶지 않으며, 해서 결사적으로 보여주지 않으려 하는 그런 불안이 깃들어 있음이 날카롭게 감지되어 순간적으로 가슴이 저릿했다.

그녀는 정신적으로 흔들렸다. 어쩌면 이 모든 일은 그녀의 상상인지도 몰랐다. 그녀는 제럴드가 건네준 술잔을 받았다. 손가락 사이에 들어온 손잡이는 차갑고 매끈하고 단단했다. 계속 쥐고 있을 수 있을 것 같았다. 알리시아와 아버지는 소파들 사이 낮은 안락의자에 앉아 있었고 제럴드는 알리시아 앞의 방석에 앉아 그녀의 무릎에 어깨를 기대고 있었다. 따뜻한 벽난로 주변과 전등 너머 방의 나머지 부분은 어둡고 그늘진 채 텅 비어 있었다. '지금이야.' 그녀는 생각했다. '지금이라고.' 그리고 몸을 조금 앞으로 기울였다.

"너한테 말할 소식이 있어, 냇."

그녀의 의지와는 달리 그 목소리는 완전히 평정을 유지하지는 못했다. 샬럿의 뜨개바늘이 움직임을 멈췄고, 알리시아의 담배는 허공에서 멈췄다. 그녀의 아버지는 코안경을 조정했다. 제럴드가 느긋하게 말했다. "아-하, 뭔가 문제가 있구나. 사실 네가 여기 있는 걸 봤을 때 난 그럴 줄 알았어. 말해봐, 이브."

나탈리는 눈을 동그랗게 뜨고 그녀를 쳐다보고 있었다. "소식이라고, 언니? 좋은 소식이야?"

'불안해하는구나.' 쓰라린 죄책감을 느끼며 이브는 생각했다. '정말 안스러워! 전에 난 얘에게 상처를 줬지만, 그런 일은 다시는 없어.' 그녀는 큰 소리로 말했다. "너한테 좋은 소식이면 좋겠어. 나, 짐 홀랜드와 결혼해."

그것은 그녀의 아버지나 알리시아, 혹은 제럴드가 전혀 예상하지 못한 말이었다. 그녀는 샬럿에게는 눈길을 주지 않았다. 나탈리는 펄쩍 뛰어 일어나더니 그녀에게 재빨리 키스했다. "어머, 언니, 난 정말 기뻐." 그녀가 소리쳤다. "이건 정말 멋진 일인걸. 난 짐을 진짜 좋아해. 게다가 그는 오랜 세월 언니한테 빠져 있었잖

아. 언제 그렇게 결정한 거야? 날짜는 언제야?"

"거의 금방이야." 이브가 대답했다. "아마도 며칠 내로 하게 될 거야. 우린 혼인 허가서도 받았고, 건강 검진도 했어. 알다시피, 짐은…."

그녀의 목소리가 멎었다. 그녀는 미동도 없이 앉아 있었다. 어둠이 그녀를 에워싸며 밀려들었다. 너무 오래 기다려 때를 놓치고 만 것이다. 그녀가 말하고 있을 때 거기 있지 말아야 할 남자가 소리 없이 집에 들어와 있었다.

브루스 커닝엄이 워싱턴에서 돌아왔다. 그는 벽난로 주위에 모인 사람들을 쳐다보며 계단 맨 위에 서 있었다. 그의 시선은 나탈리를 지나 이브를 보고 있었다. 군복 위의 금색 단추들이 반짝거렸다. 그것 외에는 아무것도 움직이지 않았다.

'왜 지금 와야 했던 거지?' 이브는 절망적으로 생각했다. '일이 다 끝나고 내가 가고 난 다음에 올 수는 없었어?' 그러자 그때 안개 속에서 경종이 울리는 것 같았다 — **샬럿 이모.**

샬럿은 그녀 옆 소파에 있었다. 다른 사람들은 복도와 복도로 이어지는 아치형 입구를 등지고 있었기에 아직 브루스를 보지 못했지만, 샬럿의 시야에는 브루스가 들어와 있었다.

이브는 무너지고 말 것 같은 황망함에서 벗어나려 애썼다. 그들은 그녀가 말을 멈췄다는 것을 알아차리고 있었다. 그녀는 상황을 최대한 좋게 만들어야 했다. 그녀는 고개를 들고 또렷하고 가벼운 목소리로 말했다. "커닝엄 중위네요. 제 소식을 들으려고 이렇게 딱 맞춰 왔군요." 그리고 그녀는 무슨 일이 일어날지 몰라 머릿속이 하얘졌다.

2

아무 일도 일어나지 않았다, 전혀 아무 일도. 이브는 층계가 있지도 않은 곳에서 층계를 헛디딘 듯 비틀거렸다. 나탈리가 일어나서 브루스를 향해 걸어갔다. 얼굴에 빛이 났다. 그녀는 다음 날까지는 그가 오지 않을 것으로 생각했던 것이다. 그들은 키스했고 나머지 사람들은 어서 오라고 인사했다. 브루스는 나탈리의 어깨를 한쪽 팔로 감싸고서 벽난로까지 천천히 걸어왔다. 그는 이브에게 축하 인사를 했다.

"두 분의 행복을 빕니다, 미스 플라벨. 홀랜드는 분명 행복할 겁니다. 행운아예요."

밝은 그의 눈과는 극명히 대조적인 어둡고 여윈 그의 얼굴은 평온했다. 그의 미소는 냉소적이거나 쓸쓸하지 않고 쾌활하고 다정했다. 그는 특별히 흥미를 느끼지 않을 때 으레 짓는 그런 표정을 하고 있었다. 다만 그의 각진 턱선만은 뾰족하게 들려 있었는데, 어쩌면 조명 때문이었는지도 모른다. 다른 사람들이 그의 말에다 덕담을 보탰다. 샬럿의 눈은 마지못해 동의하는 기색이었다. 휴는 기쁨을 숨기지 않았다. 그는 짐을 오랫동안 알고 지냈고 그가 예일 대학 입시를 준비할 때 과외를 해주기도 했는데, 내놓은 자식이라고는 할 수 없지만 어쨌건 집안의 골칫덩어리인 딸의 남편감으로서 짐이 훌륭하다고 생각하는 것이 분명했다.

이브는 구석 자리로 돌아가 앉아서 제럴드가 만들어 준 칵테일을 마시며 멀리서 들려오는 목소리에 귀를 기울였다. 격랑이 이는 바다를 헤엄쳐 나오려다 기진맥진한 사람이 자기도 모르는 새, 혹은 어떻게 도달했는지 알지도 못한 채 해안에 와 있는 것을 불현듯 알게 되었을 때와 같은 기분이 들었다. 해야 할 일은 끝났다. 다 끝난 것이다. 그녀는 공허하고 기운이 다 빠지고 고통스러웠지만, 그럼에도 흡족했다. 편안한 마음으로 갈 수 있게 된 것이다.

그러나 그것은 그녀의 착각이었다. 그녀가 떠날 채비를 하기도 전에 짐 홀랜드가 그녀를 찾아 도착했고, 조금 후에는 샬럿이 장거리 전화가 왔다는 말을 듣고 전화를 받으러 갔다.

후에 조사 과정에서 이브는 그 으스스한 12월의 오후, 일정한 시간 사이에 사람들이 어디 있었는지, 무슨 말과 행동이 있었는지 정확하게 말하기가 어려웠다. 사람들은 정신없이 들뜬 가운데 이리저리 움직이고 있었던 것이다. 짐은 어렸을 때부터 그 가족과 알고 지냈는데 그들은 모두 그를 좋아했다. 그런 짐이 브리지포트에 있는 공장에서 제품 엔지니어로 일하게 된 것에 다들 관심을 보였다. 그는 새로운 직장에 가게 되어 아주 기분이 좋았다. 그는 서른 살 때 자동차 사고로 다친 무릎으로 인해 군대에 가지 못했고, 그래서 먹이를 빼앗긴 호랑이처럼 격분하고 있었던 까닭이었다.

대화, 웃음, 질문들, 짐에게 칵테일 한 잔 — 그가 그곳에 오고 나서 5분쯤 뒤에 하녀 한 명이 들어와서 샬럿을 찾는 전화가 왔다고 말했다. 샬럿이 방에서 나가고 없을 때 이브는 브루스와 짧고도 끔찍한 만남을 가졌다. 그녀는 경찰에게 그 일을 말하지 않았는데, 나중에는 너무 늦어서, 그러니까 그들이 이미 알게 되었기에 말할 필요가 없어지고 말았다.

그때, 그가 기회를 포착한 그 순간, 그녀의 피는 차갑게 식어 있었다. 다른 사람들은 제럴드가 별생각 없이 두드리고 있던 피아노 주위에 옹기종기 모여 서 있는데 그녀는 벽난로 옆 소파 테이블에 놓아둔 핸드백을 가지러 갔었다. 그녀가 핸드백을 주워 들었을 때 브루스가 말했다. 그의 목소리는 거의 그녀의 귀 바로 옆에서 들렸다. 그녀는 그가 따라오는 소리를 듣지 못했었기에 심장이 미친 듯이 방망이질 쳤다.

그가 읊조리듯, 거의 무심하게 말한 내용은 이런 것이었다. "기다릴 수가 없었던 거죠, 이브? 그렇게 하라는 건 너무 지나친 요구였겠죠. 홀랜드를 사랑하는 건가요? 그는 당신에겐 너무 나이 많은 사람이에요. 게다가 너무 뚱뚱하고."

이브는 울분이 치솟았다. 그리고 화가 나고 겁이 나면서도 극단적인 희열을 느꼈다. 나탈리와 브루스의 나이 차이에 비하면 짐과 그녀의 나이 차이는 아무것도 아니거나 그다지 큰 차이가 아니었다. 그리고 짐은 뚱뚱한 게 아니었다. 그는 원래 덩치가 큰 데다 뻣뻣한 무릎 때문에 운동을 충분히 할 수 없었던 것뿐이었다. 기다리다니, 그런다고 무슨 소용이 있었을까? 브루스는 나탈리의 약혼자였고, 약혼한 지 일 년이 넘었다. 그리고 나탈리는 그를 열렬히 사랑하고 있었다. 그들이 함께 있는 것을 보기만 해도 그런 사실은 충분히 알 수가 있었다. 일이 틀어질 유일한 경우는 나탈리가 자진해서 파혼하는 것인데, 그럴 가능성은 조금도 없었다.

브루스는 여기서 그녀에게 이렇게 말하게 된 것에 화가 나 있었다. 그녀는 그의 목소리만큼이나 낮은 소리로 말했다. "그러지 말아요, 브루스. 난 이미 결심했고 어떤 것도 내 마음을 바꾸지 못

해요. 난 짐과 결혼할 거예요. 그건 전혀 희생이 아니에요. 난 그를 무척 좋아해요. 그뿐만 아니라, 우리는 전에 이 모든 걸 다 얘기했잖아요. 우리는 한 가지에 전적으로 의견을 같이했어요. 나탈리가 마음의 상처를 입는 건 절대 안 된다는 것 말이에요. 게다가 샬럿 이모가 의심하고 있어요."

"샬럿 아주머니가 뭘 의심한다는 거요?"

입을 닫고 있을 필요는 없어졌다. "당신이…. 내가…."

"그걸 어떻게 알았죠?"

"그저께 나를 보러 가게에 오셨어요. 내게 그렇게 말했답니다."

"그럼 당신은 샬럿 아주머니 때문에 이런 일을 벌인 거요?"

"아뇨." 그녀는 그렇게 말했지만, 그 말은 그다지 단호하지 않았다. 그녀는 서둘러 덧붙여 말했다. "어쨌든 난 이렇게 했을 거예요. 짐은 멋진 사람이에요." 그녀는 고개를 돌렸다. 아무도 그들을 쳐다보고 있지 않았다. 다른 사람들은 짐이 지팡이를 흔들며 이야기하는 것을 듣고 있었다. 그는 이야기꾼이었다. 그의 목소리는 정말 컸다. 굵은 그의 목소리는 그의 다른 모든 것들처럼 설득력이 있었다. 그녀는 브루스를 옆으로 힐끗 쳐다봤다. 아픔의 물결이 몸을 타고 흘렀다. 그의 입은 굳게 닫혀 있었고 가늘게 뜬 그의 눈은 아무것도 보지 않으면서 뭔가에 몰입하여 이글이글 타올랐다. 그는 불행하고 고통스러웠고, 다분히 위험한 심리 상태였다.

이런 그의 모습을 그녀는 전에 딱 한 번 본 적이 있었다. 나탈리에게 줄 책을 몇 권 사러 가게에 왔던 밤이었다. 그들은 갑자기, 아무런 말도 나누지 않았지만, 의식하지도 못한 사이에 자신들 속에 저절로 커가고 있던 어떤 것을 알게 되었다. 너무 늦은 다음이었다. 그들에게는 할 수 있는 일이 아무것도 없었다. 두 사람 다 그것을 깨달았다. 아니, 깨달은 것 같았다. 그들은, 아니 더 정확히 말하면 그녀는 그 갑작스럽고 끔찍한 깨달음을 부정하고 마치 그런 것이 존재하지 않는 것처럼 짓이겨 버렸다. 브루스는 이상하리만큼 침묵을 지켰다. 일주일 뒤 브루스는 직장을 그만두고 공군에 입대했다.

그가 부상으로 3주 전에 집으로 돌아오지 않았다면, 또 그가 자유로운 몸이었을 때 그들이 만났다면 얼마나 좋았겠는가. 하지만 그들은 그러지 못했고 희망 어린 생각을 품는 것은 어리석고 무의미하며 시간 낭비였다. 그녀는 짐과 약혼함으로써 불가능한 상황의 매듭을 끊어버렸다. 그녀의 발표는 샬럿의 의심을 효과적으로 잠재웠다. 그 의심이 다시 깨어나게 해서는 안 되었다. 다른 사람들과 떨어져서 그들이 이렇게 같이 있는 모습을 샬럿이 발견해서는 안 되었다. 그녀는 계단 밑 작은 전화 부스에서 전화를 받고 있었지만 언제든 돌아올 것이다.

지쳐서 마비된 상태였던 이브의 정신을 번쩍 들게 한 것은 두려움이었다. 그녀는 핸드백을 팔 아래 끼워 넣고 장갑을 끼기 시작했다. "이제 갈게요, 브루스." 그녀가 조용히 말했다.

그는 전혀 반응하지 않았다. 그는 벽난로를 들여다보며 그 자리에 그대로 서 있었다. "샬럿 아주머니." 그가 약하게 중얼거렸다.

그는 그녀의 이모를 전혀 좋아하지 않았다. 이브는 그의 말투와 표정이 두려웠다. 하지만 더 두려운 건 그들이 둘만 따로 있는 것이었으며 그늘진 구석에서 보이지 않는 눈빛이 의심스럽게 그들을 훔쳐보고 있을지도 모른다는 것이었다.

"그만, 브루스. 나탈리를 생각해요. 우리가 생각해야 할 사람은 그 애예요." 그녀가 말했다. 그 말을 하자마자 그녀는 대답을 기다리지 않고 얼굴을 가다듬고 장갑의 단추를 채웠다. 그리고 얼굴에 미소를 띠고 걸어 나갔다.

그녀는 벽난로와 그 옆에 있는 문을 등지고 있었다. 뒤쪽 식당으로 통하는 그 문은 살짝 열려 있었다. 이브는 그 문이 닫히는 소리를 듣지 못했다. 몇 분 뒤 식사 시중을 드는 하녀 글로리아 폭스가 식당으로 들어가다가 샬럿 포이를 발견했다. 그녀는 얼굴이 하얬고 높은 의자의 등받이를 양손으로 잡고 있었다. 젊은 하녀는 그녀의 모습을 보고 겁이 났지만, 미스 포이는 아무도 부르지 말라고 했다. 그녀는 하녀를 시켜 위층에서 약을 가져오도록 해서 그 약을 먹었다. 그리고 무뚝뚝하게 말했다. "난 이제 괜찮아. 할 일 하러 가거라." 그녀가 거실로 돌아왔을 때 브루스 커닝엄은 그곳에 없었다. 동료 장교와 약속이 있었던 그는 나탈리와 어딘가에서 저녁을 먹기로 한 후 자리를 떴던 것이다.

이브는 그와 다시는 직접 말을 하지 않았다. 그녀는 그를 쳐다보지 않고 잘 가라고 인사했다. 보지 않아도 충분했다. 아치형 입구 뒤에 군복을 입고 똑바로 서 있는 키 큰 그의 모습을 그녀는 온몸으로 느끼고 있었다. 그날은 수요일 오후였다. 그녀는 아마도 토요일에 짐 홀랜드와 결혼할 것이었다. 이별의 고통이 엄청난 힘으로 그녀를 덮쳐왔다. 그로 인해 다른 모든 것은 다 사라져 버렸기에 부수적인 것들은 잠시 흐릿한 상태였다. 그녀는 기계적으로, 실재하지 않는 다른 세상에서 듣고, 보고, 말을 걸고, 말을 들었다.

짐은 로드십 비치 얘기를 했다. 자신들이 그곳에 집을 지을 생각이라고 했다. 바다 위로 절벽이 나 있는 멋진 곳이었다. "콘월하고 좀 비슷하지 않아, 이브?" 그녀는 그렇다고 했다. 그녀의 아버지는 그녀가 가게를 그만둘 작정이라는 말을 듣고 기뻐했다. "그런 걸 이제 좋은 생각이라고 하지." 그녀는 결혼식은 조용히 치를 것이지만 자신과 짐은 그들 모두가 오기를 바란다고 했다.

"그거야 당연하죠." 알리시아가 외쳤다. 나탈리는 무슨 일이 있어도 참석할 것이라고 했다. 돌연 샬럿이 강경하게 말했다. "난 못 간다. 내일 보스턴에 가야 해."

그녀는 마치 모여 있는 동성애자들 앞에서 신앙 선언을 하듯이 큰 소리로 말했다. 다른 사람들이 쳐다봤다. 이브는 초연하게 마음을 비우고 있었음에도 불구하고 그들이 경직되어 가는 것을 느꼈다. 그녀의 아버지가 주로 그랬지만, 제럴드가 알리시아에게 재빨리 눈길을 주자 알리시아의 얼굴이 굳어졌다. 그녀가 한순간 늙고 못생겨 보인 것은 그래서였을까?

이브로서는 영문을 모를 일이었다. 아버지는 이해할 수 있었지만 제럴드와 알리시아는 아니었다. 그 가족에게 보스턴이란 코리 집안을 뜻했다. 나탈리의 어머니인 버지니아는 코리 가문 출신이었다. 보스턴의 오래된 가문이자 대부호인 그 집안은 버지니아와 휴의 결혼을 극렬히 반대했다. 당시 휴는 젊고 뛰어난 경제학 교수였지만, 또한 무일푼에다 두 아이까지 있는 홀아비였던 것이다. 버지니아가 사망한 후 코리 가문은 재판을 통해 나탈리의 양육권을 가지려고 애를 썼다. 휴는 정말 잘 싸운 끝에 승소했지만, 아내의 가족들을 절대 용서하지 않았으며 나탈리가 해마다 이모와 사촌들을 방문하러 가는 것을 극도로 싫어했는데, 그 여행에 샬럿이 한 번씩 동행하곤 했다.

짐은 샬럿이 그렇게 천명하자 실망했다. 브루스 커닝엄과는 달리 그는 그녀를 좋아하는 편이었다. 그녀는 훨씬 더 젊은 시절부터 그를 알고 지냈던 데다 어린 그를 다정하게 대해주었던 것이다. "여행을 미루실 수 없나요?" 그가 물었다.

그녀는 아무런 설명도 하지 않고 안 된다고 했다. 휴는 불쾌한 기분을 감추려 하지 않았다. 그는 들고 있던 신문을 과격하게 구기고는 돌아서서 나가버렸다. 그는 분노에 휩싸여 있었다. 때때로 그는 너무나 갑작스럽게 그렇게 화를 내곤 했다. 샬럿은 평소에는 그의 반응에 민감했으나 그때는 그러지 않았다. "나는 가야 해." 그녀는 그 말을 반복했다. 그녀의 얼굴은 핼쑥했고 눈 밑은 갈색으로 불룩했다.

이상한 공백이 잠시 이어졌다. 이브는 연락을 끊고 지내던 가족에게 묘한 기류가 흐르고 있는 것을 또다시, 이번에는 더 강하게 느꼈다. 이모와 알리시아, 그리고 제럴드, 거기다 심지어 나탈리까지도 걱정하고 있는 것은 무엇일까? 그 모든 것이 마음을 어지럽히고 불쾌했다. 그 상황을 깨는 일이 일어나자 그녀는 반가웠다.

복도에서 전화벨이 울렸던 것이다. 이번에는 그녀를 찾는 전화였다. 가게 점원인 클라라 롱이 가게를 매수할 것 같은 사람이 지금 와 있는데 올 거냐고 묻는 전화였다.

"바로 갈게." 이브가 말했다. 계획이 바뀌었다. 그녀와 짐은 토니스에 가서 쫄깃한 스파게티와 레드 와인을 먹을 생각이었으나 그녀는 거의 곧바로 혼자 집을 나섰다.

나탈리가 골을 냈다. "아이, 언니. 내가 다 생각해 놓은 게 있었단 말이야." 그녀가 말했다. "언니와 짐이 오늘 저녁 늦게 어디서 나와 브루스를 만나서 함께 엘 모로코로 갈 수 있을 줄 알았는데. 거기 진짜 대단한 새 무용수가 왔단 말이야. 아니면, 카사블랑카나 스토크에 가서 얘기를 나누거나…."

"안 돼, 우리 귀염둥이." 이브가 단호하게 말했다. 나탈리는 사람들에게 돈 쓰는 것을 좋아했고 계획이 틀어지는 것을 싫어했지만, 이브는 그녀가 실망해서 살짝 뿌루퉁해진 것을 무시하고 그녀에게 키스하며 그건 불가능하다고 설명했다. 그녀는 사업을 정리할 기회를 저버릴 금전적인 여유가 없었다. "내가 내일 전화할게." 그녀는 다른 사람들에게, 그리고 짐에게 작별 인사를 했다. "당신은 서둘러 나올 이유가 전혀 없어요. 난 한동안 바쁠 거예요. 한 시간쯤 후에 전화해 줘요."

복도에서 그녀는 아무도 마주치지 않았다. 계단 아래 있는 작은 집필실 문은 닫혀 있었다. 그녀는 현관문을 열고 뒤쪽으로 그 문을 닫았다. 그리고 순식간에 안개 속에 파묻혔다. 앞이 보이지 않을 정도로 짙은 안개였다. 헨더슨 스퀘어 전체가 안개에 뒤덮여 있었다. 춥고 어두웠다. 진정한 등화관제가 여기 있었다. 불빛 하나 새어 나오지 않았다. 현관문 위에 달린 등이 축축한 계단 벽돌에 희미한 불빛을 던지고 있었다. 그 계단들 너머로는 암흑과 습기, 그리고 뼈가 시린 한기만이 있을 뿐이었다.

이브는 혼자 있게 된 것이 좋았다. 목마른 사람이 물을 마시듯 그녀는 고독을 마셨다. 헨더슨 스퀘어는 고요했다. 그러고 보면 그곳은 항상 그랬었다. 뉴욕의 심장부에, 사방으로 뻗어 나가는 그 도시의 중심에 자리 잡고 있었지만, 그곳은 사방이 벽으로 둘러싸이지 않았어도 홀로 동떨어져 있는 공간, 사생활이 보장되고 자유로운 공간 같은 가상의 분위기를 풍겼다. 그 너머 어디선가 희미하게 경적이 울리고 멀리 강에서는 휘파람 소리가 들렸다. 이브는 한 손으로 난간을 잡고 계단을 내려갔다. 인도에 내려서자 그녀는 좌측으로 돌았다. 몇 발자국도 못 가서 그녀는 누군가와 세차게 부딪히고 말았다.

두 팔이 그녀를 붙잡았다. 어떤 남자의 목소리가 말했다. "이런, 미안합니다. 괜찮으세요?"

"괜찮아요, 감사합니다." 이브가 말했다. 그리고 더욱 조심하며 앞으로 걸음을 옮겼다.

잠겨 있는 높은 철문 너머 고요하기만 한 공원은 전혀 보이지 않는 상태였다. 그녀의 아버지는 그날 밤에는 산책하지 않을 것이었다. 아니, 어쩌면 할지도 모르지만, 장화를 신고 딱 적절한 무게의 외투를 입을 것이다. 그는 언제나 심할 정도로 건강을 챙기곤 했다. 그녀는 그가 길을 건너서 철문을 열고 높은 철책 너머 잘 조성해 놓은 나무 덤불 사잇길을 일분일초까지 정확하게 시간을 재며 규칙적으로 걷고 있는 모습을 상상할 수 있었다.

그녀는 브루스와 짐, 그리고 자기 자신에 대한 생각은 제쳐두고 일부러 아버지 생각에 빠져 있었다. 나탈리는 미래가 보장되어 있고 마음 편히 명예를 누려왔다. 그게 제일 중요하다. 다른 문제들은 닥쳤을 때 해결하면 되는 것이다. 짐을 생각해 보면, 그는 사랑에 매달리는 로맨틱한 남자는 아니었다. 서른일곱 살의 현실주의자인 그는 불가능한 것을 요구하지 않을 것이었다. 그녀는 좋은 아내가 되어 그에게 가정과 동반자를, 그리고 그가 하는 일에 지적인 관심과 필요로 하는 모든 것을 제공할 수 있을 것이었다. 그들은 마음이 잘 통하는 친구였으며 같은 것을 보고 웃었다.

그녀는 가로등에 부딪혔다. 눈을 깜박이자 그녀의 속눈썹에서 떨어진 것은 안개의 물기가 아닌 성난 눈물이었다. 그녀는 옅은 빛을 발하고 있는 반쯤 감긴 커다란 두 개의 눈을 향해 걸어갔다. 모퉁이에 있는 아파트식 호텔 앞에 서 있던 택시의 검정 테이프를 붙여 놓은 전조등이었다. 그녀는 택시를 타고 문을 쾅 닫은 다음 기사에게 주소를 말했다. 어디선가 6시 15분을 알리는 시계 종이 울렸다.

그 12월의 어느 날 오후 파란 덧문이 달린 붉은 벽돌집에서 사람들 사이에 일어난 일에 관해 그녀가 실제로 아는 내용은 거기서 끝이 났다. 그럼에도 불구하고 그녀 자신도 알지 못하는 사이에 그때 이미 살인은 준비되고 있었던 것이다. 분명 그날 늦은 오후와 이른 저녁, 그녀가 그 집에 들어선 4시 반부터 그 집을 나온 6시 20분 사이에 아주 정교하게 계획된, 교활하고 악한 파괴의 틀 속으로 주사위가 던져졌다. 그것은 돌이킬 수 없는 것으로, 자칫하면 탐지되지 않았을 것이었다.

거의 완전 범죄였다. 사건을 최종적으로 해결하게 만든 것은 맨눈에는 보이지 않는 작디작은 초록색 물체였다. 그리고 멀리 떨어진 시골 집의 마루 판자 사이에서 주워 올린 분홍색 구슬 한 점이었다. 맨해튼 살인 수사반의 수장 크리스토퍼 맥키는 그날 밤 헨더슨 스퀘어에 가득 깔려 있던 안개 같은 상황을 헤집고 나가며 이 물건들을 어디서 찾아야 할지, 그리고 어떻게 해석해야 할지 터득해야만 했다. 그 전에 많은 일이 일어났다.

3

일부 사실들은 나중에 어렵지 않게 확인되었다. 이브가 나간 직후인 6시 10분 무렵에 짐 홀랜드는 알리시아와 제럴드 플라벨과 함께 그 집을 나와서 마지막으로 몇 잔 더 하자는 제럴드의 청에 응해 그 부부의 집으로 갔다. 제럴드 플라벨 부부가 사는 곳은 헨더슨 스퀘어 동쪽에 있는 아파트식 호텔로서 엎어지면 코 닿을 거리였다. 알리시아는 남편의 초대에 전혀 맞장구치지 않고 심드렁한 반응을 보였다. 그날 밤은 하녀가 외출하는 날이고 그녀와 제럴드는 친구들과 저녁을 먹기로 되어 있었던 것이다. 게다가 그녀가 생각할 때 제럴드는 이미 술을 상당히 많이 마신 상태였다. 하지만 제럴드가 고집을 부렸기에 알리시아는 품위 있게 어깨를 으쓱하며 그의 말을 따랐다.

손님들이 떠나고 난 플라벨의 집에는 정적이 찾아왔다. 휴 플라벨은 3층에 있는 서재로 물러가서 쟁반에 담긴 음식으로 검소하게 저녁을 먹고 방해하지 말 것을 지시하고는 자리에 앉아 집필 작업을 했던 것으로 추정되었다.

여전히 아파 보이던 샬럿 포이는 짐을 싸러 자기 방으로 갔고 머리가 아프다던 나탈리는 옷을 차려입기 전에 잠깐 누워야겠다고 자기 방으로 갔다. 브루스 커닝엄은 7시 30분이 지나서야 그녀를 데리러 왔다. "7시 15분 전에 깨워줘." 그녀는 하녀 두 사람 중 연장자인 아네트에게 자기를 늦게까지 자도록 내버려두지 말라고 지시했다. 그녀가 늦잠을 잘 위험은 없었다.

하녀가 방에 들어갔을 때 나탈리는 몸을 포갠 채 침대 발치 난간을 붙잡고 아파하고 있었다. 뒤틀린 가느다란 몸을 감싸고 있는 부드러운 무명 잠옷처럼 얼굴이 하얗게 질려 있었다.

하녀는 기겁했다. "어머나, 아가씨, 편찮으시군요!" 그녀는 샬럿 포이를 데리러 달려갔고 그들은 나탈리를 팔걸이 있는 긴 의자에 눕혀 베개를 받쳐 주었다.

그러나 경련이 지나가고 나자 나탈리는 아무것도 아니라는 듯 일어나 앉아서 머리를 뒤로 쓸어 넘기며 걱정하는 그들을 향해 웃었다. "그냥 위경련일 뿐이야. 제럴드 오빠와 그 술을 마시면 안 되는 거였어. 오빠는 지독한 칵테일을 만든다니까. 그리고 술을 마시면 난 항상 탈이 나. 그것 때문에 머리가 아팠던 거였어. 이미 좀 나아졌어."

그녀는 의사를 부르지도, 브루스와의 약속을 미루지도 않으려 했다. "바람을 쐬면 좋아질 거고, 늦게 돌아오지는 않을 거예요." 그녀는 이모에게 약속했다. "돌아왔을 때 이모 방에 불이 켜져 있으면 들어가서 얘기할게요."

샬럿이 그녀를 걱정하는 것만큼이나 그녀는 샬럿을 걱정하면서 보스턴 여행을 미루라고 설득하려고 애썼다. "내일은 가지 마세요." 그녀는 샬럿의 한쪽 팔을 양손으로 붙잡고 간청했다. "이모는 여행할 만큼 건강한 상태가 아니에요. 그러니까 전 걱정이 될 거고…. 다음 주까지만 기다리시면 제가 같이 갈게요. 하지만 전 이브 언니의 결혼식 전까지는 떠날 수가 없어요."

샬럿 포이는 여행을 미루지 않겠다고 단단히 마음먹은 상태였다. "난 가야 해, 나탈리." 그녀가 엄하게 말했다. "모든 일정이 정해져 있어. 넌 일요일이나 월요일에 올라와도 돼. 난 헨드릭스가 미덥지가 않아. 보스턴 의사가 너를 보면 좋겠어. 그리고 넌 오늘 밤에는 외출하면 안 돼."

나탈리는 마음이 아팠다. 그리고 이모가 자기 말을 듣지 않겠다고 하자 심기가 여간 불편한 게 아니었다. 그녀는 자기 제안이 그렇게 무례하게 무시당하는 것이 싫었다. 그녀는 몸을 꼿꼿하게 일으켜 세웠다. 입은 떨리고 있었고 눈에는 차가운 불꽃이 일었다. 그러다가 그녀는 옆에 있는 탁자 위 작은 금색 시계를 보고는 소리를 질렀다. "맙소사, 시간이 ─. 목욕하고 머리도 하고 옷을 입어야 해." 그녀는 펄쩍 뛰어 일어나더니 정교하게 수놓은 넓은 소매가 찢어질 정도로 급하게 잠옷을 벗어 던지고 스타킹을 벗기 시작했다.

샬럿은 심각한 표정으로 그녀를 내려다보며 같은 말을 다시 했다. "네가 오늘 밤에 나가지 않았으면 좋겠는데." 그러나 나탈리는 전혀 개의치 않았다. 그녀는 밝은 소리로 안달이 난 듯 말했다. "전 지금 정말 괜찮아요, 이모. 정말이에요. 아프지도 않고, 통증도 없어요." 그러자 샬럿은 어깨를 으쓱하더니 그녀 곁을 떠나서 짐을 싸러 돌아갔다. 하녀 역시 젊은 여주인의 욕조 물을 받아서 그녀가 원하는 향기 나는 소금을 풀어 놓은 뒤 방에서 나갔다.

그러나 나탈리에게 도진 병세는 그녀가 괜찮은 척했던 것보다는 더 심각했다. 요리사가 7시 반에 브루스 커닝엄을 맞이하여 2층으로 올라갔을 때 그녀는 나탈리가 새로 산 짧은 검정 이브닝드레스를 입고 계단을 가볍게 내려오고 있기는 했지만, 안색이 창백하고 초췌했으며 커다란 갈색 눈 밑이 거무스름한 것을 알아챘다.

조앤 애덤스라는 그 요리사는 수년간 플라벨 집안에서 일하고 있었는데 커닝엄 중위가 자기 약혼녀의 상태에 대해 별다른 느낌을 갖지 않는다는 것 역시 눈치챘다. 그는 그녀에게 키스하고는 활기차게 말했다. "안녕, 냇. 준비됐어?" 그는 그녀의 팔에서 밍크 코트를 받아 입혀주고는 함께 밖으로 나갔다.

문을 열자 안개가 밀려들었다. 애덤스 양은 문을 닫고 몇몇 전등을 끄고 바로 잠자리에 들었다. 나중에 누가 찾아왔다 하더라도 그녀는 그들을 보거나 그들의 소리를 듣지 못했다. 그녀의 방은 집 꼭대기에 있었기 때문이었다. 개별 목격자들의 입장에서는, 그것이 그날 밤의 전부였다.

끔찍한 일이 발견된 것은 다음 날 아침 9시 20분이었다. 발견 상황은 더없이 심란했다. 튄 공을 쫓던 다섯 살짜리 아이가 그 섬뜩한 발견의 당사자였던 것이다. 순찰 중이던 경관 크로더스가 조력자였다.

12월 3일 아침은 날씨가 맑고 환했다. 전날 밤의 안개는 북서쪽에서 불어온 세찬 바람에 날려가 버렸고 구름 한 점 없이 높고 푸른 하늘에 태양이 찬란히 빛났다. 크로더스 경관은 표변한 날씨와 평화로운 주변 환경에 고무된 채 즐거운 마음으로 아무 생각 없이 마지막 순찰을 마무리하고 있었다. 헨더슨 스퀘어와 접한 거리는 조용했다. 그는 헨더슨 공원을 좋아했다. 그 동네는 근사했다. 모든 것이 깔끔하고 풍요롭고 잘 정돈되어 있었다. 싱그러운 바람에 머리 위 높은 나무들이 바스락거렸고 높은 철책 너머 관목 숲속에서 아이들의 목소리가 울려 나왔다. 하지만 전혀 시끄럽지는 않았다. 조금은 이른 시간이어서 유모들은 아직 아기들을 데리고 모여들지 않고 있었다.

소동이 시작되었을 때 크로더스는 헨더슨 스퀘어 남쪽 중간 지점쯤에 있었다. 철책 너머 공원 안에서 어린아이 하나가 비명을 지르며 달려 나왔다. 아이의 발이 시멘트 바닥 위에서 빠른 속도로 타닥거렸다. 비명은 미친 듯이 컸다. 경관은 그 자리에 멈춰 섰다. 이전에 아이들이 고함을 지르는 소리를 수없이 들었지만, 이번만큼 심한 소리는 듣지 못했다. 그는 성에가 낀 검은 철책 기둥 틈으로 안을 들여다봤다. 모직 반바지에 모직 코트를 입은 대여섯 살 남짓한 남자아이 하나가 남문으로 향한 길을 날아오고 있었다. 조금 거리를 두고서 늙은 유모 한 사람이 그 아이를 뒤쫓았다. 한쪽 눈이 모자에 덮인 그녀는 얼굴이 뻘게져서 화를 내고 있었다.

"찰스," 그녀가 헐떡이며 아이를 불렀다. "찰스, 이 **못된** 녀석! 거기 서! 이리로 돌아와. 그 문을 열려고 하기만 해봐! 그러기만 **했단 봐!**"

그게 바로 그 아이가 하려고 했던 일이었다. 녀석은 전에도 그랬던 것이 분명했다. 아이의 비명이 멎었다. 그 아이는 숨을 헐떡이며 계속 울면서 자물쇠를 비틀어대고 있었다. 얼굴에는 눈물이 흘러내렸다.

"자, 어린 친구, 그 정도면 충분해." 크로더스는 창살 사이로 커다란 손을 뻗어 아이의 더듬거리는 작은 두 손을 제지했다. 그가 아이의 손에서 손을 뗐다. 그의 손바닥에 얼룩이 있었다. 그 아이의 손가락은 적갈색으로 끈적끈적했다.

경관은 아이를 응시했다. 그의 머리가 빠르게, 제대로 움직였다. 그는 똑똑한 경관이었고 최근에 경찰 아카데미에서 혈흔에 관한 강의를 들은 바 있었다. 아이의 손에 붉은색으로 끈적거리는 것은 피였다. 아이가 손을 벤 것은 아니었다. 금방 흘린 피가 아니었던 것이다. 피는 공기에 노출되어 부분적으로 응고되어 있었다.

크로더스는 머리를 굴렸다. 모퉁이에 있는 전봇대에 경보 발신기가 있었다. 그는 유모에게 말했다. "거기 그대로 계세요." 그리고 경보 발신기로 가서 관할 경찰서에 전화를 걸어 자신의 위치를 알리고 지원을 요청한 후 문으로 돌아갔다. 유모가 그를 들어오게 했다. 그는 울고 있는 아이 옆에 무릎을 꿇었다. "자, 다 큰 친구야," 그가 작은 아이에게 말했다. "무슨 일이니?"

"나뭇잎 속에서요," 아이는 딸꾹질을 하며 흐느끼면서 더듬더듬 말했다. "그 여자가 저를 쳐다봤어요. 그 여자는 꼼짝하지 않았어요. 나뭇잎들이 움직였어요. 나뭇잎들이 날아가서…"

"그게 어디지?" 크로더스가 다그쳐 물었다. 아이가 모호하게 손짓을 하자 경관은 수색을 시작했다. 오래 걸리지 않았다. 그는 북문 근처, 길을 벗어난 곳의 우거진 수풀 사이에서 아이가 몇 분 전에 걸려 넘어진 것이 무엇인지 알게 되었다. 나무 덤불이 부러져 있고 일부 가지들은 자기들을 덮친 무거운 어떤 것 위로 구부러져 있었다. 크로더스는 아래를 내려다봤다. 모골이 송연해졌다.

작은 덤불 한가운데 어떤 여자가 바닥에 누워 있었다. 엉망진창인 자세였다. 한쪽 다리는 몸 아래로 반이 접혀 있고 양팔은 미친 것처럼 헤벌어져 있었다. 모자는 벗겨져 있었다. 얼굴은 축축한 땅에 옆으로 박혀 있었다. 눈은 뜬 상태였다. 노란 나뭇잎들이 가벼운 이불이 되어 그녀를 덮어주고 있었다. 바람이 불자 나뭇잎들 중 일부가 춤을 췄다. 나머지는 가슴의 상처에서 솟아난 피에 얼룩덜룩하게 젖어 끈적해진 상태로 제자리에 붙어 있었다. 만져보지 않아도 한눈에 알 수 있었다. 여자는 죽은 것이다. 죽은 지 꽤 시간이 흐른 상태였다. 경직이 이미 시작되었던 것이다.

크로더스는 비틀거리며 일어섰다. 점잖은 이 동네의 공원에 있다가 그의 모습을 보고 그 자리에 모여든 몇몇 사람들이 여러 갈래의 길목에서 호기심 어린 눈길을 보내고 있었다. 그들의 시야에는 죽은 여자가 들어오지 않았다. 그러나 그들이 그에게 바싹 다가온다면 보게 될 것이고, 그 구경꾼 중 몇몇은 아이들이었다. 그가 엄중하게 말했다. "모두 물러서세요, 부탁드립니다. 아이들을 데리고 나가세요. 사고가 났어요." 그는 몸을 펴고 조금 안도하며 이마에서 땀을 닦았다. 바람이 불어왔다. 바람을 헤치고 사이렌이 울렸고 무선 장치를 갖춘 두 대의 차량이 렉싱턴 쪽에서 쏜살같이 돌아 나왔다.

바로 얼마 뒤, 센터 스트리트의 경찰 본부 꼭대기에 있는 금빛 스피커에서 호출 방송이 흘러나왔다. "살인 사건 발생, 샬럿 포이, 헨더슨 공원. 살인 사건 발생, 헨더슨 공원 웨스트 22에서 샬럿 포이…"

전화벨이 울렸을 때 맨해튼 살인 수사반의 수장인 크리스토퍼 맥키는 사무실에 있었다. 크로더스가 사체를 발견한 것은 9시 21분이었다. 맥키는 9시 40분에 공원에 도착했다. 담당 속기사인 켄트와 피어슨 반장, 그리고 부하 세 명이 그와 함께 있었다.

관할 경찰서의 형사들이 이미 작업에 착수한 상태였다. 공원에서 사람들을 다 내보내고 북문 근처의 상당한 구역에 접근 금지 테이프를 둘러놓았으며 다른 세 곳의 문에는 경관 한 명씩을 각각 배치해 둔 것이었다.

검시부에서 나온 순회 검시관인 벤슨 박사가 무릎을 꿇고 시신을 검사하고 있었다. 좀 떨어진 곳에서는, 지면을 훼손해도 별문제 없을 넓은 시멘트 길 한쪽에서 경찰서 부서장과 지방 검사보가 전쟁과 평화를 논하며 대화하고 있었다. 그들은 맥키를 맞으며 인사했다. 검사보가 온화하게 말했다. "장의사에게 손님이 하나 더, 묘지 관리인에게 작은 일거리가 하나 더 생겼네요. 직업치곤 고약하죠."

스코틀랜드인 경감은 고개를 끄덕이고는 플라타너스 나무 주위를 한 바퀴 돌았다. 그가 등장하자 튼튼한 검정 구두를 신은 발들이 우람한 몸들을 옮기며 길을 비켰다. 순찰 경관인 크로더스와 무선 순찰대원 앤더스가 초기 사실들을 그에게 보고했다. 켄트는 바쁘게 받아 적었고 맥키는 귀를 기울이며 우묵하게 패인 겨울나무 덤불 속을 내려다봤다.

크로더스는 피해자를 단번에 알아봤다. 그는 헨더슨 스퀘어와 그 거주자들을 잘 알고 있었다. 그는 미스 포이와 그녀의 조카인 나탈리 플라벨, 그리고 플라벨 양의 아버지와 종종 간단한 인사를 나누곤 했었다.

샬럿 포이는 총에 맞았다. 심장 바로 위로 탄알이 들어간 상처가 있고 견갑골 사이로 탄알이 나간 상처가 있었다. 탄알은 아직 발견되지 않다. 꽤 넓은 반경 내 어딘가에 있을 것이었다. 죽음은 자살로 보이지는 않았다. 무기가 눈에 띄지 않았던 것이다.

"한번 보시겠습니까, 경감님?" 피어슨이 물었다.

"됐네," 맥키가 무심하게 말했다. "좀 기다리는 편이 나아. 댈리건은 어디 있나?"

"여기 있습니다." 수사본부에서 온 꺽다리 사진사가 카메라 가방을 늘어뜨리고는 앞으로 몸을 내밀었다. "좋아. 광각 사진을 최대한 많이 찍도록 —. **조심해!**"

댈리건은 구두를 신은 발의 움직임을 급작스럽게 멈추고 뒤꿈치를 뒤로 들어 올렸다. 그는 죽은 여자의 임시 무덤인 나무 덤불 가장자리에 놓여 있던 축축한 담배 한 개비를 막 밟을 뻔했던 것이다. 담배가 놓여 있는 사진을 찍고 나자 맥키는 그 담배를 회수했다. 끝이 살짝 검게 타 있었다. 겨우 한두 모금 피운 것이다. 그는 함께 있던 성냥을 발견했다.

럭키 스트라이크 담배였다. 샬럿 포이의 핸드백에는 럭키 스트라이크 한 갑이 들어 있었다. 맥키는 핸드백을 조사했다. 흥미로운 물건이라고는 커다란 철제 열쇠, 그리고 '스펜서'라는 단어와 전화번호인 것 같은 숫자가 연필로 적혀 있는 종이 한 장이 전부였다. 그는 시신의 위치와 주변 지형을 조사하고 할 수 있는 범위 내에서 알게 된 사실들을 보탰다.

"시간아, 돌아가자. 뒤로, 뒤로 —." 말을 하지 못하는 증거들이, 비록 제한적인 범위이긴 하지만, 시간을 되감아 주었다. 뉴욕의 몇 안 되는 사유지 공원 중 하나인 이 공원은 항상 잠겨 있었다. 열쇠는 앞쪽에 있는 건물 주인이 가지고 있었다. 아파트식 호텔의 경우 공원을 이용하는 특혜를 누리려는 투숙객들을 위해 수위가 문을 여닫아 주곤 했다. 샬럿 포이는 알 수 없는 시간에 자기 열쇠를 가지고 공원에 들어갔다. 총에 맞았을 때 그녀는 집에서 좀 떨어진, 북문에서 6미터쯤 안쪽에 있는 지점에 있었다.

검시관은 사망 시각을 제시하지 못했다. 맥키는 할 수 있었다. 그는 샬럿 포이가 지난 밤 11시 이전에 살해되었다고 했다. 그녀의 몸을 덮고 있는 나뭇잎 이불이 증거였다. 바람이 일어난 시각이 11시경이었다. 북쪽에서 불어온 시속 65킬로미터의 강풍은 너도밤나무에 남아 있던 마지막 잎새들을 다 벗겨내어 아래로 우수수 떨어뜨렸는데, 그 나무 밑에 그녀가 누워 있었던 것이다.

지방 검사보는 의문에 빠졌다. 그날 밤은 안개가 짙어서 이 구역은 시계 제로로 거의 칠흑같이 어두웠다. 그런데도 샬럿 포이의 살인자는 최고의 효과를 내는 정확한 지점의 살과 뼈를 관통하도록 총을 쏜 것이다.

"이해가 안 되네요, 경감님…."

맥키가 암울하게 말했다. "미스 포이가 담뱃불을 붙인 순간 필요한 조명을 스스로 제공한 셈입니다. 총알은 그때 발사된 거예요. 그녀는 담배를 다 피울 수가 없었죠. 저 수풀 속으로 고꾸라졌으니까요."

피어슨이 휘파람을 불었다. "그녀를 쏜 게 누구든 지독히도 제대로 맞춘 겁니다."

경감은 어깨를 으쓱했다. 총알과 그 구경, 발사된 총과 발사 방향 및 거리에 관해서는 짐작할 만한 것이 없었다. 그 일은 검시가 끝난 후 전문가들이 수행할 몫이었다. 그 밖에, 다른 중요한 물리적 단서는 딱 하나뿐이었다. 샬럿 포이의 가슴에 난 상처에서 대량 출혈이 있었다는 것이다. 피는 그녀가 누워 있던 나무 덤불에 한정되어 고여 있었다. 그 덤불에서 3미터는 족히 떨어진 시멘트 길 가장자리 근처의 짧게 깎인 풀잎들이 검은 점들로 불규칙하게 얼룩져 있었는데 그것은 피였다. 나무 덤불에서 이 지점까지 희미한 자국들이 이어져 있었다. 그 밖의 멀리 떨어진 곳에는 아무것도 없었다. 결론은 분명했다. 남자든 여자든 신발에 피가 묻은 누군가가 숨길 수 없는 흔적을 없애기 위해 풀잎에 여러 번 피를 닦아낸 것이다. 누군가 죽은 여자를 내려다보고 서 있었다. 어쩌면 숨이 끊어졌는지 확인하려고, 어쩌면 그녀의 몸과 핸드백을 뒤지려고 했던 건지도 모른다. 그 사람은 열쇠를 가졌든지, 아니면 샬럿 포이가 직접 들어오게 해줬든지, 아무튼, 공원을 출입할 수 있는 누군가였다.

맥키는 몸을 바로 세우고 섰다. 탄도 전담반이 도착하는 중이었다. 플라벨 가족에 대해 조금 알아보고 있었던 켄트가 돌아왔다. 이곳 사건 현장은 완벽하게 통제되고 있었다. 그래서 맥키는 호리호리한 속기사를 대동하고 서문을 통해 공원에서 나왔고 길을 건너 파란 덧문과 하얀 현관문이 있는 붉은 벽돌집으로 갔다.

"플라벨 씨를 찾으신다고요? 네, 선생님, 여기서 기다리시겠습니까?"

푸른 바다색 커튼들 가운데 반쯤 내려온 블라인드 틈으로 비스듬히 들어온 햇빛이 집 안쪽 깊숙이 들어앉은 아름다운 거실의 오래된 카펫 위를, 그 빛바랜 정교한 모자이크 패턴 위를, 그리고 반질반질한 마룻바닥 위를 비추고 있었다. 하녀가 그 거실로 두 남자를 안내했다. 뒤러의 날카로운 흑백 그림 아래에서 활짝 핀

꽃다발이 향기를 내뿜고 있었다. 모든 것이 질서정연하고 아름답고 평화로웠다. 그 집에 처음 발을 들인 거의 그 순간부터 경감은 그 집 안에 심란한 분위기의 뭔가가 있음을 감지했다. 그것은, 물론, 그곳에 사는 사람들에게서, 그리고 이미 죽은 한 사람에게서 비롯된 것이었다. 너무나 미묘하게 발산되고, 정상적인 것에서 아주 약간 비켜나 있는 것이기에 그 분위기의 진정한 본질은 잡힐 듯 말듯 그의 손을 계속해서 빠져나가곤 했다.

휴 플라벨이 그 시작이었다. 그는 두 번 홀아비가 된 전직 경제학 교수이자 꿀벌 연구의 권위자이며 매우 부유한 딸의 아버지였다. 플라벨은 쉰 살을 넘긴 나이였으나 그렇게 보이지 않았으며, 잘생기고 차분하고 예의 바르며 문제를 예리하게 파고드는 실무가이자 재력가였다.

"맥키 경감이라고요? 네, 경감님. 앉으세요. 무슨 일이신가요?" 숱이 없어져 가는 희끗희끗한 머리카락을 부드럽게 넘기는 그의 손에서 긴장감이 느껴졌다.

'죽은 샬럿 포이의 제부에게는 아직 사건 소식이 전해지지 않았나 보군.' 경감은 생각했다. '하지만 그는 어떤 나쁜 소식을 대비하고 있었어.' 진청색 양단 가운과 회색 바지, 그리고 흰색 실크 셔츠 아래 그의 마른 몸에는 잔뜩 힘이 들어가 있었다.

맥키가 그에게 소식을 전했다.

플라벨은 멍하니 앞을 응시하더니 말했다. "샬럿이… **안 돼**… 난…." 그는 공기를 들이마시기 위해 더 크게 입을 벌리더니 한두 번 숨을 헐떡였다. 그리고는 얼굴이 시퍼레져서 바닥에 무너지듯 쓰러졌다. 기절한 것이었다. 쓰러지면서 그는 의자 귀퉁이에 머리를 부딪쳤다.

그들은 그를 벽난로 양옆의 소파 중 하나에 눕혔고 켄트가 힘껏 벨을 잡아당겼다. 그들을 맞아주었던 하녀가 재빨리 왔고, 다음으로 요리사인 좀 더 나이 든 여자가, 그리고 그다음으로 나탈리 플라벨이 왔다. 나탈리는 하녀가 의사에게 전화하는 소리를 들었다. 그녀는 무슨 문제인지 알기 위해 아래층으로 소리쳐 물었다. "아버님이에요, 아가씨. 아버님이 편찮으세요. 거실에서…" 하녀가 말했다.

외치는 소리가 들리더니 계단을 가볍게 달려 내려오는 발소리가 들리고 나탈리가 아치형 입구를 통해 들어왔다. 맥키가 돌아봤다. 옥색 벨벳 잠옷이 큰 키의 가녀린 젊은 여자를 감싸고 있었다. 어깨를 휘감은 부드러운 머리카락에 묻힌 그녀의 좁고 긴 얼굴은 겁에 질려 있었다. 그녀의 이목구비는 섬세하고 단단하면서 고풍스러운 분위기를 풍겼다. 그녀는 맥키와 켄트에게는 눈길도 주지 않았다. 그녀의 관심은 오로지 아버지였다. 그녀는 서둘러 소파로 가서 소파 옆에 무릎을 꿇고 걱정스럽게 그를 내려다봤다. "무슨 일이야, 조앤?" 그녀가 요리사에게 물었다. "무슨 일이 일어난 거야? 어떻게 된 거냐고? 아, 이것 봐 — 이마를 다치셨어. 물을 가져와. 붕대도 가져오고 아버지의 약도 가져오고…"

요리사가 그녀를 진정시켰다. "흥분하지 마세요, 냇 아가씨. 그냥 심장 발작이 또 한 번 일어난 것뿐이에요. 아버님은 괜찮아지실 거고…. 자 보세요, 알겠죠?"

플라벨이 몸을 꿈틀거리고 있었다. 그의 얼굴색이 돌아오기 시작했다. 나탈리는 하녀가 가져온 이불로 그를 덮어주고 머리 아래에 베개를 받쳤다. 그는 여전히 눈을 감고 있었지만, 호흡은 정상이었고 맥박도 더 강해졌다. 의식이 돌아오고 있었다. 그가 나아진 것을 확인하고 나서야 나탈리는 맥키에게 시선을 주며 의아한 듯 얼굴을 찌푸렸다.

"선생님이 아버지와 함께 계셨나요? 사업상의 일로요?"

요리사는 켄트와 함께 나가고 없었다. 맥키가 말했다. "네, 플라벨 양. 좀 앉으시는 게 좋겠어요. 유감스럽게도, 나쁜 소식이 있습니다."

나탈리는 자리에 앉더니 갑자기 물었다. "그건 브루스… 일인가요?" 그녀는 초록색 벨벳 무릎 안에 두 손을 꽉 깍지 낀 채 충격적인 소식을 기다렸다. 백지장처럼 하얀 피부에 거무스름한 그늘이 살짝 녹색을 띠고 있었다. 곧고 긴 콧잔등을 가로지른 주근깨 더미가 계피 색 반점이 되어 돋아 올랐다.

"미스 포이입니다."

"샬럿 이모…. 이모는 병환이 있으세요. 방에 안 계셨는데…." 그녀의 짙은 갈색 눈이 휘둥그레져서 그의 얼굴을 훑어 내렸다. 그녀의 떨리는 입술이 굳었다. "이모가 ―. 이모가 돌아가셨나요?"

스코틀랜드인 경감은 고개를 끄덕였다. 나탈리는 놀라지 않은 것 같았다. 갑작스러운 말을 들은 그녀의 눈빛에는 망연자실하게 일을 받아들이는 기색이 있었다. "미스 포이는 총에 맞았습니다. 어젯밤 어느 시각에, 길 건너 공원에서요." 맥키가 거두절미하고 말을 계속하자 그녀의 눈빛은 산산조각이 났다.

그녀의 반응은 아버지와 별다르지 않았다. "아니야, 안 돼, 안 돼.

아아, **안 돼**." 그녀는 펄쩍 뛰어 일어나더니 양손을 벌리고 그에게서 뒤로 물러났다. 한순간 그들 앞에 환자가 두 명 생기는 것은 아닌가 했다. 그러나 나탈리는 기절하지 않았다. 부서질 것 같은 그녀의 겉모습과 다르게 그녀는 젊고 강했다. 그녀는 자제력도 있었다. 눈물이 얼굴로 굴러 내렸지만, 그녀는 충격과 슬픔, 기막힘, 그리고 공포와 두려움에 맞서 싸웠다. 두려움이 제일 확연했다. 그것은 마지막으로 닥쳐왔다. 그 두려움을 지켜보자니 밀물이 밀려드는 것을 보는 것 같았다. 흐느낌을 갑자기 멈추는 모습, 숨죽이는 모습, 경감에게 주는 눈길, 무서워하며 날카롭게 쳐다봤다가 곧바로 시선을 거두는 모습에서 그 두려움은 절로 드러나고 있었다.

그때 헨드릭스 박사가 도착했다. 그는 허연 머리의 땅딸막한 중년 남성으로 교황 같은 존재감을 과시했다. 그는 샬럿 사건을 듣고 경악을 금치 못했다. 그는 오랜 세월 그 가족의 주치의였던 것이다. 그는 휴 플라벨을 위층으로 데려가서 침대에 눕히라고 지시했다. 이 일이 끝나자 그는 맥키와 따로 말을 나누었다.

"당분간은 그와 말을 나누시면 안 될 것 같습니다, 경감님. 당장 위험한 건 없지만 흥분은 그에게 좋지 않은데 지금 그런 흥분 상태이니까요. 이렇게 심장 발작이 오면 한 번은 영영 못 일어날 수도 있습니다."

헨드릭스는 이 집안에서 샬럿이 어떤 지위였는지를 명확히 알게 해줬다. 그는 그녀가 휴 플라벨의 첫 번째 아내인 엘리자베스의 언니라고 했다. 엘리자베스는 그 결혼으로 낳은 두 아이인 제럴드와 이브가 아직 어렸을 때 세상을 떴다. 샬럿은 몇 년 후 휴가 재혼하기 전까지 그의 집에서 아이들을 돌보며 함께 살았다. 그의 두 번째 아내인 버지니아는 보스턴의 코리 가문의 일원이었다. 그러나 휴는 결혼에 운이 없는 사람이었다. 버지니아는 나탈리가 태어난 직후에 사망했고, 샬럿이 돌아왔다. 그리고 중단됐던 임무를 다시 맡았다. 이번에는 돌봐야 할 아이가 둘이 아니라 셋이었다.

그녀는 모범적인 인성을 지닌 여자였다. 흔히 볼 수 있는 일은 일어나지 않았다. 샬럿 포이는 버지니아의 아이를 배척하고 자기 친조카들을 편애하는 일은 하지 않았다. 그녀는 나탈리도 똑같이 돌봤다. 아니 심지어 다른 두 아이보다 더 큰 애정을 가지고 더 헌신적으로 돌봤다.

맥키는 의사가 살짝 주춤하는 것을 알아차렸다. 샬럿 포이의 죽음은 강도의 짓이 아니었다. 그녀의 핸드백에는 27달러가 있었고 손가락에는 반지가 있었다. 다른 동기를 찾아야만 했던 것이다. "첫 번째 결혼에서 난 플라벨의 아이들이 미스 포이의 태도를 원망했습니까, 박사님?"

"아뇨, 아닙니다." 헨드릭스는 짜증스럽게 말했다. "그런 건 전혀 아닙니다. 샬럿은 제럴드를 특히 말도 못 하게 좋아했으니까요…."

맥키의 계속되는 질문 속에서 이브 플라벨이 튀어나온 것은 바로 그때였다. 이브는 이모와 사이가 좋지 않았다. 그녀는 대학을 졸업하자마자 스스로 짐을 싸서 헨더슨 스퀘어의 그 집에서 나갔다. 헨드릭스는 증언을 꺼렸다. 그는 샬럿이 조용한 방식으로 군림하고 있었고 이브는 본디부터 독립심이 강했다고 했다. 그 이상의 일은 전혀 없었다는 것이다. 그는 샬럿 포이 문제로 돌아오게 되자 마음을 놓았다. 그의 생각으로는, 샬럿은 건강하지 못했으며 살날이 그리 많이 남지 않은 상태였다.

그녀는 1년 이상 기력이 쇠해 있었다. 안색과 일반적인 징후로 볼 때 뭔가 중병을 앓고 있다는 의심이 들었지만, 그녀는 그에게 진료받지 않았고 봄에 보스턴에 있는 전문의를 찾아갔으며 그 후에는 환경을 바꾸어 보려고 버몬트에 있는 자기 소유의 농장으로 갔는데, 그녀가 그렇게 휴 플라벨과 나탈리에게서 떨어져 지낸 것은 20여 년 만에 처음이었다. 그런 변화는 그녀에게 아무런 도움이 되지 못했다. 추수감사절 직전에 헨더슨 스퀘어로 돌아왔을 때 그녀의 상태는 눈에 띄게 나빠져 있었다.

"멀리 떠나기 전까지," 의사가 말했다. "그녀는 나탈리에게, 그리고 정도는 좀 덜하지만 휴 플라벨에게 전적으로 헌신하고 있었어요. 돌아온 후에 그녀는 모든 사람과 모든 일에 관심을 잃어버린 것 같았습니다. 전에 그녀는 쾌활하고 활기차고 유능한 사람이었는데 시무룩하고 침울해져 있었죠. 그녀는 나탈리와 브루스 커닝엄의 약혼을 찬성하지 않았고 그런 사실을 노골적으로 드러냈기 때문에 결국에는 나탈리의 기분을 비참하게 했죠. 나탈리는 예민하고 신경질적인 젊은 아가씨고…."

"돈 많고 제멋대로 하는 걸 좋아하고요." 경감이 끼어들었다.

헨드릭스를 미소 지었다. "우리 모두 그렇지 않나요, 경감님? 돈 얘기를 하자면, 저는 가난한 제 환자 몇몇을 도와 달라고 여러 번 그녀에게 부탁했는데 한 번도 빈손으로 나온 적이 없습니다. 아뇨, 그 문제에 관해 나탈리는 잘못이 없어요. 휴 플라벨도 마찬가지죠. 샬럿이 문제였죠. 그녀는 버몬트에서 돌아왔을 때 딴사람이 되어 있었어요. 함께 있으면 기분 좋은 사람이 아니었던 거예요. 자연히, 그녀와 가까이 생활하면서 집안 전체가 우울해졌습니다. 저도 거기 있었을 때 여러 차례 직접 느낀 거고…. 다른 사람들도 그랬습니다. 그녀가 좋아하지 않던 사람들에게 몹쓸 태도를 보인 것은 결국 몸 상태 때문에 자제력을 점점 더 잃어가고 있던 결과일 뿐이라는 게 제 생각입니다."

헨드릭스는 인상을 쓰면서 고민했다. 그는 마음속으로 뭔가를 생각하고 있었지만 입 밖에 내지는 않았다. '조만간 때가 되면, 경찰이 좀 더 많을 걸 알게 됐을 때, 그와 다시 얘기해야겠군.' 맥키는 그렇게 결정했다. 의사가 가고 난 후 맥키는 검시실로 전화해서 샬럿 포이의 사망 전 건강 상태를 종합적으로 철저히 조사해 달라고 부탁한 후 나탈리와 세 명의 하녀들을 신문했다. 이 세상에 미래가 없어진 한 여자의 직전 과거를 파악하기 위한 일상적인 질문들이었다.

샬럿 포이는 총에 맞아서 전날 밤 11시 이전에 사망했다. 하지만 그 시각보다 얼마나 오래전이었을까? 마지막으로 음식을 먹은 시간과 연결하여 위장의 내용물을 분석해 보면 검시가 완료될 무렵에는 대략적인 시간 추정이 가능할 것이었다. 경감은 그때까지 기다리고 싶지 않았다. 어둡고 안개 낀 밤, 총격, 범인의 조용하고 신속한 도주라는 범죄의 부대 상황이 그를 불편하게 했다. 게다가 샬럿 포이가 살해된 지 10시간 이상이 지났다. 총을 숨기고 범죄의 모든 흔적을 지우고 도주하기에 충분한 시간이었던 것이다.

샬럿 포이가 전날 밤 집을 나선 시각을 아는 사람은 아무도 없었다. 나탈리와 위층에 있던 하녀 아네트가 그녀를 마지막으로 본 것은 7시 10분 전으로서 자기 방으로 들어가는 모습이었다. 7시 무렵에 하녀 두 사람은 동네 극장으로 영화를 보러 갔다. 휴 플라벨은 아마도 3층에 있는 서재에 있었을 것이고 요리사는 브루스 커닝엄이 나탈리를 데리러 온 7시 30분에 복도로 나온 것을 제외하면 지하에 있었다. 나탈리는 12시가 다 되어서야 집에 왔고, 너무 늦은 시각이어서 이모 방에 들러 얘기를 나누지 못했다고 했다.

맥키는 샬럿의 보스턴 여행에 지대한 관심을 가졌다. 살인 사건에서 이루어지지 못한 여행은 언제나 관심의 대상이었다. 그 여행이 중요했다면, 예를 들어, 샬럿이 그 여행을 하지 못하게 할 목적으로 총을 사용했다면 범인은 그녀의 계획을 미리 알고 있었을 것이다.

나탈리는 전날 오후 늦게, 5시가 조금 지난 시간에 보스턴에서 샬럿을 찾는 전화가 왔다고 지친 목소리로 말했다. "그때 이모는 오늘 가야 해서 이브 언니의 결혼식에 참석하지 못한다고 우리에게 말했어요."

"우리"라는 것은 그녀와 그녀의 아버지, 오빠인 제럴드와 제럴드의 아내인 알리시아, 이브, 그리고 이브와 막 약혼한 짐 홀랜드로 구성되었다. 맥키는 전날 이브의 방문과 그 목적을 알게 되었고, 희소성을 띤 그 방문을 머릿속으로 음미했다. 그가 샬럿과 다툰 사람이 있는지, 그녀와 사이가 나빴던 사람이 있는지를 탐색하듯 묻자 나탈리는 지나치게 강한 어투로 말했다. "아뇨, 어머, 아니에요." 그는 그녀에게 죽은 여자의 핸드백에서 입수한, '스펜서'라는 단어와 일련의 숫자들이 휘갈겨 쓰인 종이 조각을 보여줬다.

스펜서는 나탈리의 변호사이자 그녀 어머니의 유산 집행인 중한 사람인 스펜서 고램이었다. 그는 샬럿을 위해서도 법률 업무를 수행해준 적이 있었다. 사보이 4-3016은 그의 전화번호였다.

맥키가 샬럿의 여행 목적을 알았냐고 묻자 나탈리는, 딱 잘라서, 아니라고 했다. 그는 그녀의 말을 믿지 않았다. 그녀는 눈꺼풀을 내리깔고서 거만하게 그를 계속 쳐다보고 있었다. 그녀는 누군가에게 신문을 받아본 적이 없는 모양이었고 어린 공주의 자제력 내에서 신문에 분개하고 있었다. 그러나 그녀의 성난 불쾌감은 겨우 감춰져 있을 뿐이었다. 그는 그녀가 바로 수표책을 가져와서 그를 매수할 것 같은 환상이 들었다. 그러지는 않았지만 그녀는 그에게서 벗어나고 싶어 안달하는 모습이었다. 그건 분명했다. '그녀를 놓아주자.'

"플라벨 양, 더는 당신을 붙잡아 두지 않겠습니다. 괜찮다면, 미스 포이의 방을 보고 싶은데요?"

의자에 가만히 앉아 있지 못하고 있던 그녀가 급하게 펄쩍 뛰어 일어났다. "이모의 방은 왜 보고 싶은 거죠?" 그녀가 차갑게 다그쳤다. "이모는 여기서 살해된 게 아니잖아요."

그녀의 몸이 떨리고 갈색 눈빛이 흐려졌다. 그러더니 그녀는 갑자기 기분이 변하여 그에게 뉘우치는 듯한 미소를 보냈다. 속눈썹이 젖어 있었다.

"죄송해요, 경감님. 제가 제정신이 아닌 것 같아요…. 오세요. 보여드릴 테니…."

그녀는 그를 한 층 위에 있는 어떤 방으로 데려갔고 그를 거기 두고서 같은 층 집의 전면에 있는 자기 방으로 갔다. 그녀의 방문이 닫히자마자 맥키는 그곳으로 갔다. 방 안에서 전화 다이얼 소리가 딸각하고 났다. 나탈리가 수화기를 들고 있었다. 그녀가 제일 먼저 전화를 건 사람은 약혼자인 브루스 커닝엄이나 이복 오빠인 제럴드가 아니었다. 이복 언니, 이브였다. 그녀의 목소리는 낮았으나 들을 수는 있는 정도였다.

"언니," 그녀가 메마르게 흐느끼며 말했다. "언니, 샬럿 이모가 돌아가셨어. … 어떻게 말해야 할지 모르겠어. … 너무 끔찍해. 어젯밤에… 이모는 총에 맞았어, 공원에서. 경찰이 여기 와 있어." 수화기의 다른 쪽에서 이브 플라벨이 질문을 했고 나탈리는 거기에 여러 번 응, 아니야, 하고 대답한 뒤 말했다. "언니는 어젯밤 여기서 나간 다음, 가게로 돌아간 다음에, 짐이랑 같이 있었던 거지?"

나탈리가 "아, 다행이야."라고 말한 것으로 보아 그렇다는 대답이었던 것 같았다. 맥키는 나머지는 들을 수 없었다. 쿵쿵 문 두드리는 소리가 아래층 복도를 가득 채웠던 것이다. 하녀가 문을 열었고 어떤 여자가 들어왔다. 제럴드의 아내인 알리시아 플라벨이었다. 알리시아는 나탈리가 어디 있냐고 물었고 하녀가 말해주자 위층으로 올라오기 시작했다. 맥키는 위층으로 통하는 층계참의 어둠 속으로 뒷걸음질 쳤다.

알리시아 플라벨은 그를 보지 못했다. 그녀는 서둘러 움직이고 있었다. 그녀는 곧장 나탈리의 방문으로 가서 노크도 하지 않고 문을 열었다. 뒤로 문을 닫지도 않았다. 그녀는 30대의 여성으로 세련된 옷차림이었고 매끄러운 검은 머리에 작은 모자를 쓰고 있었다. 나탈리는 방의 끝 쪽에 있는 책상에 앉아 있었다. 그녀는 수화기를 전화기에 떨어뜨리고는 고개를 돌렸다. 얼굴은 일그러진 채 눈물로 얼룩이 져서 금발 머리카락의 창 속에서 비통해하고 있었다. 그녀의 신경은 날카로웠다. 그녀는 올케가 갑작스럽게 들어오자 깜짝 놀랐고 불쾌했다. "들었어요, 새언니?"

"그래, 들었어. 경찰이 샬럿 이모님을 실어 가는 걸 내가 봤어. 이모님의 손수건이 입에 물려 있었어." 알리시아 플라벨이 말했다. "총에 맞았다고 누군가가 말하더군. 있을 수가 없는 일인데…. 자살하신 거야?"

"아뇨." 나탈리의 소리는 작고 적막했다.

알리시아 플라벨은 경감을 등지고 있었다. 그녀의 등은 당당하고 아름다웠지만 아무것도 말해주지 않았다. 그녀의 목소리는 그러기에 충분했다. 말을 하는 그녀의 목소리는 냉혹하고 강렬했으며 전혀 다듬어지지 않은 것이었다. "이브가 어젯밤에 여기 있었어, 나탈리. 헨더슨 스퀘어의 이 집에. 이브는 오후에 나가면서 작별 인사를 했어. 그런데 왜 다시 왔을까? 이브는 샬럿 이모님을 좋아하지 않았어. … 이모님은 어제 오후에 이브를 지켜보고 있었고, 이브에게는 권총이 있어. … 어머나, 냇, 난 겁이 나."

그녀만 그런 것이 아니었다. "쉿." 나탈리가 벌떡 일어나더니 새하얀 얼굴로 거칠게 말했다. 조용히 하기에는 이미 너무 늦었다. 맥키가 이미 방에 들어와 있었던 것이다. 그 직후 두 가지 사실이 밝혀졌기 때문에 그는 몇 가지 기초적인 질문 외 다른 것을 할 시간이 없었다.

첫 번째는, 샬럿 포이의 방을 밤사이 누군가 뒤진 것이었다. 두 번째는, 계단 발치에 놓인 연보라색 광폭 융단을 장식한 갈색의 긴 얼룩이었는데 의심의 여지 없이 그것은 피였다. 십중팔구 길 건너 공원의 수풀 사이에서 죽어 있던 여자의 사체 아래 고인 피가 옮겨온 것일 터였다.

4

맥키는 제럴드 플라벨의 아내를 유심히 쳐다보며 전에 어디서 그녀를 봤는지 기억해 내려 애썼다. 그는 계단 맨 밑에 스며들어 있는 얼룩을 잠깐 살펴본 후 아래층에서 막 올라왔다. 그 얼룩은 신발이 미끄러지면서 생겼을 수도 있었다. 신발을 풀잎에 닦았지만, 만일 윗부분에도 핏방울이 튀었다면 밑창에만 신경을 쓰느라 잘 닦이지 않았을 것이다. 검사를 위해 카펫에서 그 부분을 네모난 조각으로 잘라냈다. 샬럿 포이의 방은 나중에 정밀 조사가 있을 때까지 기다릴 필요가 있었다.

나탈리는 화장대 의자에 앉아 있었다. 길고 가는 그녀의 양손이 무릎 위에서 서로를 잡아당기고 있었다. 그녀는 새하얗고 지쳐보였으며 극도로 화가 나 보였다. 알리시아 플라벨은 차분했다. 그녀는 전면으로 난 한 창문 옆에 서서 얼굴을 매만지고 있었다. 그녀는 부정적인 의미에서 반지르르하게 아름다웠다. 크지 않은 키에 몸매는 풍만했으며 아주 잘 차려입고 있었다. 그녀의 몸에는 자연스러운 것이라고는 없었다. 모든 것이 잘 계산되고 매만져져 있었다. 뾰로통한 입가와 통통한 손가락들은 탐욕스러워 보였다. 그 손가락들이 콤팩트와 립스틱을 들고 바쁘게 움직였다. 아, 그는 이제 그게 어디였는지 알았다. '뉴욕과 사우스햄튼에서 사교계 데뷔를 마친 알리시아 그랜드, 모모 애완견 품평회 … 무슨 부문 1위'로 소개된, 크림인지 파우더인지 모르지만 잡지 속 화장품

광고였다. 그때는 그녀가 아직 제럴드와 결혼하지 않았을 때인데, 그녀는 한동안 잡지 광고에 등장했었고 지금은 30대 중반이었다.

"플라벨 부인, 잠시만요. 몇 분 전에 플라벨 양과 말씀을 나누고 계셨는데…."

"그래요, 경감님." 알리시아는 콤팩트를 탁 닫아서 핸드백 속으로 떨구었다. 그녀의 말은 나탈리만 들으라고 한 말이었다. 그가 자기 말을 들었다는 것을 알고서도 그녀는 그 말을 주워 담으려고 하지 않았다. 그러기엔 너무나 영리했다. 그녀는 다른 방식으로 그런 효과를 노렸는데, 자신의 상실감을 분명히 하고 기질적으로 호소하는 쪽을 택한 것이다.

"제 심정이 말이 아니었어요, 경감님. 그러면 사람은, 당연히, 성급한 결론을 내리죠. 바보같이 말이에요. 어젯밤에 제가 여기서 본 사람이 이브일 리는 없어요. 나탈리 말로는 이브는 저녁 내내 짐 홀랜드와 함께 있었대요. 저는 이브와 짐에 대해서, 그들의 약혼이 얼마나 느닷없는 것이었는지 생각하고 있었어요. 그래서 실수하게 된 것 같아요. 그러니까…."

정확하게 해달라는 요구를 받자 그녀는 전날 저녁 8시 15분이나 20분 전쯤 이브 플라벨이었을지도 모르는 어떤 여자를 봤다는 것을 시인했다. 생김새나 걸음걸이가 분명 그녀처럼 보인 여자가 공원 방향에서 길을 건너 집으로 들어갔다는 것이었다. "당신은 공원에 있었나요, 플라벨 부인?" 맥키가 묻자 그녀는 짙은 갈색 눈 위로 무거운 눈꺼풀을 반쯤 내린 채 그를 향해 희미한 미소를 보냈다.

"아뇨, 전 공원에 있지 않았어요. 전 제 투견 덤덤을 데리고 헨더슨 스퀘어 주변을 산책하고 있었어요. 때로는 투견을 쓸 일이 있잖아요."

그녀는 무례한 말로 그의 관심을 돌렸다. 무엇 때문일까? 그녀는 평정심을 되찾았다. 그 이면은 심하게 흔들리고 있었는데, 맥키가 짐작건대, 그것은 이브 플라벨을 암시하는 말을 했기 때문이 아니었다. 시누이를 언급할 때 그녀의 목소리는 차가웠다.

그는 짐 홀랜드가 헨더슨 스퀘어의 다른 쪽에 있는 그들 부부의 아파트를 떠났던 6시 45분까지 그날 오후와 이른 저녁에 있었던 일에 관한 그녀의 이야기를 들었다. 그 후에는? 그 후에는 덤덤을 데리고 산책을 한 것을 제외하면, 그녀와 제럴드는 나머지 저녁 시간을 집에서 조용히 라디오를 듣고 책을 읽으며 보냈다.

나탈리는 겁에 질린 하얀 마네킹이 되어 말없이 듣고만 있었는데, 그녀는 경감과 알리시아 양쪽 모두에게 화가 나 있었다. 그녀가 갑자기 올케를 향해 말했다. "하지만 전 새언니와 제럴드 오빠가 외식을 하는 걸로 알았는데요. 샬럿 이모가 여기서 저녁을 먹자고 했을 때 새언니가 그렇게 말했잖아요."

알리시아 플라벨은 얼굴을 붉혔다. 그녀는 상당히 당혹스러워했다. "그렇게 말했죠. 하지만, 그래요, 사실은, 제럴드가 술을 너무 많이 마셔서 아무 데도 갈 수가 없는 상태였어요. 그건 사실 그의 잘못이 아니에요. 사업 때문에 걱정이 많아서죠, 불쌍한 사람. 그래서 저는 그를 소파에 눕히고 최대한 이른 시간에 잠자리에 들게 했어요. 저 혼자 덤덤을 데리고 나갔던 것도 그래서…."

샬럿 포이는 전날 밤 6시 50분에서 11시 사이에 살해당했다. 그녀가 죽었다는 것을 아는 남자, 혹은 여자가 그녀가 누워 있던

60

나무 덤불에서 그녀의 피를 이 집 안으로 옮겨 온 것이다. 하녀가 들여보낸 방문객은 없었으므로 휴 플라벨이나 열쇠가 있는 사람이 남는다. 알리시아 플라벨은 헨더슨 스퀘어에 혼자 나가 있었다. 그녀나 그녀 남편의 알리바이에 관한 한, 그녀의 이야기는 쓸모없었다.

맥키는 더는 왈가왈부하지 않고 두 여자를 남겨놓고 나왔다. 갓길에 세워 둔 캐딜락을 타고 그 집을 떠나기 전에 그는 켄트에게 향후 20분 동안 전화 통화를 허용하지 말라고 명령했다. 윌레스키와 맥길이 켄트를 지원하기 위해 파견되어 있었다.

이스트 19번가에 있는 이브 플라벨의 가게는 차량 정비소와 전파상 사이에 낀 작은 건물이었다. 목재 골조의 옅은 분홍색 회벽 위에 거대한 눈썹 같은 기와지붕이 얹힌 건물이었다. 하나 있는 창문 받침대에는 그물 망사 스타킹이 널려 있고 고풍스러운 테이블에는 가죽 장갑이 걸쳐져 있었으며 밝은 커버의 책들이 진열되어 있었다. 그것들 뒤로 흰색 물방울무늬의 얇은 커튼이 내부를 가려주고 있었다. 파란색 묵직한 판자문에는 걸쇠와 넓고 긴 경첩이 달려 있었다. 맥키는 걸쇠를 올리고 안으로 들어갔다.

가게는 길고 좁았다. 벽은 녹색이었다. 납작한 박스들이 놓인 하얀 선반들이 전면부의 절반을 차지하고 있었다. 그 작은 건물은 안으로 갈수록 넓어지면서 작은 공간으로 연결되었는데, 낡은 페르시아 카펫이 깔린 그 공간의 왼쪽에는 낮은 책장들이, 반대쪽에는 아름답고 고전적인 책상과 안락의자 몇 개가 놓여 있었다. 그리고 뒷벽에는 거울로 된 두 개의 유리창 사이에 하얀 벽돌로 만든 벽난로가 있었다.

벽난로 아래 철망 속에서 빨간 불꽃이 타오르고 있었다. 이브는 석탄 덩어리를 집게로 집어 불꽃 위로 넣고 있다가 고개를 돌리더니 그대로 굳어버렸다.

맥키는 앞으로 나가면서 그녀를 관찰했다. 그녀는 이복 여동생인 나탈리와는 전혀 달랐다. 그녀는 사랑스러웠다. 정수리 쪽은 밝고 목 언저리는 갈색인 머리카락이 얼굴 옆으로 물결치며 따뜻하게 반짝거렸다. 시원한 눈썹과 광대뼈, 조각 같은 턱 — 조각가가 좋아할 만한 얼굴이었다.

그녀의 아버지와 나탈리, 그리고 올케인 알리시아와 마찬가지로 이브 플라벨도 겁에 질려 경계하고 있었다. '두려워할 게 없어 보이는 그들 각각이 다 두려워 보인다니 이상한 일이야.' 그는 생각했다 그들이 모두 샬럿 포이를 살해할 수는 없었겠지만, 유죄를 입증할 만한 중요한 정보를 모두가 숨기고 있을 수는 있었다.

"플라벨 양이죠?" 맥키가 상냥하게 말했다. "네." 이브는 대답을 하고는 마른 입술을 적시며 침을 삼켰다. "샬럿 이모 일로 오셨나요? … 앉으세요, 경감님. 방해되는 일이 생기지 않도록 문을 잠그는 게 좋겠어요."

그녀는 그렇게 한 다음 돌아왔다. 두 사람은 자리에 앉아서 담배에 불을 붙였다. 책장 너머 램프에서 나온 불빛이 이브의 둥그스름한 뺨과 하얀 목에 걸린 진주 목걸이, 그리고 노란 카디건 단추들을 비췄다. "이모가 어떻게 돌아가셨는지 아시죠, 플라벨 양?"

"네, 공원에서요. 총에 맞으셨다고. 가엾은 샬럿 이모." 이브는 손으로 눈을 가렸다.

'이런 일로 보는 게 아니라면 좋지 않았을까?' 이 여자에게는 뭔가 아주 매력적인 점이 있었다. 오랜만에 처음으로 맥키는 자신이 해야 하는 일이 싫다고 느꼈다. 하지만 헨드릭스 박사와 하녀들, 그리고 두세 명의 이웃들에 따르면, 이브 플라벨은 그녀의 이모와 사이가 좋지 않았으니….

그는 그녀를 함정에 빠뜨리려고는 하지 않았다. 그는 전날 밤 그녀가 그 집으로 다시 왔다는 알리시아 플라벨의 말을 전했다.

이브는 그대로 가만히 그를 쳐다봤다. 그녀의 아름다운 회색 눈동자는 크고 검었다. 그녀는 쓸쓸한 미소를 띠고 "알리시아"라고 말하더니 그에게서 눈을 옮겨 벽난로 불꽃을 쳐다봤다. 경감이 짐작했던 두려움이 그녀의 내부에서 단단히 죄어들고 쇳덩이가 가슴을 짓누르는 듯했다. 그것은 몸으로 느끼는 고통이었다. '얼른 머리를 써, 이 사람은 보통 경찰관이 아니야. 이 모든 훌륭한 태도와 예의로 볼 때 그는 예리하고 똑똑하고 무자비한 사람이야.' 그녀는 떨면서 속으로 말했다. "네, 저는 어젯밤에 헨더슨 스퀘어로 다시 갔고, 그 집에 있었어요. 하지만 샬럿 이모를 죽이지는 않았어요. 저는 몇 분 전에 나탈리가 말해주기 전까지는 이모가 돌아가신 줄도 몰랐어요." 그녀가 큰 소리로 차분히 말했다.

맥키는 심장이 내려앉았다. "왜 다시 가신 거죠, 플라벨 양?"

이브의 심장도 쿵쾅거렸다. '이 사람이 그걸 알아서는 절대 안 돼, 절대로.' 그녀는 애써 천천히 말했다. "제가 다시 돌아간 건, 바보같이 핸드백을 두고 왔기 때문이에요. 오후에 나오면서요."

경감의 눈썹이 올라갔다. "택시를 타고 오셨을 거로 짐작되는데 여기까지 오는 동안 핸드백이 없는 걸 몰랐단 말입니까? 좋습니다. 하지만 그렇다면 날씨가 고약한 밤이었는데도 전화를 하는 대신 그 안개 속을 뚫고서 그걸 가지러 돌아갔다는 건가요?"

이브는 그가 말을 마칠 때까지 기다렸다. "두고 온 건 알았어요. 택시를 탔을 때 알았죠. 하지만 여기서 제가 만나야 할 여자분이 있었기에 도착해서 택시 기사에게 돈을 냈습니다. 나중에 전화하지 않았던 건 하녀들이 나가고 없다는 걸 알고 있었고 아버지나 샬럿 이모를 번거롭게 하고 싶지 않아서였어요."

그녀의 진술은 매우 빈약했다. 그렇다고 사실이 아님을 입증할 방법은 없었다. 요리사는 지하실에 있었고, 하녀 두 명은 극장에, 그리고 나탈리는 브루스 커닝엄과 외출했다. 그리고 휴 플라벨은 아마도 3층 자기 서재에 있었을 것이다. 샬럿 포이가 그녀를 집 안으로 들이지 않았다면…. "누가 들어가게 해줬죠, 플라벨 양?"

"전 아직 열쇠가 있어요."

"그리고 권총도요?" 그녀는 분명 힘들어했다. 그녀에게 화가 나서, 그리고 이 일을 계속해야만 하는 자신에게 화가 나서 그는 삐딱해진 것이었다.

"아, 그렇죠." 이브는 차분하게 책상 서랍에서 그 총을 꺼내 그에게 건넸다. 콜트 32구경이었다. 탄창은 가득 차 있었다. 최근에 발사된 흔적은 없었다. 그런 흔적은 청소로 지울 수도 있을 것이었다. 총열의 강선을 살인에 쓰인 탄알 — 찾았을 때 말이다. — 위의 선조흔과 비교해 보면 알게 될 것이었다. 맥키는 그 무기를 주머니에 넣었다.

이브는 공원에는 전혀 가지 않았다고 했다. 그녀에게는 공원 열쇠가 없고 그 문들은 항상 잠겨 있다는 것이었다. 그녀는 8시

15분 전쯤 헨더슨 스퀘어에 도착해서 곧바로 집 안으로 들어갔다. 아버지나 다른 사람은 전혀 만나지 않았다. 그녀의 핸드백은 거실의 소파 쿠션 뒤에 있었다. 그녀는 핸드백을 되찾았고, 그리고… 집을 나왔다.

맥키는 그녀가 잠깐 머뭇거리자 득달같이 말했다. "그 즉시 나왔나요?"

'브루스는 나탈리와 함께 있었어. 그러니까 그건… 브루스일 리가 없어.' 이브는 재빨리 생각했다. 그녀는 사실대로 말했다.

"아뇨, 바로 나온 건 아니에요, 경감님. 저는 위층으로 올라가서 샬럿 이모의 방으로 갔어요. 제가 오는 소리를 이모가 듣고서 누구일지 궁금해하지 않을까 하고 생각했어요. 이모는 거기 안 계셨고 문은 잠겨 있었어요. 제가 열려고 했었거든요. … 하지만 이모의 방에 누군가가 있었어요." 이브는 체크무늬 스커트 위에서 양손을 꽉 쥐었다. 그 일이 있었을 때도 기분이 아주 나빴다. 하지만 지금은 — 지난밤 안개 가득한 헨더슨 스퀘어의 암흑과 침묵 속에서 살인이 벌어졌던 만큼 — 한기가 그녀의 온몸으로 퍼져갔다. "저는 문을 두드리고 이모를 불렀어요." 그녀는 아버지를 깨우지 않으려고 소곤거리듯 말했었다. "이모, 저예요, 이브." 그녀로서는 그 하나의 부름에 대답을 얻느냐 아니냐에 자기 인생이, 아니 그 이상의 것이 달려 있었던 것이다. 아무런 대답도 나오지 않았다. "누군지 몰라도 방 안에 있던 사람은 움직임을 멈추더니 아무 말도 하지 않았어요. 그 사람은 분명 이모가 아니었어요, 경감님. 이모였다면 무슨 말이든 하셨을 거예요."

샬럿의 침실에 있었던 사람의 정체에 관해 그녀에게는 어떤 단서도 없었다. 그녀는 잠긴 문 뒤에서 희미하게 움직이는 것 같은 소리와 바스락거리는 소리가 신경에 거슬렸다는 점을 인정했다. 집은 이상하게도 텅 비어 있는 것 같았다. 그리고, 그렇다, 겁이 났다. 하지만 소란을 피울 정도는 아니었다. 뒤돌아보지 않고 계단을 뛰어 내려와 바깥으로 나왔을 때 들었던, 양쪽 어깨뼈가 죄어드는 느낌이 아직도 느껴졌다.

맥키는 흡족했다. 그의 두 눈이 반짝이기 시작했다. 드디어 진실에 다가가고 있었다. 이 여자가 진실을 말하고 있다면 — 그리고 어떤 지점까지는 그렇다고 그는 생각했다. — 샬럿 포이는 7시 45분 이전에 집에서 나간 것이다. 그녀는 집을 나선 지 그리 오래 지나지 않아 죽음을 맞았다. 나뭇가지에 덮여 있던 그녀의 신발 밑창은 약간 축축한 상태였는데, 그것은 나탈리와 하녀가 그녀를 마지막으로 봤던 7시 10분 전과 이브가 그 집으로 들어간 7시 45분 사이에 그녀가 살해당했다는 것을 의미했다.

그 55분 사이에 알리바이가 있는 사람이라면 누구든 범인의 명단에서 빠질 수 있을 것이었다. 완벽한 알리바이가 있는 사람은 지금까지는 없었다. 휴 플라벨에게는 알리바이가 전혀 없었다. 그는 저녁 내내 그 집의 제일 위층에 혼자 있었다. 요리사에게도 전혀 없었다. 그녀는 지하실에 있었다. 나탈리는 약혼자인 중위와 함께 있었으나 그것은 7시 30분 이후의 일일 뿐이었다. 알리시아 플라벨은 자기 말로 7시 30분부터 거의 8시까지 집 밖 헨더슨 스퀘어 부근에 있었다고 했고, 이로써 그녀의 남편, 즉 샬럿의 조카 역시 보호받을 수 없었다. 이 여자, 이브에게도 분명 알리바이가 없었다.

그는 플라벨의 집 복도 카펫에 묻은 혈흔에 대해서는 언급하지 않았다. 신발들을 모으는 일이 은밀하게 시작되고 있었고 이브의 옷장도 조사해야 한다. 그는 그녀가 자기 이모를 피도 눈물도 없이 죽였다고는 한순간도 믿지 않았다. 하지만 피눈물이 흘렀다면? 그가 그녀의 억제된 공포의 근원을 찾는 일에 골몰해 있을 때 전화벨이 울렸다.

이브는 책상에 팔꿈치를 기댄 채 그를 마주 보고 앉아 있었다. 그녀는 몸을 돌리더니 수화기를 들고 말했다. "여보세요? … 죄송하지만, 잘못 거셨어요."

녹색 벽에 실루엣으로 비친 그녀의 옆모습은 상앗빛으로 얼어붙어 있었다. 경감이 팔을 쭉 뻗었다. 그는 그녀에게서 수화기를 빼앗았다. "제 전화일지도 모릅니다, 플라벨 양." 그는 이렇게 말하고는 수화기에 대고 말을 했다. 대답 대신 딸깍 소리가 났다. 수화기 너머에 있던 사람이 누구든지 그 사람은 이브 플라벨이 혼자 있는 게 아니라는 사실을 알고는 전화를 끊었던 것이다.

맥키는 아무 말 없이 수화기를 제자리에 놓았다. 나탈리도 아니고 알리시아도 아니었다. 켄트가 지금 그들을 담당하고 있었으니 말이다. 이브의 약혼자도 아니었다. 닫힌 문을 막대로 톡톡 두드리는 소리가 나더니 한 남자가 숨죽인 목소리로 그녀의 이름을 불렀던 것이다.

"짐이에요." 이브가 말하며 벌떡 일어났다. 무슨 일로라도 그 자리를 뜰 수 있어 안도하는 것만 같았다. 그녀는 홀랜드를 안으로 들였다. 그가 그녀에게 키스하자 그녀는 그에게 뭐라고 말했는데 들리지는 않았다. 그리고 그들 두 사람은 벽난로 쪽으로 왔다. 짐 홀랜드는 30대의 장대한 남자로서 강인하고 다부진 그의 얼굴은 큼직하지만 퉁퉁하지는 않았고 갈색 머리카락은 풍성했고 이마는 넓었으며 파란 눈에는 지성이 흘렀다. 그는 단단하고 믿음직하고 영리해 보였다. 그는 다리를 살짝 절면서 지팡이를 사용해 걸었다.

홀랜드는 헨더슨 스퀘어에서 일어난 비극에 큰 충격을 받았다. 눈 밑은 푸르죽죽했고 큰 입은 침울했다. "저는 어릴 때부터 샬럿 아주머니를 알고 지냈어요. 이건 끔찍한 일입니다. 끔찍해요…." 그는 손수건을 꺼내더니 소리 나게 코를 풀었다. "무엇이든 중요한 걸 찾으셨나요, 경감님?"

이브가 전날 밤에 그곳으로 되돌아갔다는 것을 알게 되자 그는 송두리째 흔들렸다. 그녀는 결혼할 남자에게 그 사실을 털어놓지 않았던 것이다. 홀랜드는 바닥에 자리를 잡고 앉았다. 그는 정적 속에서 몸을 휙 돌리더니 얼굴을 찡그리며 그녀를 향해 말했다. "하… 그렇다면, 뭐 도움이 될 만한 거라도 본 거야, 이브?"

그녀를 향한 그의 극진한 마음이 확연히 보였다. 그는 분명 그녀에게 푹 빠져 있는 것이었다. 그는 샬럿 포이가 보스턴으로 곧 여행을 간다고 알렸을 때 그 집에 있었다. 그런데 그 여행은 시작부터 좌절되고 말았다. 알리시아에 따르면 그는 헨더슨 스퀘어 동쪽에 있는 플라벨 부부의 아파트를 6시 45분에 나섰다.

짐 홀랜드는 그녀의 말을 확인해 주었다. "그 무렵이었을 거예요. 저는 7시에 코수스 가에 있는 우리 집으로 돌아가서 일을 좀 했고, 그런 다음 여기 가게로 왔어요."

그는 8시 30분에 도착했다. 이브가 에그 스크램블과 베이컨을 만들고 커피를 내려서 11시까지 둘이 함께 시간을 보냈고, 그 후 그는 집으로 갔다. 그는 6시 조금 전에 플라벨의 집을 나선 후 샬럿을 보지 못했고, 헨더슨 스퀘어를 지나는 동안 총성을 듣지도 못했다고 했다. 그는 슬슬 화가 나는 표정이었다. 턱이 무시무시해 보였다. 이브 플라벨은 지금 그렇듯이 그를 항상 쉽게 다룰 수는 없을지도 모른다.

홀랜드에게는 결정적인 시간의 알리바이가 없었다. 그가 샬럿 포이를 죽였을 수도 있다. 그렇지만 그에게는 드러난 동기가 없었다. 다른 사람들 모두에게도 그런 동기는 없었다. 홀랜드가 현관문의 열쇠를 구할 수 있었다면 샬럿의 침실에 있었던 사람이 그일 수도 있을 것인데, 그 집을 잘 아는 남자에게 그런 것은 그리 어렵지 않았을 것이다. '감출 수 없는 얼룩이 묻은 신발, 그리고 무기를 찾기 위해 그의 방을 수색해야 해.' 경감은 그렇게 결정했다. 다른 한편, 이브 플라벨은 그녀의 이복 여동생보다 더 그를 벗어나고 싶어서 좌불안석이었다. '무슨 수를 써서라도 그녀가 협조하도록 해야 해.' 그녀는 어떤 행동에 나설 생각임이 분명했다. 그러므로, 훌륭한 인격과 가족이 있는 중년 여성이 갑작스럽고 폭력적인, 또한 영문 모를 죽음을 맞게 된 기초적인 사실관계가 모쪼록 빨리 확립되는 것이 좋을 것이었다. 너무 많은 사람이 너무 많은 것을 감추고 있었다. 이 사건에는 그가 싫어하는 위험의 냄새가 났다. 누군가 다칠 것만 같았던 것이다.

5분 뒤 그는 그 가게를 나섰다. 도로를 건너 길가에 세워 놓은 캐딜락 차량으로 가면서 그는 뒤돌아보지 않았다. 물방울무늬 커튼 뒤에서 이브가 그 기다란 회색 눈빛으로 자신을 지켜보고 있으리라는 예리한 판단을 했던 것이다. 그는 차를 몰고 떠났으나 그리 멀리 가지는 않았다. 모퉁이를 돌면서 그는 차를 세웠다. 그리고 차에서 내려 이용하기 편한 출입구를 찾았고, 확신하고 있던 일이 일어나기를 기다렸다. 그리고 그 판단은 옳았다. 3분 뒤에 이브가 가게에서 나왔다. 분명히 홀랜드가 그녀 대신 가게를 지키고 있을 것이었다. 그녀는 재빨리 길 아래위를 살피고는 길을 건넜다. 그리고 급히 남쪽으로 걷기 시작했다.

5

처음에 맥키는 이브의 가냘픈 몸이 서둘러 14번가 지하철로 들어가서 8번가에서 나오자 그녀가 헨더슨 공원의 그 집으로 가는 것으로 생각했으나 그녀는 4번가에서 오른쪽으로 방향을 홱 틀더니 그다음 남쪽으로, 그리고 다시 동쪽 엘든 플레이스로 향하는 것이었다. 중간쯤에서 그녀는 나란히 서 있는 세 채의 갈색 사암 주택 중 첫 번째 주택의 계단을 올라가 현관으로 들어갔다.

조금 뒤 맥키의 귀에 걸쇠가 딸깍하는 소리, 그리고 안쪽 문이 부드럽게 닫히는 소리가 들렸다. 그는 그녀의 뒤를 따라 현관으로 들어가서 우편함의 이름들을 훑어봤다. 그람, 비스니스키, 테너플라이, 그레이엄, 바이올렛, 지금으로서는 이들 중 어떤 이름도 수사 중인 사건과 연관이 없었다. 그는 그녀가 바이올렛이라는 이름이 적힌 맨 꼭대기 층으로 간 것은 아니기를 바라면서 그 초인종을 눌렀고 딸깍하는 소리가 나자 어두운 아래층 복도로 들어갔다. 위쪽 어디선가 발소리가 커졌다. 맥키는 소리 없이 그 발소리를 따라갔다. 3층으로 이어지는 계단 중간의 어두운 난간 사이로 나일론 양말과 빨간 가죽 샌들을 신은 이브의 예쁜 다리가 어떤 문 앞에 멈춰 서 있는 것이 보였다. 문이 열리더니 남자의 목소리가 말했다. "아, 안녕하세요, 플라벨 양." 들뜬 목소리였다.

"커닝엄 씨 안에 있나요, 그레이엄 씨?" 이브가 묻자 그레이엄이라고 불린 남자가 대답했다. "아뇨, 없습니다, 지금은요. 45분쯤 전에 나갔어요. 얼마 안 있으면 올 것 같은데요. 들어와서 기다리겠어요?"

"그럴게요, 괜찮으시다면요." 이브의 발과 발목이 앞으로 움직이더니 문이 닫혔다.

그 문밖에서 맥키는 낡은 고급 목판에 몸을 밀착시킨 채 안에서 일어나는 상황을 알기 위해 최대한 귀를 기울였다. 별다른 일은 없었다. "저 때문에 여기 계시지 않으셔도 돼요, 그레이엄 씨. 여기 있는 게 저는 정말 괜찮아요." 그레이엄이 뭔가 들리지 않는 말을 하자 이브가 말했다. 그녀의 목소리는 아주 또렷했으며 약간 허스키한 저음이지만 부드러운 울림이 있었다. "아뇨, 괜찮아요. 고마워요. … 네, 담배 있어요."

아파트 안쪽에서 문이 닫히더니 타자기 자판 치는 소리가 들렸다. 위층에서는 어떤 여자가 피아노를 치고 있었다. 고양이 한 마리가 어디선가 애처롭게 야옹거렸다. 경감은 무심히 아파트의 문을 돌려봤다. 놀랍게도, 그리고 기분 좋게도 문은 잠겨 있지 않았다. 그는 문을 밀었다. 전등 불빛 하나가 짙게 그림자를 드리운 가운데 어둑어둑한 복도가 좌우로 뻗어 있었다. 아무도 눈에 띄지 않았다. 하지만 누군가가 길에서 계단을 올라오고 있었다.

맥키는 입구로 들어가서 현관문을 뒤쪽으로 닫고 어둠 속에서 아무거나 다른 문 하나를 열었다. 들어가 보니 창이 없는 욕실이었다. 그는 문을 살짝 열어 놓았다. 딱 마침맞게 움직인 셈이었다. 트렌치코트를 입은 어떤 남자가 아파트로 들어왔던 것이다. 브루스 커닝엄이었다. 맥키는 그를 바로 알아봤다. 헨더슨 스퀘어의 금색과 흰색이 어우러진 나탈리의 침실 화장대 위 커다란 액자에 그의 사진이 있었던 까닭이었다.

커닝엄은 거실 쪽으로 걸어갔다. 그는 문을 열고는 순간적으로 동작을 멈췄다. 이브 플라벨이 숨넘어가는 어조로 말했다. "브루스."

"**이브 — 여기서 뭐하는 거요?**" 커닝엄은 멀뚱히 서서 자기 눈을 믿을 수 없다는 듯, 자기 귀를 믿고 싶지 않다는 듯 거칠고 위압적인 어조로 대답했다.

맥키는 세면대와 금속 빨래 바구니인 듯한 물체 사이에서 빠져나와서 슬며시 복도로 나왔다. 모든 것이 눈에 잘 들어왔다. 거실은 바로 앞쪽이었고 문이 열려 있었다.

커닝엄이 거실 문 바로 안쪽에 서 있었다. 키가 크고 어깨가 떡 벌어진 남자였다. 검고 여윈 그의 얼굴이 옆으로 보였는데 각진 제모를 머리 뒤쪽으로 밀어 쓰고 있었다. 그는 모자를 벗고는 방문객을 계속 응시했다. 이브는 일어나서 의자 앞에 서 있었다. 그녀의 선홍색 트위드 코트가 창문을 배경으로 밝게 빛났다. 그녀는 한 손을 목에 대고 있었다. 그녀의 머리는 그 희고 둥근 기둥 위에서 살짝 앞으로 기울어진 상태였다. 하얀 삼각형 얼굴은 표정 없이 차가웠다.

그녀는 차가운 말투로 나지막하게 말하고 있었다. "얘기 들었어요, 브루스, 샬럿 이모 일? 이모에게 무슨 일이 일어났는지 당신은 알고 있군요."

그녀는 안색이 엉망이었다. 다른 쪽에 내려와 있던 손은 주먹을 꽉 쥐고 있었다.

"그래요," 커닝엄이 조용히 말했다. "들었어요. 나탈리가 전화해서… 내가 가게로 당신에게 전화한 게 그때였어요.”

"당신과 말을 할 수가 없었어요.” 이브가 말했다. “경찰에서 나
온 경감이 나와 함께 있었어요.”

"그런 줄 알았어요.” 커닝엄이 건조하게 말했다. “그러니까 내
생각에는…. 여기로 곧장 온 건 좀 어리석은 일 아닌가요?”

그의 냉정한 질문에 약혼녀의 언니는 화가 난 것 같았다. 그녀
는 불타는 눈빛으로 말했다. “오고 싶어서 여기 온 게 아니에요.
그런 생각은 집어치워요. 와야만 했기 때문에 온 거란 말이에요.
알아야만 하는 게 있어서….”

브루스 커닝엄은 벗은 장갑을 똘똘 뭉쳐서 공중으로 던졌다가
받았다. “바로 그거요, 나의 천사님. 나 역시 알고 싶은 것들이 있
어요. 당신은 어제저녁 내내 존경해 마지않는 그 홀랜드 씨와 함
께 가게에 있었겠죠? 적어도 나탈리가 내게 말한 바로는 그렇더
군요. 확실한가요? 그렇다는 말을 당신 입으로 직접 듣고 싶군요.”

그들 사이에는 그 방의 넓이보다 더 먼 간극이 있었다. 그들
은 서로에게 경계의 눈빛을 보내며 대립하고 있었다. 이브는 양
손을 코트 주머니에 찔러 넣고 커닝엄의 얼굴을 더 똑바로 바라
봤다. “아뇨,” 그녀가 말했다. “난 저녁 내내 가게에 있지는 않았
어요. 헨더슨 스퀘어로 내려갔어요. 난 무슨 일이 있는지 알아
내고 싶었어요. 당신은 보이지 않았기에 샬럿 이모와 얘기하려
고 집 안으로 들어갔어요. 이모는 집에 안 계셨어요.” 그녀는 다
시 손을 목에 가져다 댔다. 긴장한 손가락들 사이로 부드러운 살
결이 접혔다.

"그러니까 당신은 내가 죽였다고 생각하는 거예요?” 커닝엄이

부드럽게 말했다. 그는 미소 짓고 있었다. 기분 좋은 미소는 아니었다.

"난 아무 생각도 하지 않아요." 이브가 그에게 소리쳤다. "생각하고 싶지 않아요. 나탈리 외에는 말이죠. 그 애는 내 여동생이에요. 당신을 사랑하고요. 당신들은 결혼할 거잖아요. 난 경감에게 어젯밤 일에 관해 말하지 않았어요. 당신도 그래야 해요, 나탈리를 위해서…."

"나탈리를 위해서라," 커닝엄은 생각에 잠겼다. 그는 여전히 미소 짓고 있었고, 가늘게 뜬 눈은 밝게 빛났다.

"그래요," 이브가 깊게 숨을 들이마시며 그에게 말했다. "나탈리를 위해서요 — 그 애만을 위해서죠. 난 이 세상 다른 어떤 사람도 신경 쓰지 않아요. 하지만 그 애는 상처받으면 안 돼요. 어젯밤 일은 우리 말고는 아무도 몰라요. 난 경감에게 한마디도 하지 않았어요. 당신도 그래야만 해요. 경찰이 알게 되면…."

개 한 마리가 어디선가 낑낑거리며 나무를 긁었다. 반대편 문이 열리더니 사냥개 한 마리가 복도로 달려 나왔다. 개는 경감을 보더니 컹컹 짖어댔다.

맥키는 한숨을 쉬었다. 그는 요즘 현장에 나오는 일이 많지 않았다. 수사에 적극적으로 참여하기보다는 사무실 중앙에서 여러 대의 전화기를 붙들고 수사를 지시하는 것이 일반적인 원칙이었던 것이다. 지금까지는 운이 좋았다. 이제는 그 운이 다한 것이다. 이 단계에서 이 사람들에게 적대감을 불러일으키는 것은 전혀 계획에 없던 일이었다. 그는 번개같이 움직였다. 그는 문 바깥에 서서 문을 열고 브루스 커닝엄이 나타날 때까지 입구에 서 있었다.

중위는 알리지도 않고 찾아온 두 명의 방문객을 만나자 기분이 좋지 않은 정도가 아니었다. 그는 화가 폭발하려는 것을 어렵사리 참았다. "네? 누구시죠? 그리고 무슨 일이시죠?" 그가 퉁명스럽게 다그쳤다.

"문이 잠겨 있지 않더군요." 맥키가 말했다. "미안합니다. 문을 두드렸지만 아무도 나오지 않았어요." 그는 자신을 소개했다.

커닝엄은 태도를 바꾸었다. 난폭한 분위기는 사라지고 그는 활발하고 예의 바른 사람이 되었다. "들어오세요, 경감님." 그가 말했다. 그는 머리 회전이 빠른 사람이었다. "미스 포이 일이로군요? 플라벨 양이, 이브 플라벨 양이 지금 여기 있습니다. 저희는 지금 막 헨더슨 스퀘어로 출발하려던 참이었습니다. 이쪽으로 오세요."

그들은 거실로 들어갔다. 이브 플라벨은 높다란 두 유리창 중 하나에 가까이 있는 의자에 앉아 있었다. 그녀는 전등을 등지고 있었다. 편안한 자세였다. 맥키를 향해 든 얼굴은 하얗게 긴장되어 있었는데, 입술의 주홍색이 그 얼굴에서 보이는 유일한 색깔이었다. 그녀는 그에게 미소 지었다.

"안녕하세요, 경감님. 다시 만났네요."

"그렇군요, 플라벨 양." 커닝엄은 장래의 처형만큼이나 긴장하고 있으나 위장 능력은 그가 더 나았다. 그는 흥미로운 얼굴의 소유자였다. 잘생기지는 않았으나 선이 분명하고 야심만만한 얼굴이었다. 여자들이 본능적으로 끌릴 만했다. 입꼬리가 살짝 들어간 단단한 그의 입에는 유머와 온화함이 깃들어 있고 어둡고 짙은 눈썹 아래 밝은 눈에는 지적인 느낌이 감돌았다. 그의 두상도 마찬가지였다.

'솔직하게 대하자. 그러면 그가 가진 걸 알게 되겠지.' 경감은 그렇게 마음먹었다. "지금 제가 하려는 질문들은 순전히 통상적 절차를 따르는 것임을 이해하시겠죠, 중위? 우리는 미스 포이의 친척과 친구들을 전부 조사하고 있습니다. 자 이제, 어떤 것이든 그녀의 죽음을 해결하는 데 도움이 될 만한 걸 알고 있습니까?"

커닝엄은 트렌치코트를 벗어 접어서 소파 등받이 위에 걸쳐 놓았다. 유연하고 단단한 몸이 제복 속에 드러났다. "전혀요, 경감님. 제게 그 일은 완벽한 미스터리입니다. 사건 얘기를 들었을 때 저는 어안이 벙벙했습니다. 가능한 일로 여겨지지 않으니까요."

경감은 고개를 끄덕이며 유감을 표명했다.

"그렇군요. 저는 희망을 품었었는데…. 뭐, 저희가 계속 노력해야죠. 현재의 지표로 보면 미스 포이는 7시 10분 전부터, 음, 8시 사이에 총에 맞아 살해된 것으로 보입니다. 그 시간에 어디서 뭘 하고 있었는지 말해주겠습니까?"

브루스 커닝엄은 성냥을 켜서 담배에 불을 붙였다. 작은 불꽃 아래 비치는 그의 얼굴은 암울했다. 그는 이브 쪽은 쳐다보지 않았다. 그는 성냥을 재떨이에 던지고는 담배를 한 모금 피우고 생각에 잠겨 말했다. "7시 10분 전이라…. 저는 7시 10분 전에 여기서 옷을 갈아입고 있었습니다. 나탈리 — 플라벨 양 말입니다. — 와 저녁 약속이 있었거든요. 저는 정확하게 7시 반에 그 집에 도착했습니다. 그걸 기억하는 건, 안개 때문에 늦을까 봐 걱정했는데 도착해서 시계를 보니 늦지 않은 걸 알았기 때문이죠."

맥키는 나선형으로 피어오르는 담배 연기를 지켜봤다. 각각의 분리된 진술에 따르면, 커닝엄과 나탈리는 7시 30분부터 함께 있었다. 이브 플라벨이 "어젯밤 일에 관해서 경찰에게 말하지 않았어요"라고 했을 때 그건 무엇을 가리킨 것일까? 무엇이든 간에 그것은 7시 30분 전에 일어난 일임이 분명했다. 이 방에서 헨더슨 스퀘어까지는 걸어서 3, 4분밖에 걸리지 않았다. "여기서 몇 시에 나가셨나요, 중위?"

사냥개가 한쪽 발을 핥더니 그의 옆에 털썩 누웠다. 커닝엄은 의자 팔걸이 위에 앉았다. 그는 긴 다리를 앞으로 쭉 뻗고는 양손을 주머니에 찔러 넣더니 아무렇지도 않은 듯한 말투로 폭탄을 던졌다. "저는 여기서 일찍 나갔어요. 7시 10분쯤이었다고 생각됩니다. 저는 헨더슨 스퀘어의 공원 북문에서 7시 15분에 샬럿 아주머니와 만날 약속이 있었습니다."

그가 말을 시작하자 이브는 터져 나오던 탄식을 순식간에 억눌렀다. 그녀의 얼굴은 눈 밑이 시커멓고 갸름한 뺨과 아름다운 관자놀이가 쑥 들어간 작은 해골이 되어 있었다. 맥키는 전혀 동요하지 않는 중위를 뚫어져라 응시했다. 그 자신은 이미 전날 밤 샬럿 포이가 안개와 어둠 속에서 누군가를 만났을 것이라고 예견한 바 있었다. 그녀가 만나러 나간 사람이 이 남자였던 것이다. 그녀는 그 밀회에서 다시는 나오지 못했다. 커닝엄은 살아 있고 그녀는 죽었다. 총알이 관통된 채….

맥키는 중위가 공개한 내용이 심각하다는 점을 숨기려 하지 않았다. 이브 플라벨은, 최소한, 그 일을 충분히 인지하고 있었다. 그 후 질문과 답변은 딱딱하고 차갑고 비인간적이었다. 서서히 이야기의 자초지종이 드러났다. 브루스 커닝엄은 전날 예상보다 일찍 워싱턴에서 돌아왔고 역에서 바로 헨더슨 스퀘어의 그 집으로 갔다. 5시 무렵 그곳에 도착한 그는 나탈리와 저녁 시간을 함께 보내기로 약속한 뒤 30분쯤 후에 나왔다. 그는 샬럿과는 따로 대화를 나누지 않았다. 그가 그곳에 도착한 직후 그녀는 전화를 받으러 갔고 그가 집에서 나올 때는 그녀가 방에 없는 것 같은 인상을 받았다는 것이다.

그는 플라벨의 집에서 곧바로 여기로 오지는 않았다. 하버드 클럽에서 5시 반에 동료 장교인 힐러리 펜과 만나기로 되어 있었기 때문이었다. 그곳에서 그들은 함께 술을 몇 잔 마셨다. 그는 6시 반쯤, 어쩌면 그보다 조금 더 늦게 집에 왔다. 그사이에 샬럿 포이가 전화를 했던 것이다.

브루스 커닝엄은 군대에 가기 전 작가인 필립 그레이엄과 그 아파트를 공유해서 살았다고 설명했다. 그가 입대하자 그의 방에는 그레이엄의 친구인 화가 조가 들어왔지만, 그 두 사람은 그가 휴가 기간에 자신들과 함께 지내야 한다고 우겼다. 미스 포이의 전화를 받은 것은 필립 그레이엄이었다.

그레이엄이 소환되었다. 그는 머리숱이 성긴 적갈색 머리에, 시력이 나빠서 두꺼운 안경을 눈에 걸친 40대의 통통한 남자였다. 그는 맥키의 질문에 당혹스러운 모습이었지만, 그 질문들에 대한 아무런 설명도 듣지 못했다. 그는 미스 포이가 지난 밤 6시 10분 전에 전화했다고 말했다.

그가 시각을 기억하는 것은 그 자신 다른 전화를 기다리며 시계를 보고 있었기 때문이었다. 미스 포이는 브루스를 찾았다. 그레이엄이 그녀에게 그가 들어오지 않았다고 하면서 전할 말이 있냐고 하자 그녀는 그렇다고 했다. 커닝엄 중위에게 헨더슨 공원 북문에서 7시 15분에 만나자고 부탁해 줄 수 있냐는 것이었다. 그녀는 그 장소를 두 번 반복해서 말했다. "북문이에요. 그에게 제가 하고 싶은 말이 있다고, 하지만 오래 걸리지는 않을 거라고 해주세요."

수년간의 신문 경험으로 경감은 그레이엄이 사실을 말하고 있다는 것을 확신했다. 그에게는 어떤 속셈도 없었고, 플라벨 가족과 그는 아무 관계도 없었다. 그는 다시 커닝엄에게 돌아갔다. "미스 포이와 보기로 한 약속은 지켰습니까, 중위?"

커닝엄은 새 담배에 불을 붙였다.

"네, 경감님, 저는 그랬죠. 하지만 샬럿 아주머니는 아니었어요. 북문에 도착했을 때 그분은 거기 계시지 않았어요. 안개가 짙었고 정말 캄캄했습니다. 그보다 더 캄캄한 밤에 바깥에 있은 적이 없을 정도였어요. 저는 문을 살펴봤어요. 부르기도 했습니다. 그분이 계신다는 아무런 낌새도 없었어요. 저는 얼마 동안 문 앞 도로를 왔다 갔다 걸어 다녔습니다. 그러다가 비가 내리기 시작했어요. 그래서 저는 날씨 때문에 아주머니가 집 안에 계시는 거로 결론을 내렸어요. 그때는 시간이 늦어지고 있었기에 저는 그 집으로 가서 나탈리를 데리고 저녁을 먹으러 나갔던 겁니다."

"플라벨 양에게 미스 포이와 약속이 있었다고 말하고 이모가 어디 있는지 물어봤습니까?"

커닝엄은 고개를 저었다. "아뇨. 샬럿 아주머니가 편찮으셔서 나탈리는 걱정하고 있었어요. 어쨌건 전 그녀를 신경 쓰게 하고 싶지 않았어요. 샬럿 아주머니가 마음을 바꿨다면 나중에 저를 만나실 거로 생각했죠.”

맥키는 크고 안락한 거실을 한 바퀴 쭉 돌았다. 장식품이라고
는 없이 책과 담배 파이프, 골프채들이 어수선하게 널려 있고 한
쪽 구석에는 스키 장비, 다른 쪽에는 낚싯대가 놓여 있는 남자의
방이었다. 그 방을 사용하는 세 명의 남자는 여가에 스포츠를 즐
기는 취향인 사람들이었다. 커닝엄을 찾는 샬럿 포이의 전화는,
아무리 봐도, 기이했다. 그는 그날 오후에 플라벨의 집에 있었고
얼마 뒤에 그곳에 다시 갈 예정이었다. 그런데도 샬럿 포이는 기
다리는 것으로는 성에 차지 않았던 것이다. 그녀는 집 밖에서, 나
무가 우거져서 사람들이 보거나 엿들을 수 없는 헨더슨 스퀘어의
안개와 어둠 속에서 그와 단둘이 만나고 싶어 했다. 그녀가 제안
한 그 만남의 비밀스러운 내음은 촉각을 곤두세우게 만드는 것이
었다. 커닝엄은 샬럿이 무슨 일로 자신을 보자고 했는지 전혀 몰
랐다. 아니, 전혀 모른다고 공언했다.

“전혀 모르신다고요, 중위?”

“눈곱만큼도요.”

“미스 포이는 당신과 플라벨 양의 약혼을 인정했나요?”

“처음에는 아니었던 걸로 생각합니다. 하지만 나중에는, 그랬
죠.”

“처음에 반대한 이유는 뭐였습니까?”

커닝엄은 어깨를 으쓱했다. “제가 그분이 좋아하는 유형이 아
니었던 거죠. 샬럿 아주머니는 좋고 싫음이 확실하신 분이었어요.
매우 훌륭한 분이었지만, 편협하고 고집이 세고 자기만의 방식을
선호했어요. 어떤 일이건 본인의 뜻에 반하면 그 즉시 극악무도

한 악인이 되는 거죠."

이 말은 샬럿 포이와 그녀의 조카인 이브의 관계에 대한 언급이었을까? 커닝엄이 일을 다 밝혀버린 이래 그녀는 거의 움직이지도 않았다. 가냘픈 몸 전체가 긴장에 휩싸인 채 그녀는 자기 내면에 갇혀 있었다. 커닝엄은 나탈리에게는 샬럿과 만나기로 한 일을 말하지 않았을지라도, 그녀에게는 했던 것이다. "어젯밤 일은 우리 말고는 아무도 몰라요." 그가 처음 들어왔을 때 그녀가 그에게 한 말이었다. '그냥 내버려두자.' 경감은 생각했다. '두 사람 다 그냥 말하지는 않을 것이다. 다른 방법으로 알아내야지.'

이브가 긴 겨울잠에서 깨어나 몸을 움직이며 말했다. "이모는 커닝엄 중위를 개인적으로 싫어한 건 아니었어요, 경감님. 하지만 이모가 나탈리의 상대로 점찍어 둔 다른 사람이 있었던 거예요. 이모는 나탈리가 코리 집안의 사촌인 에버렛과 결혼하기를 원하셨어요. 그래서 실망하셨지만, 그런 감정은 털어버리셨을 게 분명해요."

이브 플라벨이 설령 사실을 말하고 있다고 해도, 그녀가 분명하다고 한 것이 꼭 그렇다는 보장은 없었다. 샬럿 포이의 몸을 관통한 총의 방아쇠를 당긴 사람이 커닝엄이 아니라면 — 그리고 그 증언은 불리하기는 해도 결코 결정적인 것은 아니었다. — 범인은 샬럿이 7시 15분에 북문에 있을 것이라는 걸 아는 사람이 틀림없을 것이다. 그녀가 전화 통화를 할 때 그 집에 있던 사람들은 휴 플라벨, 나탈리, 제럴드, 그의 아내인 알리시아, 짐 홀랜드, 그리고 하녀들이었다. 안개 속에서 어둠이 내리던 헨더슨 스퀘어의 오후가 점점 더 중요해지고 있었다.

커닝엄은 자신에게는 권총도, 연발 권총도 없다고 단언하면서 자신과 그 아파트를 바로 수색하라고 제안했다. 맥키는 그 제안을 일축했다. 수색은 나중에 당연히 이루어질 것이었다. 커닝엄은 너무나 단정한 제복 차림이어서 툭 튀어나온 쇳덩이를 감출 방법이 없었고 그것을 소지하고 다닐 만큼 바보는 아닐 것이었다. 그리고 샬럿 포이가 살해된 지 18시간이 흘렀으니 근처 시계탑 속이든 어디든 그것을 넣어두는 게 더 적절할 수 있을 것이었다.

총뿐만 아니라 다른 것들, 피 묻은 신발, 편지들, 문서들, 그리고 지금까지 드러나지 않은 진실의 그림을 보여줄 그 어떤 종류의 증거든 찾을 수 있도록 사람들을 동원해 아파트를 수색해야 할 것이었다. 그런 한편, 그는 중위와 이브 플라벨을 계속 지켜보면서 예의 바르게 말했다. "제가 도착했을 때 두 분은 플라벨 씨 집으로 가는 길이었죠. 제가 지금 거기로 가려고 합니다. 함께 가시면 되겠네요."

이브는 선홍색 트위드 코트 속에 장치가 숨겨진 로봇처럼 아무런 의식도 없는 듯 서 있었다. 커닝엄은 트렌치코트를 입고 벨트를 조이고 모자를 집어 들었다. 그렇게 출발 준비를 하고서도 그들은 즉시 집을 나서지 못했다.

현관의 초인종이 울렸다. 아무도 대답하기 전에 문이 열리더니 "브루스"라고 부르는 부드러운 목소리와 함께 어떤 여자가 복도로 들어와서 거실 문턱에 멈춰 섰다. 40대 중반의 키가 큰 여자는 빨간 날개가 달린 작은 회색 모자 아래 풍성한 금발 머리를 늘어뜨리고 있었다. 회색 정장 어깨에는 모피를 두르고 있었다. 그녀는 힘이 넘치고 부유한 분위기를 풍겼으며 또한 충격을 받은 인상이었다. 그녀의 두툼한 빨간 입술에는 중압감과 슬픔이 배어 있었다.

그녀는 이브나 경감을 보지 못했다. 문이 안쪽으로 휙 열리면서 그 너머로 그들의 모습이 일부 가려진 데다 그녀가 커닝엄을 쳐다보고 있었던 까닭이다. 그녀는 조금 다급하게 말했다. "브루스, 나를 위해 뭘 좀 해줬으면 해요. 내게 뭘 좀 가져다…."

"수 아주머니." 이브 플라벨이 날카롭게 말했다. "안녕하세요, 수잔 아주머니. 샬럿 아주머니 얘기를 들으셨군요?" 커닝엄이 조용히 말했다. 그는 손을 들어 문 왼쪽 그림자 속에 있는 맥키 쪽을 가리켰다. "살인 수사반의 맥키 경감님입니다. 경감님, 드 상쥐 부인이세요."

수잔 드 상쥐는 어제 오후에 플라벨의 집에 있었다고 했다. 그녀의 이름은 손님 명단에 들어 있지 않았다. 그녀가 직접 경감에게 한 말이었다. 그녀의 등장으로 작고한 샬럿 포이의 삶과 폭력적인 죽음에 밀접하게 연관되어 있던 사람들의 명부가 완성되었다. 한 가지 주목할 만한, 그리고 불행한 예외를 제외하고는 말이다. 당시에 경감은 그것을 알 수가 없었다. 그것을 본능적으로 느낀 것은 그의 직감이었다.

6

"당신은 플라벨 씨 가족의 오랜 친구였군요, 드 상쥐 부인?"

"20년도 넘었죠, 경감님. 여기 이브가 네 살 아기였을 때부터 알고 지냈어요." 수잔 드 상쥐는 무릎 위에 꽉 포개어 쥔 이브의 양손 위에 손을 얹었다.

그들은 커닝엄의 집 앞에서 택시를 잡았고 두 여자는 뒷좌석에 앉았다. 중위는 택시 기사와 함께 앞좌석에 앉았다. 맥키는 간이의자 중 하나에 앉았다. 창밖의 불빛은 차가운 회색이었다. 해는 사라지고 구름이 위협적으로 내려앉아 있었다. 눈 같은 구름이었다.

수잔 드 상쥐는 그들이 플라벨의 집으로 가는 길이라는 말을 듣자 함께 가겠다고, 휴와 나탈리에게 비통함을 전하고 자신이 할 수 있는 일이 있는지 알아보겠다고 했다.

그녀는 계속해서 플라벨 가족과 자신의 인연을 설명했다. 그녀는 그들이 이스트포트의 큰 저택에 살 때 옆에 있는 작은 집에 살았다고 했다. 휴의 세 아이가 태어나고 두 아내가 세상을 떠난 곳이었다. 그녀 역시도 힘든 날들을 보냈다. 1921년과 22년 사이의 겨울에 그녀는 남편을 먼저 잃고 그다음엔 하나뿐인 아이를 잃었다. 플라벨 부부와 샬럿은 말할 수 없이 우호적이었다. 플라벨 가족이 뉴욕으로 이사하고 그녀는 코네티컷으로 가게 되면서 그들의 친밀한 관계는 단절되었다. 거의 20년 뒤인 그해 이른 봄에 그녀가 어느 파티에서 이브를 우연히 만나게 되어 그들의 관계는 다시 이어졌다. 휴와 나탈리가 그녀를 반갑게 맞아줬고 그녀 역시 두 사람을 초대해서 대접했다. 당시 샬럿은 버몬트에 있었다. 그녀는 11월 말에 뉴욕으로 돌아온 후 수잔을 처음 다시 만났다.

그 이야기를 들으면서 경감은 여러 가지를 마음속에 새겼다. 휴 플라벨, 나탈리, 알리시아, 브루스 커닝엄, 그리고 이브와 마찬가지로 수잔 드 상쥐 역시 샬럿 포이의 죽음에 크게 동요하고 있었던 것이다.

그녀는 헨더슨 스퀘어의 아파트식 호텔, 트리아농에 살고 있었다. 샬럿이 총에 맞은 지점에서 백 미터도 떨어지지 않은 곳이었다.

이브 플라벨은 그녀가 전날 오후에 그 집에 왔었다는 말을 듣고 놀랐다. 그녀는 기다란 회색 눈을 떴다. "저는 아주머니를 못 봤는데요. 거기 계셨을 때 제가…"

드 상쥐 부인이 차분하게 말했다. "난 거실에 들어가지 않았단다. 나탈리의 결혼 선물에 관해 샬럿과 단둘이 얘기하고 싶었거든. 1, 2주 뒤에 떠날 예정이어서 시간이 별로 없었어."

그녀는 맥키 쪽은 보지 않고 딴생각에 잠긴 듯 어두워지는 거리를 바라보며 너무나 대수롭지 않게 말했다. 샬럿 포이와 브루스 커닝엄이 7시 15분에 공원 북문에서 만나기로 한 약속이 이루어진 건 6시 10분 전이었다. "몇 시에 플라벨 씨 집에 계셨던 거죠, 드 상쥐 부인?"

"몇 시냐고요? 정확하게는 기억을 못 하겠네요, 경감님. 꽤 늦은 시간이었어요. 피에르에서 브리지를 한 판하고 자코비스에 캍

테일을 마시러 가는 도중이었거든요."

"미스 포이를 만나셨나요?"

"아, 그럼요. 그녀가 작은 집필실로 저를 보러 왔어요. 같이 있은 건 몇 분밖에 되지 않았어요. 그녀를 붙잡아 두고 싶지 않았으니까요."

'하녀들이 말했을 거로 생각해서 내게 말을 한 걸까?' 경감은 궁금했다. 켄트가 하녀들을 조사했고, 자신도 그랬었다. 그는 미소를 지으며 알리바이를 요청했다. "저희는 미스 포이의 친척들과 친구들, 그리고 지인들이 7시 10분 전부터 대략 8시까지 어디 있었는지 확인하려 하고 있습니다, 드 상쥐 부인. 그 시간에 어디에 계셨나요?"

"트리아농의 제 방에서 저녁을 먹고 있었습니다. 그 후에 짧게 산책하러 나갔지만 제가 기억하는 한 그건 8시 이후였어요." 어쩌면 아파트 주민들이 알지도 몰랐다. 택시는 헨더슨 스퀘어 쪽으로 방향을 틀어 우회전한 다음 파란 덧문이 달린 은은한 붉은 벽돌집 앞에 멈췄다. 맥키가 전체적으로 새로운 관점으로 사건을 바라보게 된 것은 그들이 집 안으로 들어선 다음이었다. 휴 플라벨이 수잔 드 상쥐와 사랑하는 사이였던 것이다. 그리고 며느리인 알리시아는 그가 너무나도 확연히 사랑에 빠져 있는데도 그것을 인정하지 않는다는 것이다. 그 중년의 여인이 방으로 들어가자 그의 차갑고 콧대 높은 얼굴이 환해졌다. "수잔. 당신은 정말 마음이 곱군요." 벽난로 불 앞에 우울하게 앉아 있던 그가 의자에서 서둘러 일어났다.

"휴, 정말 유감이에요…." 그녀는 그의 손을 잡았다. 그가 그녀의 손을 쓰다듬으며 고개를 흔들었다. "난 아직도 멍한 상태요…"

알리시아는 보석으로 장식된 담배 파이프로 연기를 뿜어내면서 그 연기 너머로 유심히 그들을 지켜보고 있었다. 수잔을 향해 고개를 까딱하는 그녀의 인사는 차가웠다. 나탈리는 검은색 긴 팔 원피스를 입고 있었다. 부드러운 금발 머리에 묻힌 그녀의 얼굴은 핏기 없이 핼쑥했다. "브루스." 그녀는 재빨리 커닝엄에게로 갔다. 맥키는 복도에서 켄트를 만났다.

샬럿이 만나기로 되어 있고 죽기 몇 시간 전에 전화 통화를 했던 보스턴의 변호사, 스펜서 고램이 저녁에 뉴욕으로 온다고 했다. 검시 보고서는 아직 나오지 않았고 죽음에 이르게 한 탄알도 회수되지 않았다. 경찰은 공원을 샅샅이 뒤지며 탄알을 찾는 중이었다.

제럴드 플라벨은 그 집에 있었으나 지금은 나가고 없는 상태였다. 나중에 돌아올 예정이라고 했다.

드 상쥐 부인의 경우, 전날 오후 그녀가 그 집에 도착한 것은 오후 5시 30분쯤이었다. 그녀가 자신을 맞아준 하녀에게 미스 포이와 독대를 원한다고 하자 하녀는 그녀를 집필실로 안내했다. 샬럿은 그때 보스턴에서 온 전화를 받고 있었다. 안락의자가 놓인 전화 부스 옆에 그 작은 집필실이 있었다. 드 상쥐 부인이 샬럿 포이의 보스턴 전화와 그 후 그녀가 브루스 커닝엄에게 걸었던 전화 통화를 둘 다 엿들었을 가능성도 있었다. 하녀는 그녀가 몇 시에 집을 떠났는지 몰랐다. 맥키는 켄트와 함께 생각에 잠겨 계단을 올라갔다.

죽은 여인의 방은 나탈리의 방과 같은 층의 집 후면에 있었다. 가구가 별로 없는 크고 휑한 방으로 침대와 서랍장, 콘솔, 책상, 탁자 몇 개, 그리고 의자 두 개가 소박하게 놓여 있었다. 작은 욕실이 방에 딸려 있었다. 침대 발치에는 짐 선반이 있었다. 돈피 여행 가방이 그 선반 위에 열린 채 놓여 있었다. 여행 가방에는 갈아입을 속옷과 잠옷, 말아 놓은 스타킹 두 켤레, 갈색 목욕 가운, 그리고 뚜껑에 황동 손잡이가 달린 작은 나무 상자가 있었다. 가방 속 물건들은 이리저리 뒤죽박죽이었다. 상자는 낡았고 비어 있었다.

"어제저녁 이른 시각에 하녀가 여기 왔을 때는 모든 게 아무 문제 없었습니다. 하녀 말로는 미스 포이는 아주 깔끔한 여성이고 물건을 이런 식으로 두는 법이 없었답니다. 그녀가 나가고 난 뒤 누군가 책상과 여행 가방을 헤집어 놓은 거죠." 가방과 책상을 손짓으로 가리키며 켄트가 말했다. 책상 역시 열려 있었고 그 안의 종이들이 엉망으로 어질러져 있었다.

"맞네, 나도 그렇게 생각해." 맥키는 부하에게 이브 플라벨이 잠긴 문밖에 서서 뭔가 움직이는 소리를 들었다는 것과 그녀가 노크하며 이모를 부르자 그 소리가 잠잠해졌다는 것을 말해줬다. 누구였든 방 안에 있었던 사람은 이브가 거기 있다는 것을 알았을 것이고…. 그는 그 사실이 마음에 들지 않았다. "지문은, 켄트?"

"벨로니와 녹스가 방금 나갔습니다. 지문을 무더기로 채취해서요. 신발 문제는 아직 진척이 전혀 없습니다." 그는 집에 있는 모든 신발에 대한 조사를 마친 상태였다. 어떤 신발에도 피는 묻어 있지 않았고 황급히 닦아낸 흔적도 없었다. "물론 버렸을 수도 있습니다."

맥키는 우울하게 고개를 끄덕였다. "책상 안에는 뭐가 있나, 켄트?"

"아, 잡동사니들이 잔뜩 있습니다. 편지, 취소한 수표, 우편엽서, 영수증들, 그리고 아직 분류하지 못한 것들도 좀 있습니다."

맥키는 그 물건들을 일체 사무실로 보내 세밀하게 조사하도록 하라고 지시하고는 그 방의 벽장 두 곳을 들여다봤다. 그리고 물끄러미 바라보고 있었다.

첫 번째 벽장에는 셀로판 가방 속에 잘 포장된 값비싼 옷들이, 받침대에는 신발들이, 선반 위 상자 속에는 모자들이 가득했다. 그 수집품 전체에 거의 눈에 띄지 않을 정도로 희미하게 먼지가 앉아 있고 좀약 냄새가 났다. 드레스는 대부분 전쟁 전의 것으로서 깊은 주름이 잡힌 채 풍성하게 접혀 있었다. 두 번째 벽장에는 칼라에 베닝턴 라벨이 붙은 검정 저지 블라우스와 검정 스커트가 있었다. 살해 당시 입고 있던 원피스를 제외하고는 이것들이 죽은 여인이 버몬트에서 가져온 유일한 옷인 것 같았다.

'샬럿 포이는 지난 1년 동안 엄청난 변화를 겪으며 고통스러운 삶을 살았군.' 그는 생각했다. 죽을병에 걸렸음을 알게 되면 먹고 마시는 것이나 입는 것에 무관심해질 수밖에 없는 것은 당연하고도 남았다. 그럼에도, 그보다 더한 뭔가가 있었던 것일까? 맥키는 중요한 뭔가를 놓치고 있다는 불쾌한 느낌, 그가 가늠할 수 없는 깊이, 죽은 여인에 관한 진실이 숨어 있는 어둡고 깊은 밑바닥이 있는 것 같은 기분 나쁜 느낌이 들었다.

그런 느낌이 계속해서 그를 따라오고 있었다. 사치스러운 물건들로 가득한 벽장과 거의 텅 빈 벽장을 번갈아 보며 문고리에 손을 댄 채 그곳에 서 있으니 그런 느낌이 더욱 더 예리해지는 것이었다. 그는 초점을 맞추지 못한 추측에서 헤어나서 여행 가방 속 구식 나무 상자를, 보석이나 오래된 편지, 기념품 같은 것이 들어 있었을지도 모르는 그 상자를 응시하며 간밤의 침입자가 그 작은 상자에서 내용물을 치워 버린 것일까, 혹은 그 상자에 다른 어떤 중요한 의미가 있었던 것일까, 의문에 싸여 있었다. 그러다가 이내 그는 책상을 뒤지며 분류하고 있던 켄트를 내버려두고 아래층으로 내려갔다. 맨 위 계단을 중간쯤 내려가다가 그는 갑자기 멈춰 섰다.

드 상쥐 부인이 아래층 복도를 지나가고 있었다. 그녀는 그를 보지 못했다. 그녀는 계단 발치 근처에서 잠시 걸음을 멈추고는 어깨 너머로 거실의 아치형 입구를 돌아보더니 시야에서 사라졌다.

맥키는 때맞춰 1층에 도착해서 집필실 문이 닫히는 것을 볼 수 있었다. 그는 소리 나지 않게 그 문을 열었다. 수잔 드 상쥐는 하고 있던 일에 완전히 몰입한 나머지 그의 소리를 듣지 못했다. 그녀는 문을 등지고 있었다. 그녀는 웅장한 책상 옆에 놓인 휴지통 앞에 한쪽 무릎을 꿇고 있었다.

"뭘 찾고 있나 보군요, 드 상쥐 부인? 제가 도울 수 있을까요?" 맥키가 말했다. 그러자 수잔 드 상쥐가 돌아봤다. 그녀는 그에게 미소를 지으며 힘 있고 유연한 몸을 한 번에 돌려 일어섰다. 얼굴이 상기되고 눈빛이 밝게 빛나고 있었지만 그걸 제외하면 그녀는 완벽하게 편안해 보였다. "고맙지만 괜찮습니다, 경감님. 찾는 게 있는데 여기 있는 것 같지 않네요. 어제 오후에 샬럿이 제게 우리가 이스트포트에서 함께 알고 지냈던 어떤 친구의 이름과 주소를 줬거든요. 나오면서 그걸 두고 왔어요. 아마 누가 버렸나 봐요."

그녀는 의자를 끌어내어 책상 앞에 앉더니 은빛 모서리에 은빛 모노그램이 새겨진 회색 뱀가죽 핸드백을 열고는 명단이 적힌 종이 한 장을 꺼냈다. 휴가 아는 사람들과 친구들, 먼 지인들에게 샬럿의 부고를 보낼 것이라는 설명이었다.

맥키는 그녀가 자기 일을 하도록 두고 그 방을 나와서 하녀들을 찾았다. 휴지통은 그날 아침에 비워졌다. 종이들은 지하실 계단 밑의 통에 들어 있었다. 켄트가 그에게 합류했고, 그들은 빈 담뱃갑, 광고지, 그리고 중요하지 않은 편지들을 뒤져가며 분류했다. 작은 더미의 거의 바닥 부분에서 드 상쥐 부인이 찾던 것일 가능성이 있는 유일한 물체를 켄트가 찾아냈다. 그것은 사진에서 울퉁불퉁하게 찢어낸 세모꼴의 두꺼운 종이 조각이었다. 한쪽으로 5센티미터, 다른 쪽으로 8센티미터 정도의 작고 하얀 여백 안에 어두운 색깔의 코트를 입은 한쪽 팔로 보이는 윤곽선이 있었다.

경감은 호기심을 느끼며 그 종이를 뒤집었다. 전날 저녁 5시 반에서 6시 사이에 있었던 샬럿 포이와 수잔 드 상쥐의 짧은 대화의 와중에 한 장의 사진이 불쑥 등장했던 것이다. 그리고 어떻게 봐도 그것은 여자의 사진이었다. 누구의 사진인지, 두 여자 중 누가 갖고 있던 건지 찾아내도록 노력하되 사람들에게 물어서는 안 될 것이었다. 그건 당연했다. 그사이 인화지를 검사해야 했다.

켄트는 샬럿의 방으로 돌아가서 사진을 찾기 시작했고 맥키는 휴 플라벨과 처음에는 식당에서, 그다음에는 그의 서재로 가서 이야기를 나누었다. 그로서는 놀랍게도 플라벨은 현저히 기분이 좋았다. "위층으로 올라가시죠, 경감님. 거기는 편하게 있을 수 있어요." 드 상쥐 부인이 — 뭔가가 — 그를 다른 사람으로 만들었다. 그는 원한다면 매력적이고 호감 가는 사람이 될 수 있는 사람인 것이다. 어깨에서 무거운 짐을 벗은 듯했고 아침에 발발했던 병증에서 완전히 벗어나 있었다. 그는 책이 멋지게 진열된 3층 서재의 주류 진열장에서 술을 꺼내 맥키에게 권했다. "이렇게 일찍 안 마신다고요? 좋은 원칙이군요. 금주법이 이 세대를 망쳤어요. 제 말은, 우리 나이 든 사람들 대부분을요." 그는 아침저녁으로 공원을 산책하는 것이 자신의 습관이지만 어젯밤에는 나가지 않았다고 했다. 날씨가 너무 나빴기 때문이었다. 그는 그런 저녁에 가여운 샬럿이 무엇 때문에 밖으로 나갔는지 상상할 수가 없었다.

맥키가 그에게 그녀와 브루스 커닝엄의 약속을 말해주자 플라벨은 놀라움과 당혹감을 표출했다. "지금 뭐라고 —." 그는 유선형 마호가니 책상 뒤에 있는 의자 깊숙이 몸을 던졌다. 그리고 똑바로 앉더니 윤기 흐르는 나무 위를 손가락으로 두드렸다. "사실대로 말씀드리자면, 경감님, 저는 샬럿이 아무리 봐도 조금… 괴상해지지 않았나 하고 생각되기 시작하는군요."

길 건너 공원의 수풀 속에 누워 있던 여인은 그렇게 보이지 않았다. 경감은 그 의미가 밝혀지기를 인내심을 가지고 기다렸다. 그러나 휴 플라벨은 그 문제를 계속 이어가지 않고 다만 이렇게 말할 뿐이었다. "어쩌면 제가 틀렸을지도 모르죠. 그런데 그녀는, 그게, 작년 한 해 동안 뭔가에 정신이 팔려 있었어요. 저는 그녀가 혼자 버몬트로 가는 걸 절대로 찬성하지 않았답니다. 그다음에 그녀는 나탈리의 결혼을 서두르려고 안달이었고요. 처음에는 그 약혼을 반대했었는데 말이죠. 그건 그냥 그녀가 병에 걸렸기 때문인 걸로 저는 생각합니다"

맥키는 결혼식 날짜가 정해졌는지 물었고 휴 플라벨은 아니라고 했다. "나탈리는 너무 어립니다." 그녀는 스물두 살이 되었기 때문에 그것은 그리 타당한 반대로 여겨지지 않았다. 플라벨이 덧붙여 말했다. "브루스는 전쟁이 끝날 때까지 기다리는 편이 낫다고 느끼고 있고, 저도 물론 그와 같은 생각입니다."

전날 밤 6시 50분부터 8시 사이에 그는 어디에 있었던가? 그는 서재에서 일하고 있었다. 아무도 그를 방해하지 않았다. 아마도 11시쯤에 그는 서재에서 곧장 침실로 가서 잠자리에 들었다.

맥키는 그에게 감사를 표하고 아래층으로 내려갔다. 샬럿 포이가 과연 드 상쥐 부인과 자기 제부의 세 번째 결혼을 찬성했을지 궁금해하면서 그가 아래층 복도에 있을 때 켄트가 계단 난간 위로 고개를 들이밀었다. 새처럼 생긴 금발의 부하는 흥분해 있었다. 경감이 그에게 갔더니 켄트가 말했다. "경감님이 보셨으면 하는 게 있습니다." 그러고는 죽은 여인의 침실을 지나 욕실로 그를 이끌었다.

위층에는 글로리아 폭스라는 하녀가 매립 욕조 옆에 겁먹은 얼굴로 서 있었다. 약장 문이 열려 있었다. 켄트는 구강 청결제 병과 약장 벽 사이의 공간을 가리켰다. "저기 있던 약상자가 사라졌습니다, 경감님."

"그 안에 뭐가 들어 있었지?"

글로리아 폭스가 대답했다. "미스 포이가 시골에서 가져오신 약이에요. 통증이 있을 때마다 그 약을 드셨어요. 어제 오후에 제게 한 알 가져오라고 시키셨어요."

작은 캡슐들이 절반 이상 들어 있는 파란색 두꺼운 종이로 된 작은 상자였다. 죽은 여인의 핸드백 안에 그 상자는 없었다. 누군가 치운 것이 분명했다. 전날 늦은 오후부터 켄트가 맥키와 함께 지하실에 있었던 10분 전 사이 어느 때라도 가능했던 일이었다. 맥키는 반짝이는 수전과 초록색 샤워 커튼을 우울하게 쳐다봤다. 이곳 사람들에게 지금 질문을 할 것인가? 그래봤자 소용없을 것이었다. 15분간 지하실을 수색하는 동안 그들의 동향을 확인하지 못한 데다 누구도 스스로 도둑이라고 자수하지는 않을 것이었다. 할 수 있는 최선은 보스턴에 있는 샬럿 포이의 주치의에게 연락하여 그 캡슐이 무엇인지 알아내는 것이었다. 해가 되지 않는 약일지도 몰랐다. 그렇다면 다시, 헨드릭스 박사는 샬럿이 심각한 내과 질환을 앓고 있을 가능성이 크다고 했었지만, 그런 게 아닐지도 몰랐다. 진통제이거나 안정제일지도…. 그런 생각이 들자 경감은 안정과는 정반대의 상태가 되었다.

그는 발뒤꿈치를 휙 돌리더니 계단을 내려가서 나탈리에게서 샬럿의 버몬트 주치의 이름을 알아낸 후 전화를 걸어 갔다. 그는 수사본부에 전화했다. 그는 "긴급"이라는 단어를 부드럽게 사용함으로써 날 선 신경을 스스로 누그러뜨렸다. 수사본부 다음은 검시실이었다. 샬럿 포이에 대한 부검이 진행 중이었다. "진정제 비슷한 약을 찾아봐 주겠나?" 그가 부탁했다. "그리고 최대한 빨리 알려주게."

그는 전화를 끊었다. 탄도 전담반 사람들과 살인 수사반의 데이비슨과 피크, 두 형사는 샬럿 포이의 몸을 관통하고 땅속에, 나무 덤불 속에, 나뭇잎 더미나 가지, 혹은 나무 밑에 묻혀 있을 탄알을 찾아 여전히 수색을 계속하는 중이었다. 그들은 그녀를 죽인 무기를 확보해야만 했다. 그 무기를 제대로 찾으려면 먼저 탄알을 손에 넣어야 했던 것이다.

맥키는 전화 부스에서 나와서 그 집을 떠났다. 그는 3시 10분 전에 길 건너 공원으로 들어갔다. 5시 5분 전에 마침내 탄알이 발견되었다. 그것은 죽은 여인이 쓰러진 나무 덤불에서 200여 미터도 더 떨어진, 자식들을 생각하며 흐느끼는 니오베의 동상이 서 있는 작은 언덕에 박혀 있었다. 탄도 전담반의 웨니케 경사가 탄알을 땅에서 파냈다.

어두워지는 하늘 아래 건장한 남자들이 원을 이루고 서서 웨니케의 손바닥 위에 놓인 상처 난 탄알을 바라보고 있었다. 태양 아래 새로운, 아니 비교적 새로운 뭔가가 있었다. 대도시 뉴욕 경찰의 관할권 내에서 경감의 경력을 통틀어 이전에 딱 한 번 경험했을 뿐인 일이었다.

샬럿 포이를 쏘아 죽인 것은 권총이나 연발 권총이 아니었다. 사냥용 엽총의 고화력 탄알이었던 것이다.

7

샬럿 포이를 제거한 무기를 알고 있는 사람은 살인범, 살인범 혼자뿐이었다. 범인은 생명을 앗아간 그 총의 제조사와 구경을 경찰이 결국은 알아내리라는 것 또한 알고 있었다. 철저한 수색이 완료되기 전까지는 경찰이 확보한 내용의 보안이 유지될수록 그 총의 소유주와 행방을 발견할 가능성은 더 커질 것이었다. 그런데 형사 4과의 자보우스키 경사가 자기도 모르게 그만 때 이른 정보 누설을 하고 말았다.

전화가 걸려 왔을 때 자보우스키는 헨더슨 스퀘어 플라벨의 집 복도에 있었다. 켄트가 그 전화를 받았다. 그는 현관문 근처에 있던 몇몇 경관들에게 그 소식을 알렸다. "**엽총**," 자보우스키가 소리를 질렀다. "세상에, 그 여자가 병든 개처럼 쓰러졌다니… 이게 무슨 일이야?"

이브는 아치형 거실 입구 바로 안쪽에 서 있었다. 경사는 목청이 큰 사람이었다. 그녀에게 그의 말이 들렸다. 그녀는 심장에서 피가 다 빠져나가고 벽과 바닥이 흔들렸다. "안 돼." 그녀는 움직이지도 못할 만큼 섬찟하게 얼어붙은 채 소리 죽여 혼잣말로 중얼거렸다. "안 돼… 아아, **안 돼**."

그녀는 푸른 바닷가에서 노란 모래를 밟고 있는 파란 말이 그려진 수채화를 넋을 잃고 바라봤다. 무섭고 기나긴 하루였다. 전날 밤도 엉망이었던 것은 거의 마찬가지였다. 그녀는 샬럿이 죽을 거라고는 예상하지 못했었다. 그녀가 예상하던 일은 다른 어떤 것이었다. 나탈리가 그녀에게 샬럿이 죽었다고 했을 때 그녀를 휘감은 첫 느낌은 해방감이었고, 그래서 잠시나마 숨을 쉴 수 있었다. 실제로 무슨 일이 있었던지 듣게 되자 그녀는 어둠 속으로 내팽개쳐졌다. 그때부터 그 어둠은 그녀의 내면에서 전혀 사라지지 않고 있었다.

전날 밤 7시쯤 브루스가 그녀에게 전화해서 샬럿이 자기를 만나고 싶어 한다면서 어디서 만나기로 했는지 말했을 때 그녀는 자신의 마음을 달래려고 애썼다. "아주머니가 뭘 원하시는지 모르겠어요. 아무 일도 아닐 수 있지만 당신은 대비하고 있는 게 나을 것 같아서요. 별일 아니라면 당신에게 다시 전화하지 않을 겁니다." 그는 그렇게 말했었다.

정말 아무 일도 아닐 수 있었다. 샬럿은 타고난 성격이 비밀스러웠다. 그녀는 어떤 생각을 곱씹거나 비밀스럽게 오고 가고 하면서 몇 시간이고 보낼 수도 있었고, 종이와 연필로 복잡한 계산을 한 끝에 가구 제작자의 견적을 낮출 새로운 방법을 찾았다고 득의만만하게 선언하거나, 나탈리가 사교 모임 일정을 잘 맞출 방법을 궁리하느라 시간을 보낼 수도 있었다.

이브는 가게 안에서 이 말을 속으로 되뇌려고 애쓰면서 더는 견딜 수가 없을 때까지 차가운 손을 난롯불에 쪼이거나 바닥을 왔다 갔다 걸었고, 시계를 쳐다보고 전화벨이 울리기를 기다렸다. 모든 것이 정말 괜찮다면 브루스는 그 집으로 가서 나탈리를 데리고 함께 차를 타고 나갈 것이었다. 그를 본다면 그녀는 알 것이다. 그들이 나오는 것을 멀리서 보는 것만으로 충분하다. 어둠 속에 몸을 숨기면 그녀는 눈에 띄지 않을 것이었다.

그래서 그녀는 헨더슨 스퀘어로 갔다.

그러나 안개와 그로 인해 기어 다니는 차량을 생각하지 못했기에 그녀는 8시 20분 전에야 그곳에 도착하게 되었다. 브루스나 나탈리는 코빼기도 보이지 않았다. 어둠과 안개, 지옥같이 괴로운 불확실성 말고는 아무것도 없었다. 그래서 그녀는 자기 열쇠로 조용히 문을 열고 집으로 들어갔던 것이다. 그녀는 이모를 만나서 그날 오후 벽난로 불 앞에 있던 자신과 브루스를 봤는지, 그리고 만약 그랬다면 어떻게 할 작정인지 알아내려고 마음먹었다. 샬럿도, 다른 누구도 보이지 않았다. 그녀가 집 안에서 했던 모험은 경감에게 설명해 준 그대로였다.

끔찍했던 그 날 그녀는 그 무엇을 잃었다 해도 최소한 나탈리는 구한 것이라고 힘겹게 되뇌며 온종일을 보냈다. 이제 자보우스키 경사가 한 말이 그녀의 귀에 메아리쳐 들렸고, 그러자 내면의 어둠이 독 구름이 되어 올라와서 그녀의 눈을 가득 채우고 고막을 누르며 목을 조여 숨 막히게 했다. "안 돼." 그녀는 또다시 읊조렸다.

샬럿은 엽총으로 살해되었다. 그리고 브루스의 엽총이 그의 아파트에 있었다.

그녀는 그날 아침 골프 가방 뒤쪽 벽에 기대진 그 총신의 끝을 봤었다. 다른 총들, 그러니까 휴와 나탈리, 그녀 자신의 22구경 총은 이스트포트의 집에 있었다. 그러나 브루스의 총은 여기, 뉴욕에 있는 것이었다.

이브는 탄도 과학에 관해 아는 것이 거의, 아니 전혀 없었다. 그녀는 다른 사람들처럼 사냥과 사격에 관심을 가졌던 적이 없었으며 나탈리가 준 아주 작은 사냥용 엽총을 쏠 때면 두 눈이 감기곤 했다. 그녀는 어떤 총알이 어떤 권총에서 발사됐는지 알 수 있다는 막연한 개념은 갖고 있었으나 그것이 다른 모든 총에도 통하는 사실인지는 전혀 몰랐다. 다만, 브루스의 아파트에서 엽총이 발견되면 끝장이라는 것만은 알았다.

그렇게 되면 모든 것이 다 드러날 것이었다. 브루스가 샬럿의 말을 전해 들은 후 그녀에게 전화했다는 것, 그 이유, 그리고 그녀가 전날 밤 헨더슨 스퀘어로 갔던 진짜 이유까지 모두 말이다.

그 엽총은 발견되어서는 안 되었다.

그녀는 담배에 불을 붙이고 천천히 주위를 돌아봤다. 몇 분 전에 차가 제공된 상태였다. 벽난로 불빛, 조용조용한 목소리들, 숟가락 부딪치는 소리, 알리시아의 손에 들린 칙칙한 은 주전자가 보였다. 24시간 전과 거의 똑같은 장면이었다. 다른 것이 있다면, 딱딱하고 고집스러운 샬럿을 대신하여 너그럽고 우아한 수잔이 있는 것뿐이었다. 그녀의 모자에 달린 빨간 날개가 반짝였다. 휴는 그녀를 쳐다보며 뭔가 말하면서 미소를 짓고 있었다. 벽난로의 다른 쪽에서 알리시아와 브루스, 그리고 나탈리가 얘기를 나누고 있었다. 나탈리는 브루스의 팔에 팔짱을 끼고 있었는데 매끄럽고 어린 그녀의 머리는 그의 제복과 대비되어 갈색빛이 도는 밝은 노란색으로 보였다.

이브는 어떻게 하면 브루스에게 경고해서 그가 엽총을 가지러 가게 하고 샬럿을 살해한 사람이 밝혀질 때까지 안전한 곳에 그 총을 두게 할 수 있을까 궁리했다. 다른 사람들의 시선을 끌지 않고서 그에게 경고할 방법이 없었다. 그럼에도 그 엽총은 치워야만 했다.

브루스의 트렌치코트는 복도 벤치에 걸쳐져 있었다. 그의 열쇠가 아마도 그 주머니 속에 있을 것이었다. 그녀는 아치형 입구를 지나갔다. 복도는 비어 있었다. 그늘이 크게 드리워진 텅 빈 공간은 섬뜩했다. 형사들은 어디로 간 것일까? 지금 11번가로 가고 있는 것일까? 서둘러야 한다. 그녀는 옷을 입고 벽난로 쪽으로 가서 모여 있는 사람들에게 말했다. "난 가봐야 해요. 클라라 롱이 화나 있을 거예요. 크리스마스 쇼핑을 해야 한다고 하기에 일찍 돌아가겠다고 약속했거든요."

브루스는 아무 말도 하지 않았고 그녀를 쳐다보지도 않았다. "어머, 언니, 그냥 있으면 안 돼?" 나탈리가 말했다. 그녀는 주변에 사람들이 있었으면 좋겠다고 생각하는 것 같았다.

'브루스가 있잖아. 그걸로 충분하지 않아?' 이브는 폐부를 찌르는 고통을 느끼며 생각했다. 그러고는 빠르게 밀려드는 격렬한 질투심에 경악했다. 브루스는 나탈리의 것이었다. 어떤 사람이 다른 사람을 차지할 수 있는 것이라면 그렇게 그는 나탈리의 차지였다. 그녀는 이복 여동생의 가늘고 예민한 얼굴을 내려다봤다. 나탈리의 눈은 울어서 퉁퉁 부어 있었다. 불현듯 이브의 눈에 그녀의 모습이, 지금의 모습이 아니라 숱 많은 머리카락을 양 갈래로 묶고 손에는 교과서를 들고 집으로 달려오는 길쭉한 다리의 아이 모습이, 혹은 안전모를 처음 쓰고서 처음으로 조랑말을 타고 들어오면서 대학교에서 돌아온 이브에게도 조랑말이 있어야 한다고 소리치던 모습이 보였다. "언니가 조랑말 안 가지면 나도 안

가질래. 안 가져!" 그녀는 이 세상에서 마음 씀씀이가 제일 넓고 더없이 활짝 열린 마음의 소유자였다. 후회와 애틋한 마음이 이브를 덮쳐왔다.

그녀는 허리를 굽혀 나탈리의 어깨에 한 손을 얹고 살짝 힘을 줬다. "나중에 다시 올게, 냇. 그리고 걱정하고 생각하는 건 그만 둬. 네가 할 수 있는 일은 아무것도 없어. 게다가 계속 이러면 병이 날 거야."

현관문 바깥에서 그녀는 헨더슨 스퀘어와 연결된 서쪽의 조용한 거리를 쭉 훑어봤다. 군인 한 사람과 젊은 여자, 강아지를 데리고 나온 여인, 아이 둘을 보고 있는 나이 지긋한 유모, 그녀 쪽으로 등을 보인 채 잘 보이지 않는 공원 안을 철책 사이로 보고 있는 폴로 코트를 입은 남자가 있었다. 이브는 몸을 떨었다. 경찰은 눈에 띄지 않았다.

무겁게 내려앉은 하늘은 잿빛으로 빛을 뿌리고 있었다. 공기는 차가웠다. 계단을 내려와서 왼쪽으로 돌면서 이브는, 특별한 이유도 없이, 전날 밤 집을 나오다가 안개 속에서 부딪혔던 남자가 생각났다. 집 앞을 서성이며 그는 거기서 무엇을 하고 있었던 것일까? 담뱃불을 붙이거나 다른 뭔가를 하려고 멈춰 섰던 것이 아니었다. 그는 그냥 가만히 서 있었던 것이다.

그녀는 성급하게 고개를 저었다. 그게 무슨 상관인가? 그는 아는 사람이 아니었다. 그녀는 헨더슨 스퀘어를 뒤로 하고 황급히 남쪽으로, 그런 다음 동쪽으로 걸어갔다. 브루스의 아파트에 그레이엄 씨가 있을까? 그렇다면, 그가 그녀를 맞아줄 것이었다. 경찰이 이미 그곳에 가 있다면? 그게 걱정이었고 그곳에 가서 그 엽총을 어떻게 손에 넣을지, 그걸 어떻게 할지가 걱정이었다. 만약 그레이엄 씨가 없다면….

그녀는 더는 생각하지 않기로 했다. 엘든 플레이스 쪽으로 방향을 틀어 브루스가 묵고 있던 갈색 사암 주택으로 다가가면서 그녀는 조심스럽게 속도를 늦추었다. 길에는 차량이 별로 없었고, 간격을 두고 길가에 드문드문 서 있는 트럭과 자가용들, 짐을 든 보행자, 수레를 끄는 청소부, 그리고 '맥크래켄 배관 공사, 언제 어디서나 출동합니다'라는 문구를 단 배관공의 밴 승합차가 보였다. 근방 어디에도 형사나 경관 비슷하게 보이는 사람은 전혀 없었다.

이브가 그때 고개를 돌렸더라면, 헨더슨 스퀘어의 철책 사이로 그 블록의 반대편 끝에 있는 꽃집 창문을 들여다보고 있던 폴로코트를 입은 남자를 알아봤을지도 몰랐다. 그녀는 돌아보지 않았고, 계단을 올라가서 3층의 초인종을 눌렀다. 걸쇠가 요란하게 덜커덕 소리를 내자 그녀의 심장은 감사함을 느끼며 크게 뛰었다. 그녀는 두려움 속에 주변을 살피는 눈빛으로 복도를 하나씩 훑으며 재빨리 계단을 달려 올라갔다. 복도는 텅 비어 있었고 위험한 점은 없었다. 그레이엄이 아파트 문을 열었다.

이브는 그에게 미소를 보냈다. "또 왔어요, 그레이엄 씨. 이게 무슨 야단법석인가 싶으시죠? 오늘 아침에 제가 귀걸이를 잃어버렸답니다. 혹시 여기 떨어뜨린 게 아닌가 생각돼서요. 들어가서 한번 봐도 될까요?"

그레이엄은 흔쾌히 넘어갔다. 그들은 함께 거실을 뒤졌다. 이브는 잃어버린 은 장신구를 한 손에 들고 의자 옆에서 일어났다.

처음부터 손에 계속 쥐고 있던 것이었다. "이왕 여기 왔으니 말인데요, ― 경찰이 헨더슨 스퀘어의 집과 제 가게를 그냥 다 점거하고 있답니다. ― 조금만 조용히 앉아서 쉴 수 있을지 모르겠네요. 선생님은 글 쓰느라 바쁘신 걸 알고 있답니다. 그러니까 여기 계실 필요는 없으세요. 저는 그냥 잠깐 눈을 붙이면 어떨까 하고…"

그레이엄은 자기 일 따위는 내던져 버렸다. 서두를 필요가 없는 일이었던 것이다. 그는 허둥지둥하며 발 받침대를 가져오고 이브의 머리에 델 쿠션을 가져왔다. 어떻게 그를 나가게 할 것인가? 그레이엄은 몸소 그녀를 돕고 있었다. "스카치위스키를 한 잔 마시겠어요? 아니면 칵테일을 만들어 줄까요?" 그녀는 둘 다 사양했지만 차 한 잔은 마시고 싶다고 했다. 차가 집에 없다고 하자 그녀는 그렇다면 괜찮다고 했다.

그레이엄은 아니라고 했다. 다음 블록에 있는 식료품점에 갔다 오는 데 5분도 걸리지 않을 것이라고 그는 말했다. 이브는 그에게 감사의 미소를 보냈다. 정말 친절하시다고… 차를 한 잔 **마시면** 머리가 맑아질 거라고, 찻주전자를 올려놓겠다고 하면서.

밖에서 문이 닫히자마자 그녀는 문을 잠그고 거실로 다시 들어갔다. 브루스의 엽총은 거기, 골프 가방 뒤에 총신의 끝만 보이는 상태로 있었다. 그녀는 총을 꺼내 들어 골프채들 사이로 꽂아 넣고 위에 덮개를 덮었다. 그리고 가방을 닫고 자물쇠로 잠갔다. 계단을 내려가다가 그레이엄을 만난다면, 그래서 멈춰 서게 된다 해도 급히 떠나는 것에 대해 핑계를 지어내면 그만이었다. 시골에 가게 되었는데 골프채를 빌려 간다고 골프 가방 건을 설명할 수 있을 것이었다.

그러나 먼저, 나가기 전에, 브루스에게 전화해야 한다. 그것은 잠깐이면 될 일이고, 만약 그녀가 전화하지 않은 상황에서 경찰이 그에게 엽총에 관해 묻는다면 그는 총이 여기 있다고 대답할지도 몰랐다. 그녀는 골프 가방을 들고 복도로 나와서 벽에 기대 놓은 다음 전화기를 들고 헨더슨 스퀘어의 집으로 전화를 걸었다.

'나탈리나 아버지, 혹은 알리시아가 받는다면 뭐라고 해야 하지?' 그녀가 브루스에게 전화한다는 것은 분명 이상해 보일 것이다. '목소리를 위장할 수 있을까?' 터무니없고도 역겨운 생각이었다. 그녀는 그런 생각을 실천에 옮길 필요가 없었다.

하녀 중 한 명이 멀리 들리는 음성으로 말했다. "플라벨 씨 자택입니다." 이브는 커닝엄 중위를 부탁한다고 했다. 한참 만에 브루스가 와서 수화기를 들었다. 이브의 인내심이 바닥 나서 폭발하려고 할 때쯤이었다. 그녀는 와르르 말을 쏟아냈다. "브루스, 난 당신 아파트에 있어요. 샬럿 이모는 엽총에 맞아 돌아가셨대요. 형사가 그렇게 말하는 걸 들었어요. 집에서는 당신에게 말할 수가 없어서…. 경찰이 당신의 엽총을 찾아내지 않았으면 하는 마음에 온 거예요. 그들이 샬럿 이모를 죽인 사람을 밝혀내기 전까지는, 아직은 말이에요."

수화기 저편에서 브루스가 웃음을 터트렸다. "이브, 이런 바보 같으니라고." 그가 부드럽게 말했다. "이것 봐요, 귀염둥이 아가씨, 당신은 아주 위험한 놀이를 하고 있어요. 그렇게 의욕이 충만해선 안 되죠. 총은 있던 데다 뒤요. 나는 샬럿 아주머니를 죽이지 않았어요. 당신 머릿속에 그런 생각이 조금이라도 있다면, 지워버려요."

그가 자신이 처해 있는 위험을 그토록 모르다니 미칠 노릇이었다. 이브는 절박하게 말했다. "브루스, 난 총을 가게로 가져갈 거예요. 그런 다음 만약…."

그녀는 말을 멈췄다. 복도는 따뜻하고 어두웠지만, 한기가 팔을 타고 내려왔고 등골이 오싹했다. 브루스의 목소리가 아닌 소리가 전선을 타고 들어왔던 것이다. 단편적이고 작은, 거의 들리지 않을 만큼 미세한, 딸깍하는 소리였다. 누군가 집에 있는 내선 전화기 중 하나를 제자리에 내려놓는 소리였다. 아니, 그런 소리일 수 있었다.

브루스도 그 소리를 들었음이 틀림없었다. "알았어, 친구. 나중에 연락할게." 그는 딱딱하고 퉁명스러운 목소리로 이렇게 말하고서 전화를 끊었다.

이브는 몸을 떨며 수화기를 본체에 떨어뜨리고는 일어섰다. 두려움이 또다시 그녀를 에워쌌다. 그것은 그녀가 한 걸음 내디딜 때마다 부딪치고 마는 거대한 그물이었다. 그녀는 그 딸깍하는 소리가 자신의 상상이었을지도 모른다고 속으로 말했다. 교환원이, 혹은 그 아파트에서 전화를 걸던 누군가가 낸 소리일지도 모른다고. 그래도 두려움은 그녀를 떠나지 않았다. 여기서 즉시 나가야 했다. 그녀는 골프 가방을 들고 문을 향해 걷기 시작했다. 문의 손잡이를 잡았을 때 발걸음 소리와 사람들의 목소리가 들렸다. 두세 명의 남자들이 계단을 올라오고 있었다.

이브는 그레이엄이 나가고 난 뒤 문을 잠갔었다. 날카롭게 울리는 초인종 소리와 문짝을 힘차게 쿵쿵 두드리는 소리가 물리적 충격을 주며 그녀의 몸을 쿵쿵 쳤다. 경찰이 바깥 복도에 와 있었다. 그들은 엽총을 찾기 위해 아파트를 수색하러 온 것이었다.

그녀는 가방을 꽉 붙잡은 채 문에서 물러섰다. 여기서 나가야만 했다. 어깨가 벽에 부딪혔다. 나갈 수가 없었다. 뒷문은 없었고, 다른 문도 없었다. 그레이엄이 금방 돌아올 것이다. 그러면….

그레이엄이 진짜 돌아왔다. 그는 계단을 성큼성큼 뛰어 올라왔다. 복도에서 여러 목소리가 뒤엉켰다. 그들이 좀 더 가까이 움직여 왔다. 이브는 꼼짝하지 않고 서 있었다. 그녀의 귀에 웅성대는 소리가 들렸다. 그 떠들썩한 웅성거림을 깨뜨린 것은 자물쇠에서 열쇠가 돌아가는 소리였다. 작은 소리, 그리고 종결을 알리는 소리였다. '이것으로 끝이다.' 그녀는 혀로 마른 입술을 훑고는 눈을 감았다.

8

아무것도 못 하고 어쩔 수 없는 상황을 받아들이던 이브의 무력한 상태는 한순간에 끝이 났다.

아파트 문밖에서 형사가 말했다. "뭐가 문제인가요, 그레이엄 씨? 열쇠가 맞지 않나요?" 그러자 필립 그레이엄이 말했다. "열쇠 때문이 아니에요. 열쇠는 아무 문제 없는데, 이 빌어먹을 야간 걸쇠가 또 빠져버렸어요. 이번이 다섯 번째랍니다."

문 안쪽에서는 무기력의 독이 이브에게서 빠져나갔다. 그녀는 무슨 일이 벌어지고 있는지 알아차렸다. 그레이엄은 그녀가 경찰을 만나고 싶어 하지 않는다는 것을 짐작하고 그녀를 도우려고 애쓰고 있는 것이었다. 그녀는 자신이 움직였다는 것도 의식하지 못한 채 문 앞에 와 있었다. 손가락은 황동 걸쇠를 잡고 있었다. 걸쇠가 부드럽게 제자리로 돌아갔다.

그 소리가 복도 밖에 있는 남자들에게 들렸는지는 모르지만 그랬다고 해도 즉각적인 반응은 없었다. 이브는 그 반응을 기다리지 않았다. 한숨을 돌린 것은 잠깐일 뿐이었다. 경찰은 몇 분 내에, 어떻게든 아파트에 들어올 것이었다. 그녀의 머리가 차갑고 명철하게 다시 돌아가고 있었다. 그녀는 여기서 나가야 했다. 뒷문도, 다른 출입구도 없었다. 하지만 비상 탈출구가 있었다. 그날 아침 그녀가 쳐다본, 거실 창문 맞은편에 길게 뻗은 검은 베란다였다.

그녀는 골프 가방을 잡은 손에 단단히 힘을 주고 거실로 내달려서 창문 하나를 위로 열어젖혔다. '나가야 해, 지금.' 어둠이 내려오고 있는 시간이었다. 그녀는 비상 탈출구에 무릎을 꿇고 힘겹게 가방을 끌어서 검은 철창 위에 내려놓고 창문을 내렸다. 아파트 안에서 소란스러운 소리는 들리지 않았다. 문은 분명 아직 닫혀 있는 것이었다. 경찰은 조만간 그 문을 열 것이었다. 그녀는 서둘러야 했고 눈에 띄어서는 안 되었다.

빨랫줄과 나무들 너머로 아파트 다른 집들의 불 켜진 뒤창들이 초록색, 노란색, 살구색의 네모나고 길쭉한 모양들이 되어 어둠을 장식하고 있었다. 철제 사다리는 위쪽으로 이어져 있었다. 이브는 그 사다리를 올라갔다. 오른손은 난간을 잡고 왼쪽 팔로는 골프 가방을 몸에 붙여 쥐고 있었다. 가방은 무겁고 다루기 힘들었으며 사다리 디딤판에 미친 듯이 부딪쳤다. 그녀는 4층 층계참에 이르렀다. 우유병들과 빈 화분들이 줄지어 놓여 있었다. 가방 끝이 뭔가를 치는 바람에 쨍그랑하고 물건 깨지는 거친 소리가 났다. 안쪽의 불 켜진 방 그늘을 가로지르는 그림자 같은 윤곽이 보이더니 손이 창을 향해 뻗어 나왔다. 이브는 지체하지 않았다. 그녀는 다음 사다리로 성큼 뛰어올랐다. 가방이 그 속에 든 괴물과 함께 살아 있는 것처럼 여겨졌다. 그녀는 숨을 헐떡이며 가방과 사투를 벌였다. 그녀는 이제 비상 탈출구 꼭대기에 와 있었다. 남아 있는 것은 허공으로 곧장 뻗은 사다리 발판 네 개뿐이었다. 해낼 수 있을 것인가? 그래야만 했다. 그녀는 이를 악물고 까마득한 높이에서 위험하게 뒤로 몸을 기댄 채 끈덕지게 계속 위로 올라갔고 마침내 옥상 난간을 넘어 평평하고 단단한 지면을 디디고 섰다. 그녀는 소리를 내지 않으려 애쓰며 올라온 쪽에서 멀어져 가려고 조금씩 더듬더듬 움직였다. 그녀는 환풍구 근처에서 잠깐 동작을 멈추어 위치를 확인하고 호흡을 가다듬었다.

마지막까지 남아 있던 햇빛은 서쪽으로 한 줄기 희미한 빛만을 남기고서 거의 사라져갔다. 막연한 형체들이 사방에 위협적으로 솟아 있었지만, 그것들은 움직이지 않았고 그녀를 덮쳐오지도 않았다. 그녀의 눈에 점차 사방의 윤곽이 드러나기 시작했다. 그녀가 서 있는 곳은 나란히 서 있는 세 채의 갈색 사암 주택 중 하나인 2호 집 꼭대기였다. 왼쪽으로는 주택의 수직 벽이 우뚝 서 있었다. 그쪽으로는 도망갈 길이 없었다. 그녀는 오른쪽으로 돌아섰다. 제일 멀리 있는 세 번째 집으로 내려가는 계단을 찾을 수 있다면 빠져나갈 수 있을지도 몰랐다. 그녀가 열게 될 첫 번째 문 뒤에서 경찰이 만반의 준비를 하고 그녀를 기다리며 영리하게 진을 치고 있지 않다면 말이다.

그녀 앞에 계단이 나타났다. 그리고 경찰은 없었다. 그녀는 어둠 속에서 발소리 하나하나에 귀를 기울이며 무거운 골프 가방을 들고서 난간에 몸을 붙이며 내려갔다. 닫힌 문들 뒤에서 두런두런 목소리들이 들렸고, 누군가가 노래를 흥얼거리고 한 아이가 울고 있었다. 라디오에서 "오, 프로미스 미"가 흘러나왔다. 그녀가 발을 꽉 누르자 발밑으로 작은 구름처럼 먼지가 일었다. 아무도 만나지만 않는다면…. 2층 층계참에서 그녀는 어떤 남자와 충돌하고 말았다.

경찰은 아니었다. 그는 전혀 그녀를 제지하려 하지 않고 예의 바르게 옆으로 비켜섰던 것이다. 그녀는 그를 쳐다보지 않고 지나

쳤다. 들고 있는 무거운 짐을 의식하며 그녀는 겁에 질려 얼굴을 돌렸다. 골프 가방은 사람들이 12월 초에 들고 다닐 만한 물건이 아니었다. 1층, 문, 그리고 어두운 바깥. 이브는 어둑어둑한 현관 입구에 가만히 서서 재빨리 거리를 훑어봤다.

배관 공사 차량이 아직도 2호 주택 앞에 있었다. 남자 둘이 그 옆에 서 있었다. 그들은 그녀 쪽은 보지 않았다. 그녀는 남은 계단 세 개를 내려와서 서쪽을 향해 도로를 따라 빠르게 걷기 시작했다. 어느 순간이라도 어떤 손이 어깨를 잡을 것 같은 두려움과 어떤 목소리가 멈추라고 소리칠 것 같은 두려움 때문에 그녀는 뒤돌아보지 않으려 했다. 10미터, 20미터, 그녀를 부르는 소리는 들리지 않았다. 그녀는 눈물 어린 안도의 한숨을 쉬며 숨을 들이마셨다가 폐에 있는 공기까지 내쉬고는 걸음을 재촉했다.

그녀의 뒤, 길 건너편에서 폴로 코트를 입은 한 남자가 높은 갈색 사암 현관 계단 그늘에서 빠져나와 이브를 뒤따라 움직였다. 북쪽으로 두 블록쯤 가서 그녀는 택시를 잡았다. 그때 그녀는 폴로 코트를 입은 그 남자가 아래쪽 모퉁이에 서 있는 게 눈에 들어왔지만, 그에 관해 아무 생각도 하지 않았다.

그녀는 곧장 집으로 왔다. 미행당한다는 것을 알지 못한 채, 차고 근처의 다른 택시 안에서 호기심 어린 눈빛이 그녀의 특이한 짐에 시선을 고정하고 있었다는 것을 알지 못한 채였다. 가게 안에 들어오자 그녀는 문을 단단히 닫았고, 소리 나지 않게 가방을 내려놓고 앞쪽으로 갔다.

클라라 롱이 뒤편 책상에 앉아서 영수증을 정리하고 있었다. 그녀는 안됐다는 표정으로 조용히 그녀를 맞이했다. "가엾어라,

기진맥진한 모습이네요." 그녀는 골프 가방을 보지 못한 것 같았다. 어쨌거나, 그녀는 아무것도 묻지 않았다. 그녀는 샬럿 사건을 알고 있었다. 짐이 그날 아침 나가기 전에 말해준 것이었다. 그녀는 경찰이 왔었다고 했다. 그들이 가게를 이 잡듯이 뒤지고 위층으로 갔다는 것이었다.

이브가 이모 얘기를 하고 싶어 하지 않는다는 것을 알고서 그녀는 여러 통의 전화가 왔었다고 활기차게 덧붙였다. 홀랜드 씨, 드 상쥐 부인, 그리고 손님들과 나탈리가 건 전화였다. 전해달라는 말은 없었다. 그들은 다시 전화하겠다고 했다.

장갑과 모자를 벗고 코트를 걸고 벽난로에 석탄을 넣으면서 이브는 자신이 너무 허술했다는 사실을 씁쓸하게 상기했다. 그녀는 헨더슨 스퀘어의 집에서 이곳으로 바로 돌아올 것이라고 말했는데 수잔과 나탈리는 그녀가 그러지 않았다는 것을 알게 된 것이다. 필립 그레이엄 역시 뭔가 이상하다는 것을 알았을 것이 틀림없지만 그는 브루스의 친구였다. 그의 문제는 브루스가 수습할 수 있을 것이었다. '훌륭한 공모자가 되는 건 기술이구나.' 그녀는 생각했다. 그녀는 그런 자질을 타고나지 못했으므로 배워야 할 것이었다. 제일 먼저 해야 할 일은 그 엽총을 숨기는 것이었다.

클라라는 옷을 입고 있었다. "정말 제가 할 일이 없어요? 여기더 있지 않아도 되겠어요?" 그녀가 물었다. 이브는 그렇다고 했다. "네 말이 맞아. 난 상당히 지쳤어. 좀 끔찍한 하루였기에…. 네가 가고 나면 바로 문을 닫고 자러 갈 거야. 머리가 깨질 듯이 아프네."

그녀는 클라라를 따라 문까지 가서 그녀의 뒤로 문을 닫고는 빗장을 질렀다. 암막 블라인드가 내려졌다. 거리에서 안이 보일 위험은 없었다. 뒤편에 있는 작은 거울 창문을 제외하고는 가게로 들어올 다른 방법은 없었다. 그 창문들은 둘 다 단단히 잠겨 있었다. 지난번에 그녀는 열쇠를 찾지 못하는 바람에 그 창문 중 하나의 걸쇠를 부수고 가게로 들어온 일이 있었다. 하지만 걸쇠는 수리되어 튼튼하게 제자리에 있었다.

그녀는 골프 가방을 열고 총을 꺼냈다. 단단하고 차갑고 매끄러웠다. 그리고 아주 잘 균형 잡혀 있어서 무거워 보이지 않았다. 그녀는 가방을 커튼으로 가려진 아래쪽 선반에 넣었다. '총은 어떻게 해야 할까, 쉽사리 발견되지 않게 하려면 어디에 숨겨야 할까? 이스트포트까지 갈 수만 있다면, 그래서 사냥용품 보관실에 둔다면, 혹은 다른 총들과 함께 총기 선반에 슬쩍 밀어 넣을 수만 있다면 얼마나 좋을까.' 그녀는 생각했다. 하지만 뉴욕을 떠나는 것은 위험한 일일 것이다. 아무래도, 아직은 그럴 것이다. 내일은 어쩌면 해낼 수 있을지도 모른다. 그동안….

책상 위에서 전화벨이 울렸다. 그녀는 펄쩍 뛰었다. 그리고 성난 표정으로 전화기를 노려봤다. '왜 나를 **혼자** 있게 내버려둘 수가 없단 말인가? 그냥 울리게 두자.' 그녀는 그렇게 마음먹었다. 그녀는 전화를 받을 생각이 없었다. 그러나 새된 호출음이 그녀의 신경을 긁어 댔다. 그래서 전화벨이 멈췄을 때 그녀는 크나큰 안도감을 느꼈다.

그녀는 인상을 쓰고서 주위를 돌아봤다. 경찰이 이미 여기 왔다 갔고 그녀는 자신의 총을 경감에게 넘긴 바 있었다. 경찰이 가게를 다시 수색할 가능성은 거의 없을 것이었다. 그러나 그럴 수도 있었다. 계단 아래쪽은 너무 뻔해서 물건을 숨길 장소가 아니었다. 벽장도 마찬가지였다. 엽총을 스타킹 상자 속에 넣어봤더니 툭 튀어나왔다. 책장 뒤도 매한가지였다. 매트리스 아래에 넣거나 책상 서랍에 넣을 수도 없었고…. 그 결정은 별안간 그녀의 손을 떠나버렸다.

누가 앞문을 두드리고 있었다. 엽총은 엉성한 커튼 뒤 골프 가방 쪽으로 던져졌다. 이브는 똑바로 서서 떨리는 몸을 진정시키려 애썼다. 그녀는 전화를 받지 않았다. 문도 열지 않을 작정이었다. 그녀는 축축한 손바닥을 모직 스커트에 문지르며 욱신거리는 이마 뒤로 머리카락을 넘겼다.

바깥쪽 도로에서 문을 열어 달라고 요구한 건 누구였을까? 트럭 한 대가 지나가고 있었다. 타이어 소리, 브레이크 밟는 소리가 나더니 누군가 그녀의 이름을 불렀다. "이브." 짐이었다. 그는 혼자가 아니었다. 제럴드와 알리시아, 수잔, 브루스, 그리고 나탈리가 그와 함께 있었다. 문 가까이에 서니 그들의 목소리가 들렸다. "**틀림없이** 안에 있을 거예요." 짐이 말했다. "언니가 걱정돼요." 나탈리가 말했다. "여기 없다면 어디 **있을 수 있겠어**?" 그녀의 아버지 역시 거기 있었다. "뒤로는 못 들어가냐, 냇?" 그가 짜증스럽게 채근했다. "다시 문을 두드려 봐, 제럴드."

그녀가 문을 열지 않는다면 그들은 어쩌면…. '그들이 정말 흥분해서 경찰을 부른다고 해보자. 그러면 좋겠군. 아주 좋겠어.' 이브는 소리 없이 뒤로 물러났다가 크게 발소리를 내며 앞으로 갔다. "나가요." 그녀는 크게 소리치고는 열쇠를 돌려 문을 열었다.

그들은 한 덩어리가 되어 가게로 밀려 들어왔다. 짐이 그녀에게 키스했다. "온종일 어디 있었던 거야? 지난 한 시간 동안 당신을 찾느라 얼마나 애썼는데?" 그녀는 얼렁뚱땅 말을 얼버무리며 다른 사람들을 맞이했다. 그들은 아무런 소식이 없다는 소식을 전하러 온 것이었다. 경찰은 샬럿을 쏘아 죽인 엽총을 찾기 위해 헨더슨 스퀘어의 집과 제럴드와 알리시아 부부의 아파트를 수색하는 중이었다. 그들은 그녀가 혹시 시골에서 엽총을 가져온 건 아니냐고 물었다. 그녀는 아니라고 했다.

늘씬한 키의 나탈리는 단추를 여민 검정 체스터필드 코트 속에 들어 있었다. 그녀의 피부는 정말 하얗고 눈은 엄청나게 컸다. 겁먹은 표정이었다. 제럴드도 그랬다. 그들의 아버지는 상황을 즐기듯 비웃었다. "집을 다 둘러보라고 해. 난 환영이야. 난 그냥 거기 있지 않는 쪽을 택한 것뿐이야. 하지만 물건을 하나라도 부순다면, 그들은 대가를 치르게 될 거야."

이브는 안주인 노릇을 하기 위해 젖 먹던 힘까지 쥐어짰다. "안쪽으로 가죠. 다들 앉으세요." 그녀는 의자를 배치하고 벽난로에 석탄을 넣고 담배를 권했다. 짐이 그녀를 도왔다. 그녀는 그의 따뜻한 눈빛에, 힘껏 자신의 팔을 잡은 그의 손가락에 화답하려고, 그리고 그에게 일관성 있게 대답하려고 애를 썼다.

브루스는 나탈리와 함께 벽난로 앞 작은 소파에 앉아서 한쪽 팔을 그녀의 어깨에 두르고 있었다. 그녀는 추위를 느끼는 것처럼 그에게 몸을 기댔다. '그와 얘기를 해야 해.' 이브는 간절하게 생각했다. '여기서 저 엽총을 가지고 나갈 방법을 찾아야 해. 하지만 이 사람들이 모두 옆에 있는데 어떻게 그에게 말할 수 있을까?' 짐이 그녀의 팔꿈치를 건드리며 조용히 말했다. "무슨 일이야, 자기? 걱정되는 일이 있나 보네. 경찰이 여기 다시 왔다 갔어?"

이브는 그에게 미소를 보내며 약간 몸을 돌려 브루스와 눈을 마주치려 애썼지만, 그는 나탈리를 내려다보며 그녀의 약혼반지를 이리저리 돌리며 장난치고 있었다.

이브는 그녀를 괴롭히는 고통을 부정해 보려 했다. 하얀 벽난로 선반 위에서 들릴 듯 말 듯 똑딱거리는 시계와 그 밑에 타오르는 벽난로 불, 따뜻하고 안락하고 익숙한 작은 방, 움직이는 사람들, 그리고 불빛들이 두려움 속에 지쳐 있는 그녀에게는 악몽같이 여겨졌다. 그녀는 옆에 짐이 있다는 것을, 크고 단단하고 확고한 헌신으로 자기를 사랑하는 남자가 있다는 것을 느낄 수 있었다. 그리고 카펫 너머 몇 걸음 안 되는 곳에는 그녀가 두려움을 느끼며 그릇된 사랑에 빠져 있는 남자가 낮은 목소리로 자기의 사랑하는 여동생, 나탈리와 얘기를 나누고 있었다. 나탈리에게 어떤 결점이 있다 해도 그 애를 다치게 하느니 죽는 게 나을 것이었다.

그녀의 눈이 움직였다. 그 눈은 엽총이 숨겨진 커튼을 건드리고 있었다. 샬럿은 엽총에 맞았다고 했다. 벽난로 선반에 몸을 기댄 채 그곳에 서서, 이브는 갑자기 그들 모두가 실제 일어나고 있는 상황과는 전혀 상관없는, 만화 같은 가면을 쓰고 미리 정해진 역할을 연기하는 은밀하고 비현실적인 사람들인 것 같은 느낌에 휩싸였다. 전혀 낯설지 않은 곳에서 밀려드는 낯섦은 무섭도록 기이했다. 그것은 잘 알고 있는 세계의 보호막을 밀어내고 끔찍한 추측과 믿을 수 없는 짐작으로 가득한 혼란스러운 세계 속으로 그녀를 빙글빙글 밀어 넣었다. 그들 중 누가, 가족과 친구들 중 누가 샬럿을 죽일 수 있었단 말인가?

알리시아는 수잔 뒤에서 어슬렁거리고 있었다. 이브는 수잔과 샬럿이 한 번 만났을 때, 그러니까 샬럿이 죽기 하루 이틀 전에 헨더슨 스퀘어에서 우연히 만났을 때 그들 사이에 적대감이 뚜렷하게 보였다는 짐의 말이 그냥 떠올랐다. 알리시아는 새틴 브래지어를 집어 들어 내밀며 감탄했다. "이런 물건이 있다는 얘기를 왜 안 해준 거지?" 그녀가 발랄하게 말했다. "이브, 이런 물건을 갖추고 있는 줄 몰랐어. 얼마야?"

이브는 바싹 마른 목소리로 말했다. "7달러 50센트예요." 매력적인 그녀의 올케는 총이 허술하게 던져져 있는 바로 그 커튼에서 몇 발자국 떨어지지 않은 곳에 서서 판매대 위를 계속 탐색하겠다는 열띤 의사를 표출하고 있었다. 이브는 그녀를 그곳에서 데리고 나와야 했다. "와서 이것들 좀 봐요." 그녀는 이렇게 말하고는 책상 아래쪽 바닥에서 레이스 속옷 상자를 꺼내어 열었다.

그 후에는 엽총에 관한 일반적인 이야기들, 바람의 속도와 각도, 거리 등에 관한 이야기들이 이어졌지만, 그들은 그리 오래 머물지는 않았다. 가기 전에 제럴드가 칵테일을 만들겠다고 고집을 부렸다. 그는 항상 그랬다. 누구를 방문하든, 어디를 가든 칵테일이 없으면 끝나지 않는 것이었다. 그는 구석에 있는 장식장에서 술과 술잔을 꺼내고 위층의 작은 냉장고에서 얼음을 가져오는 등 바쁘게 움직였다.

이브는 크래커와 치즈를 찾고 병에서 올리브를 찍어 꺼내면서 언제쯤 브루스와 말을 나눌 수 있을지를 미련스럽게 궁리하고 있었다. 그들이 얼른 가기를 바란다는 인상을 주어서는 안 되었다.

'그들이 가기만 하면, 그리고 브루스와 단둘이 말할 수가 있다면 그에게 그 엽총을 가져가서 강에 던져 버리라고 해야지.' 그녀는 생각했다. 불가능한 일이었다. 그는 나탈리에게 집중하고 있었고, 그녀에게는 눈길 한 번 주지 않았다. 그를 옆으로 불러내어 구석진 곳에서 속삭일 수도 없었다.

제럴드의 칵테일은 끔찍했지만 그녀는 한 잔을 다 마셨다. 알리시아는 대화를 나누고 싶어 하는 분위기였다. 그녀는 술잔과 옥으로 만든 긴 담배 파이프의 균형을 맞추면서 이브와 짐을 번갈아 보며 말했다. "두 사람 얘기를 좀 하죠? 어떻게 할 계획이에요? 결혼을 그대로 진행할 건가요, 아니면 미룰 건가요?"

벽난로 불이 빨갛게 타오르며 파란색 작은 불꽃을 날름거리고 있는 초록색 공간에 짧은 침묵이 흘렀다. 짐이 커다란 어깨를 으쓱하며 넓은 이마 뒤로 머리를 넘기면서 말했다. "글쎄요, 어쨌든, 적절하지 않은 것 같아요. 샬럿 아주머니를 아직 묻지도 못한 상황인데…"

이브가 의자 다리 옆 낡은 카펫 가장자리의 정교한 장식을 쳐다보며 재빨리 말했다. "전 우리가 기다려야 하는 이유를 모르겠어요. 물론, 그래요, 하루나 이틀 정도는 그럴 수 있지만, 그 후에는…"

나탈리가 몸을 일으켜 바로 앉았다. "그 말이 맞는 것 같아, 언니. 결혼식이 연기되는 걸 좋아할 여자는 없어." 그녀는 비난하는 눈빛으로 짐을 쳐다봤다. "난 당신들 남자들을 이해하지 못하겠어요." 그녀가 그에게 날카롭게 말했다. "당신들은 발바닥에 불이 나도록 여자를 쫓아다니다가 날씨가 바뀌면 마음을 바꾼다니까요." 그녀의 목소리는 히스테리로 날이 서 있었다. 그녀는 살짝 몸을 떨기 시작했다. 그날이, 그리고 일어난 모든 일이 그녀에게는 너무나 버거웠던 것이다. 그녀의 주근깨는 작은 구리 동전만 해졌고 입술은 색이 흐릿해졌다.

브루스가 그녀의 팔에 한 손을 얹었다. "그만해, 자기야." 그는 그렇게 말하고는 그녀를 향해 웃었다. 입술로만 웃고 있는 미소였다. 그는 이브는 쳐다보지 않았다. 짐은 얼굴이 새빨개졌다. 알리시아가 살짝 웃으며 말했다. "사람들이 당신을 억지 신랑으로 만들려고 하네요, 짐. 신경 쓰지 말아요."

짐은 대답하지 않았다. 그의 눈은 이브의 눈을 찾았고 그녀는 그에게 이해한다는 뜻으로 고개를 끄덕였다. 나탈리는 평정심을 되찾았다. 그녀는 뉘우치며 급히 말했다.

"제가 바보예요, 짐. 그건 진심이 아니었어요. 그냥 제 신경이 ㅡ."

이브는 자신의 술잔을 테이블 끝에서 안쪽으로 밀어 넣었다. '역시 나탈리답구나.' 그녀는 조금 짜증 섞인 애정을 느끼며 생각했다. '변덕스럽게 끓어 올랐다가 곧바로 가라앉고, 그러고는 또 끓어오르고.'

"그런 생각은 다시는 하지 마, 꼬마야." 짐이 무뚝뚝하게 말했다. 브루스가 사태를 마무리했다. 그는 일어나서 나탈리를 일으켜 세웠다. "이 모임을 망치려는 건 전혀 아닌데요. 여러분은 어떨지 모르겠지만 전 배가 아주 고프답니다. 자, 이리 와요, 어린 숙녀분."

알리시아는 입술을 매만졌고 수잔은 어깨에 모피를 걸쳤다. 그들은 제럴드가 아는 어떤 조용한 장소, 그들이라면 눈여겨보지도 못했을 어떤 곳에서 저녁을 먹기로 한 것이었다. 이브에게도 함께 가자고 했지만 그녀는 거절했다. 짐은 그녀에게 둘이서 어디든 따로 가겠느냐고 물었다. 그녀는 두통을 호소했다. "수프 한 그릇 먹고 바로 자려고 해요."

그는 가만히 그녀를 보더니 그러라고 했다. "당신은 지쳤어. 좀 쉬어야지. 아침에 제일 먼저 이리로 올게. 그때 얘기하면 되겠지…." 그제야 이브는 자신들이 내일 결혼하기로 되어 있다는 것, 그리고 그와 관련해서 자기가 아무것도 한 게 없다는 것, 온종일 결혼식 생각을 거의 않았다는 사실이 떠올랐다.

지금은 그런 걱정을 하고 있을 수가 없었다. 내일이면 또 다를 것이었다. 그러나 짐이 아무것도 강요하지 않고 그녀의 입술에 가볍게 키스하자 그녀는 가슴이 미어졌다. 그는 너무 좋은 사람이었던 것이다. 눈물이 눈썹을 적셨다. 그녀는 눈을 깜박여 눈물을 털어냈다. 작별 인사가 끝없이 이어졌다. 제럴드는 장갑 낀 손가락으로 그녀의 뺨에 손을 댔다.

"그렇게 뜨겁지는 않은데? 마음을 편히 가져."

"그럴게, 오빠. 안녕히 가세요, 아버지. 잘 가, 나탈리. 안녕히 가세요, 수 아주머니…. 그래요, 알리시아 언니, 나일론 스타킹을 몇 개 챙겨둘게요, 물건이 들어오면요…."

그들은 갔다. 다시 한번 문이 닫히고, 잠기고, 걸쇠가 걸렸다. 이브는 그 문에 힘없이 기대섰다. 그들이 오는 바람에 신경이 초조해졌고 귀중한 시간이 허비되었다. 형사들이 헨더슨 스퀘어의 집, 그리고 제럴드와 알리시아의 아파트를 수색하는 중이었다. 그들이 여기로 돌아온다면? 언제라도 그럴 수 있다. 그녀는 서둘러야 했다.

그는 커튼 뒤에서 총을 꺼내서 다시 선반에 기대어 뒀다. 아무 것도 하지 않고 그냥 그대로 있으면 좋을 것 같았다. 기이한 무력감이 그녀를 짓눌렀다. 가게를 가득 채웠던 목소리들이 사라지고 나니 너무나 고요했다. 바깥 거리 역시 고요하기는 마찬가지였다. 자동차 정비소, 전파상, 길 건너 회사 건물들은 모두 문을 닫은 상태였다. 멀리서 희미하게 부르릉거리는 차량 소리가 커졌다가 멀어지고, 커졌다가…. 턱이 스웨터 단추에 부딪히는 바람에 이브는 화들짝 고개를 들고 매장 한가운데로 이동해 갔다. 피부가 따끔거렸다.

그녀는 피곤하다고 말했었지만 그녀의 상태는 본인이 느끼는 것 이상이었다. 실제로 그녀는 서서 졸고 있었던 것이다. '해야 할, 중요한, 시급한 일을 앞두고 이 무슨 우스꽝스러운 꼴인가. 위층으로 가서 얼굴에 물을 뿌리고 창문을 열자.' 그녀는 그럴 마음이었다. 너무 더웠다. 이마는 젖어 있었고 손에 든 총은 무거웠다. 총을 쥔 손에 힘이 전혀 들어가지 않는 것 같았다. 그녀는 여전히 반쯤 잠들어 있었다. '이 멍청이야,' 그녀는 자신에게 화가 났다. '깨어나, **깨어나라고.**'

물이 좀 도움이 되었지만 그것도 잠깐뿐이었고 피곤이 다시 몰려왔다. 마취용 이불이 두껍게 몸을 감싸고 있는 것 같았다. 그녀는 침대에 놓아둔 총을 집어 들고 희고 반듯한 침대 표면을 한참이나 바라보다가 돌아섰다. 그 총을 처리하기 전에는 안심하고 잠을 잘 수 없었다.

어디에다 둘 수 있을 것인가? 가게에는 지하실도 없고 이용하기 편한 석탄 더미도 없었다. 우산꽂이, 깊은 우산꽂이라면 좋을 것이었다. 총신에 테이프를 감아서 막대기처럼 보이게 만든 다음 바깥에 그냥 놔두면 될 것 같았다. 헨더슨 공원의 집 현관 벽장에는 우산꽂이가 있지만 여기는 그런 것이 없었다.

지하실, 우산, 지하실, 이런 단어들이 의미 없이 그녀의 아픈 머릿속을 맴돌았다. 분노와 절망의 눈물이 눈을 찔렀다. '뭐가 문제지, 왜 생각이 나지 않는 거지?' 화장대 옆에 있는 의자가 그녀를 향해 다가오고 있었다. 살구색 매트 위의 꽃들이 점점 커지더니 괴상한 모습으로 조금 뒤로 물러갔다. 꽃들은 마치 궤도를 이탈한 전차를 타고 있는 것 같았다.

그녀는 세면대로 가서 얼굴에 물을 좀 더 끼얹었다. 피곤의 안개가 조금씩 걷혀 갔다. 2층에는 숨길 곳이 전혀 없었다. 아래층이 더 나을 것이었다. 계단 입구가 시커멓게 하품을 했고, 계단 밑의 문은 닫혀 있었다. 그녀는 계단을 비틀거리며 내려갔다. 아니, 종종걸음으로 내려가고 있었다. 가슴에는 다리가 길쭉한 차갑고 딱딱한 인형처럼 우스꽝스럽게 총이 매달려 있었다.

그녀는 매장 안에서 발을 헛디디며 스웨터들이 걸려 있는 금속 진열대에 부딪혔다. 스웨터들은 속이 빈 채 교수대에 매달려 흔들리는 밝은 색깔의 납작한 몸통 같았다. 불빛이 눈을 찔렀다. '잠시만 앉아서 쉬자. 그러면 괜찮아질 거야.' 그녀는 생각했다. 아직 7시밖에 되지 않았다. 벽난로 선반 위의 시계가 흔들리더니 쌕쌕거리며 일곱 번을 타종했다. 그녀는 제일 가까이 있는 의자에 털썩 주저앉아 눈을 감았다. 어둠은 아름다웠고 흔들리는 푹신한 침대 같았다. 그녀는 그 침대에 등을 대고 누워 잠시 쉬었다. 그러다가 책상 옆 안락의자에서 깊은 잠에 빠져들었다. 안락의자 팔걸이의 움푹 들어간 부분에는 느슨하게 쥐고 있는 브루스 커닝엄의 엽총이 있었다.

9

검시실과 버몬트에 있는 샬럿의 의사에게서 맥키 경감이 초조하게 기다리던 보고서가 들어온 것은 그날 밤 8시가 다 되어서였다. 그동안 맥키는 이브의 행동에 관해, 그녀가 어디 있는지, 혹은 그녀가 무엇을 했는지 전혀 알지 못했다. 그는 다른 곳에서 바빴던 것이다.

샬럿이 만나러 가려 했던 보스턴의 변호사, 스펜서 고램이 그날 저녁 일찍 뉴욕에 도착했다. 5시 33분에 도착 예정이던 그의 기차는 연착으로 인해 그랜드 센트럴 역에 6시 20분에야 들어왔다. 약속한 대로 맨해튼 살인 수사반의 수장과 켄트가 출입구에서 고램을 만났다.

그 변호사는 뼈가 드러난 드넓은 이마와 싸늘하게 반짝이는 파란 눈, 그리고 무미건조한 태도를 가진 작고 마른 남자였다. "저는 나탈리 플라벨 양의 이해관계를 살피기 위해 내려와야 한다고 생각했답니다." 두 공무원과 악수를 나누며 그가 말했다. "그녀의 어머니 쪽 친척이며 제 친구이자 고객인 제인과 알렉스 코리는 무척 화가 나 있습니다. 그녀가 제쳐 놓은 그 젊은 남성에 관해서야 말할 것도 없고 말이죠. 하하… 젊은 에버렛 코리를 말한 겁니다. 그와 인연이 이어지지 않아서 안타깝죠. 나탈리가 커닝엄이라는 그 젊은 친구와 약혼한 것이 안타깝고요. 하지만 그런 거죠. 젊은 사람들이 제멋대로 구는데, 뭘 어쩌겠어요?"

고램은 저녁을 먹지 않은 상태였기에 세 남자는 선원들과 병사들, 해병들로 북적거리는, 또한 늘 그렇듯이 입영 대상자들이 긴 줄로 늘어서 있는, 천장이 엄청나게 높은 대기실을 통과해서 코모도어 그릴로 향했다. 바 근처에 앉은 변호사는 대구 요리와 가득 채운 스카치위스키 한 잔을 놓고 길게 이야기를 펼쳤다. 그는 샬럿 포이의 죽음을 듣고 놀라고 충격을 받기는 했지만, 여때껏 겪어 본 다른 상황에 비하면 그것은 그리 대단한 일은 아니었다.

"전 무슨 일이 있다는 걸 알았습니다, 경감님. 무슨 일이 벌어질 거라는 걸요. 맞아요." 그는 레몬을 눌러 짜면서 고개를 끄덕였다.

그는 샬럿이 자신의 사무실로 처음 연락한 것은 11월 초쯤이었다고 했다. 유감스럽게도, 그때 그는 사무실에 없었다. 일 때문에 그달 내내 서부에 있다가 어제서야, 그러니까 2일 아침에야 보스턴으로 돌아왔다는 것이다. 샬럿 포이는 두 번 전화를 걸었다. 그의 비서는 그녀가 시급한 문제가 있다며 그가 돌아오는 대로 바로 연락하고 싶어 했다고 말했다. 어제 오후에 그가 헨더슨 스퀘어에 있는 플라벨의 집으로 그녀에게 전화했던 것은 그래서였다.

샬럿은 전화로는 많은 얘기를 하지 않았다. 그녀가 말한 내용은 다소 놀라운 것이었다. "그녀는," 고램은 입을 꾹 다물었다. "그걸 뭐라고 해야 할지 모르겠네요, 경감님. 그녀는, 예를 들어, 누군가 엿들을지 모른다든지 하는 물리적 상황 때문에 말하기를 꺼린다기보다는, 음, 단어를 뽑고 고르는 것처럼, 그러니까 어떤 정보를 즉시 제게 공개하지는 않으면서 제가 그 정보의 중요도를 가늠하게끔 하려는 것 같았습니다."

그 변호사가 기억하는 한도 내에서 샬럿이 실제로 한 말은 이랬다. "당신을 만나야 해요. 말씀드릴 게 있습니다. 더는 이대로 계속돼서는 안 돼요. 절대로 안 됩니다. 이건 너무 끔찍해요. 당신이 날 도와줘야 해요."

고램은 포크를 내려놓고 손을 뻗어 소금을 집었다. "당연히도, 저는 불안했죠. 저는 그녀가 좀 더 자유롭게 말할 수 있게 하려고 애썼어요. 제가 질문을 했죠. 그녀가 저와 나누어야 하는 정보가 무엇이건, 무엇을 알게 됐건, 그게 나탈리와 관련된 거냐고 물었습니다. 그녀는 '그래요… 맞아요'라고 하더니 다소 두서없이 '저는… 겁이 납니다'라고 덧붙였기에 진심으로 걱정이 됐어요. 하지만 다른 말은 끌어낼 수가 없었습니다. 그랬죠…. 그 후 그녀는 마음을 추스르는 것 같았어요. 아침에 은행에 가봐야 한다면서 1시 15분에 그랜드 센트럴 역에서 기차를 탈 것이고 보스턴에 도착하는 대로 역에서 곧장 제 사무실로 오겠다고 했습니다. 그녀는 유언을 변경할 생각이므로 자기 유언장을 준비해 달라고 부탁하고는 전화를 끊었습니다. 그게 다였던 것 같군요. 자, 경감님, 어떤 생각이 드시나요?"

맥키는 단맛이 없는 셰리 주를 한 모금 마셨다. 그리고 꾸깃꾸깃한 담배를 입에 물었다. 낮은 천장의 긴 실내에 푸른 연기가 퍼졌다. 그 연기 너머 그의 눈에 수화기를 든 샬럿 포이와 헨더슨 스퀘어 그 집의 아름다운 복도가 보였다. 그리고 그녀가 하는 말을 엿들었을지도 모르는 남녀 무리가 무작위로 떠올랐다. 그 전화와 예정된 여행이 중요한 것이었다. 그는 계속해서 그렇게 느끼고 있었다. 이제 그는 확신했다. 그가 말했다. "고램 씨, 당신은 어떻게 반응하셨나요? 어떤 생각을 하셨죠? 당신은 이 사람들을 알지만 저는 오늘 처음 봤거든요."

고램은 스카치위스키를 한 잔 더 주문하고는 반쯤 감은 눈으로 잔 속의 그 옅은 호박색 액체를 음미했다.

"글쎄요, 샬럿이 나탈리를 언급한 것 때문에 꽤 불안했습니다." 그는 그녀의 말을 인용했다. "'저는… 겁이 납니다.' 뭐가 두려웠을까요? 무엇이든 간에 그건 본인에 관한 게 아니었습니다. 나탈리와 관련된 무엇, 나탈리에게 위협이 되는 그 무엇이었어요. 샬럿은 그 아이를 광적으로 사랑했습니다. 그녀의 인생 전체를 그 아이에게 다 바쳤죠. 그래서 제가 여기로 내려온 겁니다. 휴 플라벨이 나탈리의 아버지이기는 해도, 제가 그 아이의 일을 책임지고 있고 태어났을 때부터 그 아이를 아는 사람이니까요."

그는 그 젊은 여성의 상황을 설명했다. 나탈리는 어머니가 남긴 재산으로 전쟁 전에도 부유했었다. 보유 주식의 상당 부분이 군수품과 비행기 부품 회사의 것이었던 까닭에 그녀의 자산은 전쟁이 나자 네 배로 불어났다. 80~90만 달러로 비교적 대단치 않았던 그녀의 재산은 이제 400~500만 달러에 달했다. 세금과 수익 체감의 법칙에도 불구하고 그녀는 엄청나게 부유한 젊은 여성이었다. 성년이 된 4월 10일에 전 재산이 그녀의 소유가 되었지만 그녀는 고램에게 계속 모든 것을 관리하도록 했다.

"그녀가 미성년자였던 지난 4월 이전의 자산 관리 협의는 어땠나요?" 맥키는 그 점이 알고 싶었다.

고램은 나탈리의 법정 후견인인 휴 플라벨이 그녀의 양육비로 연간 1만 5천 달러를 받게 되어 있었다고 했다. "거기엔 전혀 문제가 없습니다, 경감님. 회계사들이 정기적으로 기록을 검토했으니까요. 공정하게 말하겠습니다. 코리 부부, 즉 제인과 알렉스는 휴 플라벨이 자기 배를 두둑이 불리고 있다고 항상 생각해 왔죠. 물론, 그는 나탈리의 수입으로 이익을 얻었습니다. 하지만 그가 자신이 지극히 사랑하는 딸과 결별해서 자기만의 사업체를 세울 것이라고는 예상하기 어렵습니다. 그렇고 말고요. 샬럿이 제게 하려던 말이 무엇이었든 간에, 저는 그게 횡령 같은 것은 절대 아니라고 생각합니다. 말씀드렸다시피, 나탈리는 자유로운 결정권이 있고 하고 싶은 대로 할 수 있습니다. 그리고 설령 그런 일이 있었다고 하더라도 그녀는 결코 고소는 하지 않을 겁니다."

맥키는 혀끝에서 셰리 주의 쓴맛을 느꼈다. "나탈리가 죽을 경우 그녀의 돈은 누구에게 가게 됩니까, 고램 씨?"

고램은 기침을 했다. 그는 시가에 불을 붙였다. "이건 전적으로 윤리 위반입니다, 경감님, 전적으로요. … 하지만 상황을 고려해 보면… 네, 알겠습니다. 물론, 극비인 거죠? 그게 그러니까, 나탈리는, 제가 강하게 주장해서, 스물한 번째 생일에 유언장을 작성했습니다. 그녀가 사망할 경우, 그녀 재산의 절반은 약혼자인 브루스 커닝엄에게 가게 되고 나머지 절반은 휴 플라벨이 살아 있는 동안 그에게 가게 됩니다. 여기에는 샬럿에 대한 수당이 꽤 많이 포함되어 있습니다. 휴와 샬럿이 사망하면 그들 몫의 절반은 제럴드와 이브 플라벨에게 균등하게 분배됩니다. 하지만 ―. 이런 세상에, 경감님, 설마 그런 생각을 하시는 건 아니겠죠…."

"물론 아닙니다." 맥키는 그에게 확언했다. "단지 상황을 명료하게 그려보기 위한 겁니다. 자, 이번에는 샬럿 포이의 유언, 그녀가 보스턴에 가면 변경하겠다고 말한 유언은요?"

"그녀의 재산은 조카인 이브 플라벨에게 1/3, 제럴드에게 2/3가 가게 됩니다. 얼마나 되냐고요? 다 해서 아마 4만 달러 정도, 아, 그 이상은 아니라고 해야겠군요. 원래 샬럿은 가진 것이 없었습니다만 먼 사촌에게서 자그마하고 멋진 부동산을 물려받았어요. 어디 보자, 그게 1935년도였을 겁니다. 그녀가 여름을 보낸 버몬트의 농장이 그 일부분이었죠."

맥키는 일렬로 늘어놓은 술병들에 눈을 고정하고 있었다. '또다시 이브 플라벨이군.' 샬럿은 이브가 1만 3, 4천 달러를 받게 되는 유언을 변경하려고 했다. 그는 그 생각을 떨쳐버렸다. 이브가 살인을 저지르게 될 어떤 유인이 있든 없든, 돈은 그것과는 아무 상관 없을 것이었다. 그건 확실하다고 그는 생각했다. 하지만 그녀의 오빠인 제럴드 플라벨이라면 얘기가 달랐다.

그는 과거와 현재 사이를 왔다 갔다 했다. 나탈리의 어머니이자 휴 플라벨의 두 번째 아내인 버지니아의 사인은 무엇이었을까?

"그녀는 출산 후에 독감을 앓았고, 그게 폐렴으로 이어졌어요." 고램이 말했다. "그녀는 아주 건강했던 적이 없었습니다. 나탈리처럼 무척 가냘팠고 빈혈기가 있었죠. 나탈리가 태어난 후 제대로 자리를 털고 일어난 적이 없었습니다."

고램은 젊은 미망인인 수잔 드 상쥐를 기억할 수 있을까? 고램은 그럴 수 있었고, 또 그랬다. "키가 크고 잘생긴, 눈이 멋진 사람이죠. 이스트포트에서 플라벨 부부의 옆집에, 잔디밭 아래 작은 집에 살았습니다. 네, 맞아요."

"당시에 샬럿 포이와 수잔 드 상쥐 사이에," — 변호사는 얼음을 휘젓고는 잔을 비우고 있었다. — "어떤 언짢은 일이 있었던 건 아닌가요?" 그는 그랬었다고 했다. 버지니아가 사망한 뒤 이스트 포트의 집을 찾아갔을 때 그는 매력적인 수잔을 보고 놀랐으며, 나중에 샬럿에게 그녀에 관해 물었더니 샬럿은 침울해했다는 것이다. 수잔 드 상쥐는 가까이 두고 싶은 여자가 아니라고, 아이들에게 선한 영향을 주지 못한다고 그녀는 말했었다.

"사실대로 말씀드리자면," 눈을 반짝거리며 고램이 말했다. "당시에 저는 드 상쥐 부인이 너무 매력적이라고 생각했습니다. 당연히도, 샬럿은 휴 플라벨이 또다시 결혼하는 걸 반기지 않았을 겁니다. 그녀는 아이들을 좋아했고, 더 젊고 아주 멋진 여자가 자기에게서 아이들을, 그리고 어쩌면 휴를 빼앗아 간다면 기분 좋을 리가 없었겠죠."

그 변호사는 이브의 결혼 상대인 짐 홀랜드도 알고 있었다. 홀랜드의 어머니가 보스턴 출신으로 버지니아의 친구였던 것이다. 휴 플라벨이 그 청년의 대학 입시 과외를 해주기도 했었다. "홀랜드는 어렸을 때 엄청나게 덩치 큰 꺽다리였는데 항상 사람들에게 거추장스럽게 굴고 얼굴이 시뻘게져서 화를 내곤 하던 기억이 있습니다. 맙소사, 그가 이 일에 연루된 건 아니겠죠?"

맥키는 어깨를 으쓱했다. 그는 여태 전혀 밝혀내지 못한 샬럿의 살해 동기는 그녀가 보스턴에 가서 공개하려고 했던 내용 속에 있다는 점을 지적했다. 그녀는 급히 여행을 간다고 밝힌 지 두 시간도 못 돼서 총에 맞았다. 그녀가 그 말을 할 때 집에 있었던 사람들은 모두 자동으로 용의선상에 올랐다. 그녀를 죽인 그 엽총이 발견되고 소유주와 소유관계가 밝혀질 때까지, 그리고 전날 밤 6시 50부터 8시 사이의 행적이 확고하게 규명될 때까지는 계속 그럴 것이었다.

자신의 전화가 샬럿을 죽게 하는 데 일조했을지도 모른다는 생각에 고램은 아연실색했다. 그는 도움이 될 수 있는 일은 무엇이든 하겠다고 했다. 맥키는 그의 제안을 받아들였다. 그 보스턴 변호사는 샬럿의 재정 상황을 잘 알고 있었다. 그가 그녀의 책상 속 내용물을 살펴본다면 그녀의 방에 비밀스럽게 들어온 사람이 찾고 있던 게 무엇인지, 없어진 것은 없는지 말해줄 수 있을지도 몰랐다. 스펜서 고램은 그 제안을 듣자마자 그러겠다고 했다. 켄트가 수첩을 덮었고 세 남자는 코모도어를 나와서 차를 타고 시내로 갔다.

맥키는 사무실로 돌아가게 되어 좋았다. 압박감, 서둘러야 할 필요가 그를 끊임없이 따라다니며 괴롭혔다. 하지만 가능한 모든 일은 다 해냈던 것이다. 그게 아니었다. 길고 좁은 사무실 안으로 들어서자마자 검시실에서, 그리고 버몬트 베닝턴의 스티븐 해리스 박사에게서 일치된 결과의 합동 보고서가 들어와 있었다.

샬럿 포이의 사체에 모르핀이 있었다는 것이다. 그 약은 해리스 박사가 처방해 준 것이었다. 없어진 상자 속에 든 약 한 알에 들어 있는 양은 0.15그램이었다. 과한 용량이었다. 해리스 박사는 가엾은 샬럿 포이는 고도의 내성이 생긴 상태였기에 그보다 적은 양은 전혀 소용이 없었을 것이라고 했다.

맥키의 친구이자 검시 과장인 페르난데스가 말했다. "그 약 몇 알이면 정상적인 남녀를 영원히 제거할 수 있다네, 크리스토퍼. 치사량이 0.2에서 0.5그램 정도거든. 효과는? 체온 저하, 혼수상태, 그리고 호흡기 마비로 인한 사망이지. 누구라도 이중 어떤 증상을 보이면 빠르게 움직이기 시작하는 게 좋을 거야."

10

맥키는 일을 시작했다. 그는 전화로 대여섯 명의 사람들과 통화하고 보고서를 빠르게 다 읽었다. 샬럿 포이를 살해한 엽총을 찾기 위해 헨더슨 스퀘어 서편 플라벨의 집, 동편 알리시아와 제럴드 부부의 아파트, 짐 홀랜드의 방과 브루스 커닝엄의 임시 거처를 수색 중이던 형사들은 모르핀이 든 파란색 두꺼운 종이 상자를 찾으라는 명령을 받았다. 각각의 수색은 모두 빈손으로 끝났다. 그날 좀 더 이른 시간에 이루어진 이브 플라벨의 가게에서도 결과는 마찬가지였다.

'이제 해야 할 일은,' 경감은 단호히 결심했다. '이 사람들을 개별적으로 몸수색하는 일이야.' 유쾌하지 않은 일이었다. 그러나 그렇게 하지 않을 때 결과는 훨씬 더 좋지 않을 수 있었다. 모르핀을 재미로 치운 것은 아니기 때문이다.

직전 상황판에 따르면 플라벨 가족은 브루스 커닝엄, 수잔 드상쥐, 짐 홀랜드와 함께 이스트 52번가에 있는 작은 초특급 레스토랑인 시더스에서 저녁을 먹고 있었다. 이브 플라벨은 그들과 함께 있지 않았다. 모르긴 해도 그녀는 6시 30분이 조금 지나서 그들이 나갈 때 그들과 같이 가지는 않았다.

맥키는 이브의 번호로 전화를 걸었다. 응답이 없었다. 그는 지역 관할 경찰서에 전화해서 그녀가 거기 있는데 무슨 이유에선지 일부러 전화를 받지 않는 것인지, 아니면 나가고 없는 것인지 사람을 보내 확인하라고 했다. 만약 그녀가 나가고 없다면 집으로 돌아올 때까지 기다렸다면 즉시 자기에게 회신해야 한다고도 했다.

나중에 그는 그때 바로 자기가 직접 그 가게로 가지 않았던 것을 자책했지만, 캐리 국장이 지적한 것처럼 어떤 일이 있었는지 짐작할 이유가 그에게는 없었다. 필립 그레이엄은 그날 늦은 오후 엘든 플레이스 2호 집을 수색하던 살인 수사반 형사들을 성공적으로 따돌린 바 있었다. 걸쇠에 관한 그의 말장난은 설득력 있게 들렸었다. 그는 그 걸쇠가 이전에 살던 여자 세입자가 인근 거리에서 살인 사건이 발생한 후 속임수를 적용하여 설치한 것인데 계속해서 말썽을 일으키고 있다고 했다. 그는 결국 아파트 아래쪽에서 비상 탈출구로 올라간 다음 내부에서 문을 열었고, 그 모든 일이 있는 동안 이브 플라벨은 빠져나갈 충분한 시간을 얻은 바 있었다.

길가에 세워진 배관 공사 차량 내부에서 그 집을 감시하던 남자들은 이브 플라벨의 얼굴을 몰랐다. 그리고 그녀가 들어가는 것을 보기는 했지만, 거기 사는 누군가를 방문하는 것으로 생각했었다. 만약 그녀가 짐을 들고나왔다면 그들은 그녀를 눈여겨보고 제지했을 것이다. 그녀는 나오지 않았다.

그럼에도 불구하고, 그날 밤 8시 몇 분 전에 10구역 경찰서 3층에 있는 사무실을 나오던 맥키는 그런 일을 알지 못한 상황에서도 마음이 불편하고 신경이 곤두서 있었다. 그는 수사의 진행 상황이 전혀 마음에 들지 않았다. 샬럿 포이가 시내 한가운데 있는 작은 사유지 공원의 높은 철책 안에서 총에 맞은 주검으로 발견된 지 10시간 이상이 흘렀는데 진전된 것이 정말 거의 없었다. 몇 가지 실마리를 찾은 것은 사실이었지만 그 실마리를 풀려면 시간이 걸릴 것이었고, 사라진 모르핀 약상자와 죽음의 총이 남아 있는데 시간은 그들이 살 수 없는 것이었다. 첫 번째 비극에 뒤이어 바로 두 번째 비극이 일어나는 것을 막을 수 없다면 말이다. 물고기가 알을 낳듯이 살인은 살인을 낳는 것이었다. 경감보다 그것을 더 잘 아는 사람은 없었다. 그는 와이즈, 비스니스키, 피터슨, 그리고 기쉬 형사와 두 명의 경관을 대동하고 곧장 시더스로 갔다. 그들은 레스토랑의 이름이 된 높은 나무 두 그루의 그늘에서 신호를 기다리며 대기했다. 맥키가 안으로 들어갔다.

시더스는 어마어마한 금액을 하사하는 고객을 대상으로 운영되는 우아하고 조용한 곳이었다. 맥키는 전에 그곳에 가본 적이 있었다. 만찬 차림에 선한 얼굴을 하고서 눈에 띄지 않게 임무를 수행하기 위해서였다. 수석 웨이터가 미소를 띠고 인사하면서 작은 사각형 홀로 서둘러 들어왔다. "플라벨 씨 가족이라고요? 하지만 … 알겠습니다, 선생님. … 물론입니다…." 맥키는 "어디"냐고 물었고 답을 들었다. 그는 손을 들어 안내를 제지하고는 어스름하게 촛불이 밝혀진 웅장하고 긴 내실 입구에 잠깐 멈춰 서서 남녀의 머리들을, 반짝이는 보석들을 둘러보다가 자신이 찾으러 온 사람들을 쳐다봤다. 플라벨 가족은 맨 끝에 있는 벽난로 왼편 자리에 앉아 있었다.

그들에게 이 식사는 축하의 자리가 아니었다. 그들 중에서 그나마 즐거워 보이는 사람은 휴 플라벨 한 사람뿐이었다. 검은 드레스를 입고 모자를 쓰지 않은 창백한 얼굴의 나탈리는 몸을 지탱하려고 애쓰는 모습이 역력했다. 그녀는 브루스 커닝엄과 오빠인 제럴드 사이에 있었다. 짐 홀랜드는 알리시아 옆에 있었고, 알리시아는 휴 플라벨의 옆자리였다. 그의 다른 옆자리에는 수잔드 상쥐가 앉아 있었다. 꽃들과 은 촛대에 꽂힌 초들, 부드럽게 부딪치는 칼과 포크 소리, 조심스럽고 낮은 목소리들, 그 속에서 맥키는 제럴드 플라벨을 처음으로 보게 됐다. 그는 호기심을 가지고 샬럿의 조카를 관찰했다.

제럴드 플라벨은 이목구비로 보면 아버지 쪽이었다. 그의 눈은 이브를 닮았는데 눈썹이 칠흑같이 검었다. 그는 기가 막히게 잘생겼고 거기에다… 조금 부드럽다고 할까? "내게 넘쳐나는 건 이것뿐이야, 자기야." 이렇게 매력을 과시하며 살아온 남자랄까? 그것은 그 매력의 소유자뿐만 아니라 수혜자에게도 저주가 될 수있는 특성이었다. 제럴드는 알리시아보다 네다섯 살 정도 어렸다. 그녀는 그를 정말 좋아하고 있었다. 브루스 커닝엄은 쓸쓸해 보였고 딴 데 정신이 팔린 상태였다. 짐 홀랜드는 따분해하고 있었다.

맥키는 시선을 옮기다가 눈썹을 치켜올렸다. 옆자리에 앉은 어떤 남자가 플라벨 가족을 지켜보고 있었던 것이다. 남자는 혼자였다. 작달막한 중년의 그 남자는 살집 있는 몸에 어깨가 떡 벌어졌고 얼굴은 놀기 좋아하고 영악해 보였다. 경감은 입구에서 벗어나 앞으로 움직이기 시작했다.

짐 홀랜드와 나탈리는 예외일지 모르지만, 플라벨 일행은 그를 보고 반가워하지 않았다. 그는 단도직입적이었던 것이다. 옆자리의 남자를 제외하면 길고 좁은 그 구석진 공간에는 손님이 거의 없었다. 그 남자를 시야에 계속 두고서 맥키는 그들에게 조용한 목소리로 샬럿 포이의 약이, 모르핀을 함유한 약이 사라진 것에 관해 말했다.

"여러분 자신을 위해서라도," 그는 조용히 결론을 말했다. "저는 여러분들이 경찰이 제시한 개별 몸수색에 동의할 것이라고 확신하는 바입니다."

그런 제안에서 경찰은 항상 불리한 입장이었다. 법적으로 집행을 강제하려면 끝없는 요식 절차를 먼저 밟아야 하기 때문이었다. 다른 한편, 노골적인 거부는 그 자체로 의심을 사는 일일 것이었다. 그들은 불안, 놀람, 어리둥절함, 분노 등 다양한 표정을 지으면서 모두 동의했다. 몸수색은 언제 이루어질 것인가? 그들의 편의를 봐주기 위해 저녁 식사를 마치는 대로 할 것이었다. 맥키는 여자 경관들과 형사들이 대기하고 있다고 말했다.

디저트가 나왔으나 입맛은 이미 없어진 상태였다. 나탈리는 얼굴이 붉어지고 창백해져서 맥키를 바라봤다. '그녀는 뭔가 알고 있군.' 그는 판단했다. '꼭 모르핀에 관해서는 아니더라도 그녀가 말하지 않았던 뭔가가 있어.' 수잔 드 상쥐는 다 보이도록 몸을 떨고 있었다. 의자들이 뒤로 밀리고 주스 잔이 내려지고 냅킨이 던져졌다. 수표는 휴 플라벨이 지급했는데, 나탈리가 고집을 부린 끝에 그 수표가 나온 곳은 그녀의 검정 스웨이드 핸드백이었다. "거기 50달러짜리 두 장이 있어요, 아빠."

휴 플라벨은 양쪽 뺨이 상기된 채 차가운 눈으로 경감을 쳐다봤다. 그는 다혈질의 남자여서, 불법적이고 무례하고 너무나 터무니없이 자신들의 사생활이 침해당한 이 상황 앞에서 겨우 자제하는 모습이었다. "경감님, 제가 제안하겠는데, 우리가 헨더슨 스퀘어로 돌아가서….”

맥키는 고개를 저었다. “여기서 수색이 이루어지는 편이 더 간단하고 쉬울 겁니다, 플라벨 씨. 여러분들을 정중하게 대우할 것이라는 점은 제가 장담할 수 있습니다. 그리고 이렇게 하는 것이 다른 무엇보다 여러분 자신을 보호하는 길이라는 점을 여러분이 알아주셨으면 좋겠습니다.” 그는 정전으로 캄캄한 전시의 거리를 몇 킬로미터나 차로 움직인다면 파란색 작은 종이 상자를 없앨 방법이 너무 많다는 말은 덧붙이지 않았다.

그들은 다 함께 일어섰다. 맥키는 그들이 지나가도록 옆으로 비켜서서 그들을 응시했다. 한쪽 구석에서 지켜보고 있던 옆자리의 그 남자는 드 상쥐 부인이 아는 사람이었다. 그녀는 그를 보고는 화들짝 놀라더니 순간적으로 화가 나고 두려운 표정이 되었다. 그녀가 앉아 있던 자리는 그를 등지고 있었던 것이었다. 그녀는 그가 있는 방향으로 대충 딱딱하게 고개를 숙이고는 휴 플라벨과 함께 이동했다. 어둠 속에서 그녀가 쓴 모자의 빨간 날개가 밝게 빛났다. 다른 사람들, 그러니까 커닝엄과 나탈리, 짐 홀랜드와 알리시아, 그리고 담뱃불을 붙이면서 일행의 맨 끝에 선 제럴드 플라벨 때문에 떡 벌어진 어깨와 뭔가 아는 듯한 날카로운 눈빛을 한 그 다부진 남자가 맥키의 시야에서 가려졌다. 이후에 전개된 상황에 비추어보면 안타까운 일이었다. 레스토랑의 다른 손님들은 나중에 그에게 전혀 정보를 주지 못했다. 그들은 무슨 일이 벌어지고 있는지조차 눈치채지 못했던 것이다. 상황 전체가 그만큼 너무나 조용히 마무리되었다.

복도에는 일행을 맞기 위해 대기하고 있던 형사들이 있었다. 제럴드 플라벨이 맥키 옆으로 지나가자 맥키는 돌아서서 그들이 남기고 간 호화로운 음식들이 어질러진 테이블을 조사했다. 체리 타르트, 은 식기에 담긴 아이스크림, 연두색 샤르트뢰즈가 담긴 잔, 브랜디 잔, 커피잔들이 있었다. 유용한 정보가 될 만한 것은 아무것도 없었다. 그는 장갑 한 짝을 바닥에 떨어뜨리는 바람에 주우려고 몸을 굽혔다. 회갈색 카펫의 주름진 천 아래쪽으로 시선이 간 그는 웅크린 채 꼼짝도 하지 않고 그대로 있었다.

플라벨 가족이나 드 상쥐 부인, 브루스 커닝엄, 혹은 이브의 결혼 상대인 짐 홀랜드를 몸수색할 필요가 없어졌다. 파란색 두꺼운 종이 상자가 테이블 아래, 밀려나 엉기성기 모여 있던 의자들의 거의 중앙에 놓여 있었던 것이다.

맥키는 손을 뻗었다. 그는 장갑을 낀 손으로 그 상자를 주워 들었다. 상자를 열었다. 작은 죽음의 알약이 절반을 채우고 있었다. 플라벨 일행 중 누군가가 바닥에 던지거나 떨어뜨린 것이다. 샬럿 포이의 욕실에서 그것을 가져간 도둑은 몸수색 과정에서 발견되리라는 것을 알았기 때문에 그리고 … 그것을 가져간 목적이 이미….

촛불이 켜진 어둑한 공간이 점점 희미해져 갔다. 맥키는 그곳을 나와 복도로 왔다. 플라벨 가족이나 그들의 손님들은 흔적도 보이지 않았다. 피터슨과 와이즈가 계단 발치에 서 있었다. 경감은 검시 과장 페르난데스를 부르라는 것을 포함하여 여러 명령을 내리고 그들 옆을 지나쳤다. 문밖의 공기는 차가웠다. 눈송이들이 춤을 추며 내려왔다. 그는 도로를 건너 대기 중이던 캐딜락에 올라타서 이브 플라벨의 가게 주소를 댔다. 그리고 신중하게 말했다. "서둘러 그곳에 가야 해. 밟아주겠나, 에드워드?" 그의 목소리에는 생기도, 감정도 실려 있지 않았다.

에드워드는 그렇게 했다. 평소라면 15분은 족히 걸렸을 여정이 겨우 몇 분으로 끝났다. 캐딜락이 모퉁이를 돌아 속도를 늦추고는 끼익 하고 멈췄을 때 한쪽에는 전파상, 다른 쪽에는 자동차 정비소를 둔 그 작은 건물 바깥의 거리는 어둡고 고요했다. 맥키는 차가 멈추기도 전에 차에서 내렸다. 관할 경찰서의 경관이 그림자 속에서 나타났다. "플라벨 양은 여기 없습니다, 경감님. 제가 노크했는데…."

경감은 그를 옆으로 밀쳤다. 그는 문을 쾅쾅 두드리고 기다렸다가 다시 쾅쾅 두드렸다. 그리고 기다리지 않았다. 그는 권총을 꺼내 유리창을 내리쳐서 구멍을 냈다. 에드워드가 구멍을 키웠다. 맥키는 그 구멍을 통해 들어가서 잠시 멈춰 문을 연 다음 가게 안쪽으로 달려갔다.

불이 모두 켜져 있었다. 이브 플라벨은 책상 옆 안락의자에 반쯤 몸을 기댄 채 불이 다 타버린 벽난로 앞에 누워 있었다. 그녀는 옆으로 쓰러져 있었다. 고개는 밑으로 숙인 채였다. 얼굴에는 퍼렇게 울혈이 생겨 있었다. 호흡은 무거웠고 단조롭고 기계적이었다. 그 작은 공간은 벽에 부딪혀 튕겨 나오는 호흡 소리로 가득 찼다. 그녀의 발 옆 카펫 위에는 반짝거리는 엽총의 긴 총신이, 밤색 개머리판이 길게 뻗어 있었다.

경감은 총은 쳐다보지도 않았다. 그는 이브에게로 몸을 굽혔다. "혼수상태야." 그는 거칠게 말하고는 그녀를 팔에 안아 일으켰다. 가게 앞문이 열렸다. 검시 과장 페르난데스가 황급히 들어왔다. 그는 검은 피부에 밝은 밤색 눈을 가진 늘씬하고 품위 있는 남자였다. 그는 한 걸음에 다가왔다. 그의 시선이 맥키가 안고 있던 의식을 잃은 젊은 여자에게 갔다. 그는 눈꺼풀을 들어 올렸다. 이브의 눈동자는 동공이 수축한 상태였다. 그는 그녀의 뺨을 만졌다. 차갑고 축축했다. 호흡은 이미 느려져 있었다. 호흡 마비가 시작된 것이다. 그가 말했다. "모르핀이야, 맞아…. 죽어가고 있네, 맥키. 모르겠어…. 우리는 노력해 볼 수 있을 뿐이야…. 그 가방을 주게."

11

"잘 자, 자기야."

"잘 자, 냇, 내 사랑."

헨더슨 스퀘어의 집 앞 계단 밑에서 나탈리는 옆에 선 제복을 입은 키 큰 남자를 올려다봤다. 문 위 덧창을 통해 흘러나온 희미한 불빛에 그의 모자에 달린 금색 휘장이 번쩍였다. 그녀가 얼굴을 들어 올리자 커닝엄은 몸을 숙여 그녀에게 가볍게 키스했다. 그들은 도로 위 계단에서 헤어졌다.

휴 플라벨은 바로 옆 트리아농의 로비로 수잔 드 상쥐를 들여보내고 집으로 돌아오는 중이었다.

시더스 레스토랑에서 그 끔찍하고 불쾌한 일을 겪은 후 그들 네 사람은 택시 한 대를 함께 타고 이곳으로 왔다. 짐 홀랜드는 제럴드 플라벨, 알리시아와 함께 다른 택시를 탔다. 10시 20분 전이었다. 그날 밤은 날씨가 고약했다. 진눈깨비가 내리기 시작했고 길 건너편 검은 나무들 사이로 바람이 울부짖었다.

나탈리는 장갑을 낀 한쪽 손을 브루스의 팔 위에 얹었다. "정말 안 들어올 거야?"

"응," 그가 단호하게 말했다. "당신은 피곤해 죽을 지경이야. 당신에게 필요한 건 푹 자는 거라고. 나는 바로 집으로 가서 잘 테니까 당신도 그렇게 하는 게 좋겠어." 그는 그녀의 어깨를 만져주고는 휴 플라벨에게 인사를 했다. 그리고 얼어붙은 어둠 속으로 사라져 갔다.

휴 플라벨은 그 공군 조종사의 멀어져 가는 모습을 지켜보며 그 자리에 서 있었다. 콧대 높은 그의 잘생긴 얼굴에는 조금 이상한 표정이 드러나 있었다. '정확히 말해 우호적이진 않군.' 몇 미터 떨어진 그림자 속에서 지켜보던 형사가 파악한 느낌이었다. 나탈리는 위쪽 열린 문에 서 있었다. 가냘프고 큰 키의 그녀는 길쭉한 살구색 직사각형으로 보였다. "들어올 거죠, 아빠?" 그녀가 말했다. 그러자 그녀의 아버지가 그녀 쪽으로 갔고 그들 뒤로 문이 닫혔다.

시내 저편, 19번가의 가게에서는 검시 과장이 바삐 움직이며 쓰러진 젊은 여성을 돌보고 있었다. 후에 페르난데스는 눈보라가 몰아치던 12월의 그 밤에 이브 플라벨에게 했던 것보다 더 열심히 누군가를 살리기 위해 고군분투했던 적은 자기 인생을 통틀어 한 번도 없었다고 말한 바 있다.

그는 처음에는 거의 희망을 품지 않았다. 그녀는 의식 없는 상태로 좁고 긴 위층 침실의 침대로 옮겨졌고 간호사와 산소통이 수배되었다. 소량의 스트리크닌이 피하주사로 주입되고 강심제가 투여됐다.

경감이 죽어가는 상태의 이브를 발견한 것은 저녁 9시가 조금 넘어서였다. 10시에는 아무런 변화가 없었으나 어찌 됐건 상태가 더 악화되지는 않았다. 11시 무렵에 그녀의 심장 박동이 살짝 빨라지고 호흡이 안정되고 체온이 상승하기 시작했다. 그러나 페르난데스는 그녀가 고비를 넘긴 것은 절대 아니라고 경고했다. 여전히 아슬아슬한 상황이었던 것이다.

그사이에 이브의 발 옆 벽난로 앞 카펫에 놓여 있던 그 엽총은 수사본부로 보내졌다. 맥키는 그 총을 보내기에 앞서 한번 살펴봤다. 그가 잘 아는 모델이었다. 윈체스터 리피팅 암스 컴퍼니에서 제조한 .351 자동 장정 총이었는데, 사슴이나 여타 네발짐승 사냥용으로는 물론이고 FBI에서도 광범위하게 사용되는 것이었다. 맥키는 특이한 모양의 개머리판에 부착된 표식을 훑어봤다. 01년 8월 27일, 12월 10일, 02년 2월 25일, 03년 2월 17일, 12월 22일, 06년 8월 21일, 10월 30일, 10년 7월 5일, 이렇게 특허 날짜가 찍혀 있었다. 그 총은 1910년 이후에 구매한 것이었다. 소유권을 밝히는 것은 어렵지 않았다.

엽총의 소유자는 브루스 커닝엄이었다. 그 총은 본사 허가증 교부처에 그의 이름으로 등록돼 있었다.

맥키는 커닝엄이 휴가 기간에 묵고 있는 엘든 플레이스를 수색하러 갔던 형사들과 전화 통화를 했다. 그는 또 필립 그레이엄과도 통화했다. 이브가 총을 운반한 골프 가방이 발견되었다. 경감은 엉뚱하게 기사도 정신을 발휘한 그레이엄이 잠긴 문 바깥 복도에서 열쇠를 가지고 허둥거리는 척하는 동안 아파트 3층에서 비상 탈출구로 빠져나간 그녀의 행동 방식에는 신경 쓰지 않았다. 그녀가 왜 그토록 애써 그 일을 했는지가 문제였다. 그는 짜증스레 추측을 밀어냈다. 샬럿 포이를 죽인 총알은 엽총에서 발사된 것이지만, 세상에 하고많은 것이 엽총이고 그 죽음의 총알이 브루스 커닝엄의 총에서 나온 것이라는 증거는, 아직은, 없었다. 그것은 금방 알게 될 일이었다. 그 전에 다룰 수 있는 확실한 것들이 있었다.

이브는 52번가의 레스토랑에서 테이블 밑으로 모르핀 캡슐 상자를 떨어뜨린, 혹은 던진 남자나 여자에게 당한 것이었다. 그녀에게 독을 먹인 사람이 누구든, 그 사람이 샬럿 포이를 제거했을 가능성이 제일 컸다. 그러므로 살인자는 (1) 그날 이른 저녁 시간에 가게에 있었고 (2) 맥키가 시더스 레스토랑에 도착했을 때 거기 있었던 누군가여야만 했다.

그 명단은 그리 길지 않았다. 조건에 부합하는 사람은 일곱 사람, 단 일곱 명뿐이었다. 휴 플라벨, 나탈리, 제럴드와 알리시아, 수잔 드 상쥐, 짐 홀랜드, 그리고 브루스 커닝엄이었다.

가게 안쪽에 있는 방의 책상 위, 벽난로 오른쪽 창문 밑 탁자 위, 벽난로 선반 위, 책장 위에 빈 칵테일 잔들이 여기저기 놓여 있었다. 그 건물의 다른 어떤 장소에도 이브 플라벨이 음식을 먹거나 음료를 마신 흔적은 없었다. 맥키가 전화를 하자 센터 스트리트에서 댈리건과 그랜트, 그리고 지문 담당자가 왔다. 그들은 의식 불명의 이브에게서 지문을 채취해서 그녀의 술잔을 분리했다. 창문 밑 탁자에 있던 두 개의 잔 중 하나였다. 술잔 바닥에 말라 있는 침전물의 정성적, 정량적 분석 결과가 나오려면 기다려야 할 것이었지만, 담배를 피우고 잠깐 쉬기 위해 작업을 멈춘 사이 페르난데스가 침전물을 퍼낸 손가락 끝을 혀에 대더니 말했다. "의심할 여지가 없네, 크리스토퍼. 이 속에 든 걸 먹은 거야. 누군가 샬럿 포이의 캡슐 몇 개의 내용물을 이 아가씨의 칵테일에 쏟아 넣고 이쑤시개에 꽂은 체리로 그걸 휘저은 거지. 칵테일은 누가 만들었지?"

맥키는 알지 못했다. 그가 알게 된 것은 몇 분 뒤였다.

페르난데스와 맥키 두 사람이 모두 이브가 목숨을 잃을까 봐 불안해하고 있던 9시 30분쯤 짐 홀랜드가 가게로 전화를 했던 것이다. 한 형사가 경감의 지시대로 홀랜드에게 말했다. "죄송하지만 플라벨 양은 지금 전화를 받을 수 없습니다." 그 엔지니어는 그에 대한 대답으로 뭐라고 알아들을 수 없는 말을 중얼거린 다음 전화를 끊었다. 그러나 그는 그 지시를 받아들이지 않았다. 그는 코수스 스트리트의 자기 집에서 헨더슨 스퀘어로 차를 몰고 가서 나탈리를 차에 태웠다. 그들은 11시 15분에 삼엄한 경계 속에 있던 가게에 도착했다.

부드러운 금발 머리에 갇힌 나탈리의 갸름하고 하얀 얼굴은 심란한 표정이었다. 그녀는 시간을 들여 옷을 제대로 차려입지도 않았다. 모자는 쓰지 않았고 걸치고 온 밍크코트 속 연두색 정장의 은색 단추들은 짝이 맞지 않게 채워진 상태였다.

"언니에게 무슨 짓을 한 거예요?" 그녀는 경감 앞으로 걸어가서 그를 정면으로 보고 서서 거만하게 다그쳤다. 그녀의 우아한 코에서 콧구멍이 벌름거렸고 하얀 피부 위에는 주근깨가 두드러졌다. 그녀의 예쁜 입술은 빨갛게 부어 있었다.

홀랜드도 똑같이 흥분한 상태였다. "맞아요." 그가 잔뜩 화를 머금은 채 말했다. "이브가 어떻게 했기에 경찰이 —. 그녀가 왜 전화를 받을 수 없다는 거요?"

이브의 이복 여동생과 결혼 상대인 남자에게 그녀의 상태를 숨기는 것은 아무런 도움이 되지 않을 것이었다. 맥키는 그들에게 무슨 일이 있었는지 말했다. "플라벨 양은 헨더슨 스퀘어 집 미스 포이의 욕실에서 없어진 모르핀에 중독됐습니다." 그가 말했다.

나탈리는 멍하니 그를 응시했다. 그녀의 눈은 검고 둥근 돌이 되어 있었다. **"중독이라니!"** 그녀가 중얼거렸다. **"이브 언니!"** 그리고 비틀거리며 바로 옆에 있는 의자를 찾아 더듬거리더니 그 속에 몸을 던졌다. 그녀의 침착성은 온 데 간 데 사라지고 없었다. 그녀는 앞치마 가득 돈을 담고서 명령을 버릇처럼 하는 똑똑하고 날씬한 젊은 여성이 아니었다. 한순간에 그녀는 한 대 맞아 엉망이 된 채 어둠 속에서 유령과 싸우며 어쩔 줄 몰라 하는 어린아이가 되었다.

짐 홀랜드는 그녀가 웅크리고 앉은 의자 등받이를 꽉 붙잡았다. 그는 얼굴이 시뻘게져서 맥키를 노려봤다. 숨쉬기가 힘든 것 같았다. "어디 있어요, 이브 말이에요?" 그의 지팡이가 바닥을 날카롭게 쾅쾅 울렸다. "지금 어디 있냐고요?"

홀랜드는 정처 없이 주위를 걷기 시작했다. "그녀는 회복될까요? ... **그래야만** 해요." 보통 때는 혈색 좋던 그의 큰 얼굴은 흙빛이 되었다.

맥키는 어깨를 으쓱했다. "가능성은 반반입니다. 회복된다면, 빠르게 회복될 겁니다. 우리는 한 시간 내로 알게 될 겁니다."

나탈리는 소리를 지르며 팔꿈치에 얼굴을 묻었다.

맥키가 조용히 말했다. "이브 플라벨을 돕고 싶다면, 냉정하게 마음을 다잡으세요." 그리고 그들에게 질문을 던지기 시작했다. 그들은 흐리멍덩하고 무기력하게 대답하면서 위층에서 들리는 발소리와 목소리에 귀를 기울였다. 그날 이른 저녁 이 가게에서나 52번가의 그 레스토랑에서 그들은 아무런 의심스러운 정황도 보지 못했다. 그들이 저녁을 먹으러 가기 전에 칵테일을 만든 사람은 제럴드였다. 나탈리는 금발 머리를 들어 핏기 없는 얼굴로 맥키를 쳐다봤다. 그녀의 눈에는 공포가 어려 있었다. "이런! 하지만 제럴드 오빠는 그러지 않았을 거예요…" 그녀가 말끝을 흐렸다. "아뇨, 절대로…. 도대체 왜, 제럴드는 이브를 사랑하는데…" 홀랜드가 무거운 눈꺼풀을 내려 눈을 반쯤 감고서 흔들림 없이 맹세하듯 말했다.

'이 두 사람 중 어느 쪽이 이브를 죽음으로 몰 뻔한 용량의 약을 주입했다면 탁월한 배우임이 분명해.' 경감은 생각을 곱씹었다. 그러나 그런 것은 아무 의미도 없었다. 일곱 사람, 딱 일곱 명 중 한 명이 이브 플라벨의 술잔에 모르핀을 넣을 수 있었으니….

바깥에는 바람이 불고 진눈깨비가 가늘게 흩뿌렸다. 사각거리는 스커트 소리가 귀를 울렸다. 간호사 중 한 사람이 계단을 내려오고 있었다. 그녀의 말에 맥키는 한시름을 놓았다. 나탈리는 일어나 앉았다. 불빛에 비친 그녀의 얼굴은 약간 정신이 나간 듯 보였다. 홀랜드는 쉰 목소리로 꺽꺽 말했다. "하나님 감사합니다. 아, 감사합니다."

이브는 위험한 상황을 넘긴 것은 아니었으나 호전되는 방향으로 접어들었고 페르난데스는 좀 더 자신감을 보였다. 그와 말을 나눈 후 맥키는 홀랜드와 나탈리가 잠시 그녀를 볼 수 있도록 해주었다.

이브의 침실로 쓰이는 공간은 헨더슨 스퀘어의 집에 있는 금색과 흰색이 어우러진 나탈리의 침실과는 놀라울 정도로 대조적이었다. 가게 위층은 좁고 긴 방 하나와 문 없이 그 방에 연결된 작은 욕실 하나로 되어 있었다. 단풍나무 침대, 책장, 높은 서랍장,

작은 화장대와 의자 두 개는 나름대로 좋은 제품들이었지만 호화롭지는 않았다. 사르노프의 <겨울나무> 복제품이 한쪽 벽에 강렬한 흑백으로 걸려 있었는데, 이브가 아침에 눈을 뜨면 볼 수 있는 위치였다.

12시가 막 지나고 있었다. 페르난데스는 희망을 걸기 시작했지만 완전히 안심하지는 못했다. 이브는 그 <겨울나무>를 다시 볼 수도, 못 볼 수도 있었다. 그녀의 눈은 감겨 있었다. 지친 그녀의 사랑스러운 얼굴 위에 두껍고 검은 눈썹이 반달 그림자를 드리우고 있었다. 그녀의 윤곽은 죽음을 앞에 두고서 더욱 도드라져 있었다. 이불 밑으로 한쪽 손이 느슨하게 나와 있었다. 간호사가 손목에 손가락을 대고 시계를 주시했다.

페르난데스는 피하주사기를 들고 옆에서 만반의 준비를 하고 있었다. 그는 쓰러진 여성의 이복 여동생과 약혼자를 흥미롭게 지켜봤다. 나탈리가 천천히 침대로 다가갔다. 마치 자신이 발견하게 될 것이 두려운 것만 같았다. 그녀는 고개를 숙이더니 갑자기 기침하듯 메마르고 거센 흐느낌을 내뱉으며 무릎을 꿇었다. 크고 단단한 체격의 홀랜드는 그녀의 바로 뒤에 얼어붙은 듯이 서 있었다. 그는 입을 열었으나 아무 소리도 나오지 않았다. 마치 자기 몸이 찢어져 버리기라도 한 것 같았다.

이브의 몸이 들썩였다. 페르난데스가 고개를 끄덕이자 경감은 나탈리의 어깨를 건드렸고 홀랜드에게는 몸짓을 했다. 세 사람은 모두 계단으로 걸어갔다. 맥키가 먼저 내려갔고, 나탈리가 홀랜드의 팔을 잡고 천천히 그 뒤를 따랐다. 경감은 길고 좁은 가게 안으로 들어갔다. 그들이 바로 조금 전에 그곳을 나갔을 때와 마찬가지로 가게는 비어 있고 정적이 흘렀다. 문과 창문은 모두 닫혀 있었다. 계단 밑 벽감에 쭉 쳐 놓은 커튼이 살짝 움직였다. 그가 그걸 보다가 시선을 거두었을 때 나탈리가 그의 옆을 지나쳐서 의자에 몸을 맡기고는 울기 시작했다. 그녀가 흐느끼자 길고 가냘픈 몸이 흔들렸고 이윽고 무릎에 깍지 끼고 있던 손가락들 위로 그 몸이 포개졌다. "**견딜** 수가 없어요." 그녀가 무너진 목소리로 말했다. "처음엔 샬럿 이모, 그리고 지금은 이브 언니라니. 언니 모습이 너무 끔찍해 보여요…. 이게 무슨 의미일까요? 왜 누군가 이브 언니를 해치고 싶어 하는 거죠?"

홀랜드는 벽난로 선반에 무겁게 몸을 기대고서 다시 타고 있는 불꽃을 내려다봤다. 선반 위 작고 우스꽝스럽게 생긴 시계가 크게 똑딱거리며 12시를 알렸다. 그는 눈을 들어 시계를 쳐다봤다. 눈 흰자위가 돌아갔다. 흰자위에는 붉은 실핏줄이 죽죽 이어져 있었다. 그가 낮은 목소리로 말했다. "우리는 내일 결혼하기로 되어 있었는데…."

맥키는 그들에게 최악의 상황은 지나갔다고 말했다. 페르난데스가 몇 분 후에 담배 연기를 뿜으며 내려와서 그의 말을 확인해 줬다. 그가 담배를 끄고 2층으로 돌아가자 맥키가 말했다. "두 분이 여기서 더 하실 수 있는 일이 없습니다. 플라벨 양은 아마도 몇 시간 동안 잠들어 있을 겁니다. 지금 그녀에게 제일 필요한 것은 조용히 쉬는 겁니다. 그리고 그건," 그는 나탈리에게 미소를 보냈다. "당신도 마찬가지입니다. 홀랜드 씨, 이 젊은 여자분을 집에 데려다주시겠습니까?"

나탈리는 순순히 일어나서 밍크코트를 두르고는 눈을 닦았다. 그녀가 핸드백을 열었다. "돈은요?" 그녀가 말했다. "돈은 어쩌죠? 저 간호사들 말이에요. 이브 언니는 병간호가 필요할 거예요. 제가 수표를 남기고 갈게요. 지금 제게는 현금이 백 달러밖에 없어서 —."

그러나 맥키는 수표를 옆으로 치웠다. "그건 경찰이 알아서 할 겁니다, 플라벨 양."

홀랜드가 그녀의 팔을 잡았다. "내일은 이브를 봐도 되겠죠, 경감님?"

"아침에 제일 먼저 보게 해드리죠." 맥키는 그렇게 약속했고, 그들은 그 말을 듣고 작별 인사를 했다.

맥키는 문을 나가는 그들의 모습을 지켜봤다. 그들 뒤로 문이 닫혔다. 가게 안쪽의 주인 없는 작은 공간은 따뜻하고 고요했다. 계단 발치 깊은 벽장을 가로지르며 걸린 커튼은 일자로 주름 잡혀 떨어져서 움직이지 않았다. 맥키는 그 커튼을 쳐다봤다. 그는 움직이지 않고 서서 말했다. "이제 나오셔도 됩니다, 커닝엄 중위."

12

"감사합니다, 경감님."

커튼이 올라갔고 공군 중위 브루스 커닝엄이 위쪽의 들보를 피해 고개를 숙인 채 딱 붙어 있던 벽에서 몸을 펴며 매장 안으로 걸어 나왔다. 햇볕에 그을린 그의 얼굴은 깎아지른 듯 날렵했고 눈과 입은 가늘고 엄숙했지만, 그는 전혀 부끄러워하거나 긴장하지 않았고 조금도 동요하지 않았다. 그는 어깨를 움직여 군용 외투를 바로잡고, 책상을 지나 벽난로 쪽으로 가서 모자를 벗어 물기를 털어낸 다음 벽난로 선반 위에 얹고는 몸을 돌렸다.

맥키는 서 있던 자리 옆 책장 위에 있던 재떨이를 조금 옮겼다. "총을 가지러 오신 거죠, 중위?" 그는 뭔가를 생각하며 조종사를 관찰했다.

커닝엄은 느긋하게 고개를 끄덕였다. "맞습니다."

"오늘 저녁 이른 시각에 이브 플라벨이 엘든 플레이스의 방에서 그걸 가지고 여기로 온 걸 알고 있었군요."

"네," 커닝엄이 말했다. "오늘 오후 늦게 그녀가 제게 전화로 그렇게 말했습니다. 그때 저는 헨더슨 스퀘어 집에 있었습니다." 그는 주위를 둘러봤다. "어디 있는 거죠?"

"수사본부에서 검사하는 중입니다." 맥키가 예의 바르게 대답했다. "샬럿 포이를 죽인 탄알이 엽총에서 발사된 것이거든요"

커닝엄은 미소를 지었다. 한쪽 눈썹이 뒤틀려 올라갔다. "제 엽총에서 발사된 건 아닙니다, 경감님. 저는 샬럿 아주머니를 죽이지 않았어요. 수요일 밤에 제가 그분을 만나러 갔을 때 그 총은 엘든 플레이스의 거실에, 책장 옆 벽에 기대 세워져 있었습니다. 샬럿 아주머니의 목숨을 앗아간 건 다른 총이었어요."

경감은 그 주장을 그대로 넘겼다. 세상에는 수많은 엽총이 있고 커닝엄의 .351총이 살인에 쓰인 무기라는 증거는 없었다. 중위는 의자로 가서 벽난로 가까이 의자를 옮겨 앉고는 맥키 쪽으로 몸을 기울였다.

그는 흔들림 없는 목소리로 말했다. "저기서 그 말을 들었을 때 저는 망연자실했습니다." 그는 커튼이 쳐진 벽장을 손으로 가리켰다. "이브에게 무슨 일이 일어났는지 들었을 때요. 저는 그녀가 위험에 처한 걸 몰랐어요…." 그는 벽난로 불을 응시했다. "의사가 내려와서 그녀가 괜찮을 거라고 했을 때…." 그는 검은 머리를 흔들며 어깨를 쫙 펴고 긴 숨을 내쉬었다. "요점을 말하자면요." 그는 맥키 쪽으로 좀 더 똑바로 몸을 틀었다. "이브가 오늘 오후에 저희 집으로 가서 그 총을 가지고 여기로 온 건 정말 바보 같은 짓이었어요. 하지만 그렇게 하지 못하도록 막을 방법이 없었어요. 오늘 이른 저녁에 다른 사람들과 함께 여기 있었을 때는 그녀와 단둘이 말을 나누거나 그녀에게서 그 총을 받을 기회가 없었습니다. 그래서 저는 조금 전에 다시 온 겁니다."

맥키가 말했다. "네. 알겠습니다. 하지만, 왜 공개적으로 나오지 않았는지 말씀해 주시겠습니까? 왜 그 계단 밑 벽장에 숨어 계셨죠?"

커닝엄은 광택이 나는 밤색 구두코를 이리저리 살펴봤다. "여기 들어왔을 때 가게는 비어 있었어요. 그러다가 위층에서 나탈리의 소리가 들렸고 그녀가 내려오는 소리를 들었죠. 저는 무슨 일이 있었는지 몰랐습니다. 나탈리는 이 총과 관련해서 벌어진 일과는 아무런 상관이 없었어요. 저는 어쨌거나 그녀를 이 일에 끌어들이고 싶지 않았습니다. 이미 겪은 일만으로도 그녀는 견디기 힘든 상황이니까요. 저는 총을 받아서 경찰에 직접 제출할 생각이었습니다. 나탈리가 여기 있다는 것을 알고서 제가 할 수 있는 가장 간단하고 쉬운 일은 그녀와 짐 홀랜드가 나갈 때까지 눈에 띄지 않는 것이었죠. 그런데 저기 있는 동안 이브에게 일어난 일을 들었고…."

중위는 고개를 돌렸다. "저는 난처했어요. 어찌해야 할지 모르겠더군요. 제가 고민하는 동안, 나탈리가 나간 겁니다." 그는 일어나서 벽난로 선반에 팔꿈치를 대고 맥키를 정면으로 바라봤다. "샬럿 아주머니는 제 엽총으로 살해된 게 아닙니다, 경감님. 믿으셔도 돼요. 거듭 말하지만, 제가 수요일 밤에 헨더슨 공원 북문에서 샬럿 아주머니를 만나려고 나갈 때 그건 엘든 플레이스의 거실에 있었습니다."

경감은 그 말에 답하기 시작하다가 중단했다. 대신, 그는 커닝엄에게 몇 가지 질문을 했다. 공군 조종사의 답변은 시원시원했고 그가 이미 알고 있던 내용과 일치했다. 맨해튼 살인 수사반의 수장은 자신도 모르게 감명을 받았다. '여기 있는 남자는,' 그는 생각했다. '몇 달 동안 매일매일 태평양 상공에서 목숨을 걸고 결전을 벌여왔어.' 그는 대담하고 능숙하게 위험한 임무를 수행해 냈다. 그의 가슴에는 무공 훈장이 달려 있었다. 그런 남자가 과연 늙고 무방비한 여성을 어둠 속에서 총으로 쐈을까? 사실로 들리지 않았다. 논리적으로도, 설득력 차원에서도 마찬가지였다. 반면에, 이것은 극도로 영리한, 실체를 알 수 없는 살인이었다. 시더스 레스토랑의 식사 자리에 앉아 있던 그 사람들 중 누군가가 모르핀의 쓰임새가 다하자 그 캡슐 상자를 버린 것이고….

바람이 계속 불고 진눈깨비가 계속 내렸다. 작은 거울 창문들 중 벽난로 오른쪽에 있던 창문이 예고도 없이 덜컹 열리는 바람에 차가운 눈 입자가 어둠과 함께 밀려들었다. 맥키는 눈을 들었다. 그는 밤을 향해 열린 검은 직사각형을 응시했다. 그는 일어나서 창문으로 가서 밖을 내다봤다. 두 걸음도 채 안 되는 거리에 뒤쪽 건물의 벽이 가파르게 솟아 있었다. 그러나 가게 뒤에는 좁은 골목이 있었고 잘 보니 그 골목은 블록을 따라 굽어지며 더 멀리 있는 길까지 쭉 이어져 있었다. 창문의 걸쇠는 안쪽에서 풀려 있었다. 그 작은 여닫이창을 고정하는 유일한 길은 걸쇠를 창틀 속에 꽉 끼워 넣는 방법밖에는 없었다.

맥키는 아무 말 없이 걸쇠를 밀어서 여닫기를 대여섯 번 반복했다. 그의 뒤에서 커닝엄이 말했다. "무슨 일입니까, 경감님?"

"아, 아무것도, 아무것도 아닙니다." 경감은 대수롭지 않게 말했다. 그러나 그는 한 방 먹은 것이었다. 강력한 한 방이었다. 일곱 사람, 딱 일곱 사람이 개입된 밀실 사건이 한 방에 무너져 버린 것이다. 이제 이것은 예상할 수 없는 게임이 되고 말았다. 모르핀이 든 이브 플라벨의 술잔은 창턱 밑 탁자에 놓여 있었다. 그는 손가락으로 초록색 나무를 만졌다.

커닝엄은 상황을 파악했다. 그는 창문과 탁자, 그리고 맥키의 얼굴을 번갈아 쳐다봤다. "저기 바깥에 서 있던 누군가가 이브의 술잔에 그 모르핀을 떨어뜨릴 수도 있었겠군요. 여기는 시끄럽고 소란스러웠죠. 그리고 사람들이 여기저기 움직이고 있었고…."

맥키는 대답하지 않았다. 그는 창문은 내버려두고 똑바로 섰지만 창문이 내포한 함의까지 버려둔 것은 아니었다. 그는 52번가의 그 레스토랑에서 플라벨 일행을 지켜보고 있던 그 남자가 필요했다. 그는 전화기를 집어 들었다.

필요하다고 해서 얻는 것은 아니었다. 일찍이 경감의 관심을 불러일으켰던 그 남자는 모르핀 약상자를 찾는 데 수반된 부산스러운 과정에서 빠져나가 버리고 없었던 것이다. 그때는 그것이 정말 중요한 일은 아니었다. 아니, 그런 것 같았었다. 맥키가 그 남자를 추적하라는 명령을 내리고 있는 와중에 다른 전화가 걸려 왔다. 그리고 그것으로, 사소한 세부 사항을 제외하면, 사건은 사실상 종결된 셈이 되었다. 끝이 난 것이다. 그것도 성공적으로.

브루스 커닝엄의 윈체스터 엽총에 대한 실험은 시간이 좀 걸렸고, 그래서 그 결과를 탄도 전담반의 커츠 경사가 맥키에게 전한 시각이 그날 새벽 1시 15분이었다. 헨더슨 스퀘어 살인 사건에서 그런 종류의 실험이 수행된 것은 처음은 아니었다. 샬럿 포이를 죽인 탄알이 발견되기 전에 사건에 연루된 여러 사람에게서 다른 총기들이 입수된 바 있었다.

이브 플라벨의 콜트 총도 그중 하나였고 제럴드 플라벨의 아파트 벽난로 선반에서 가져온, 박물관에 있을 법한 독립 전쟁 시기의 구식 총도 있었다. 짐 홀랜드 소유의 육군의 구식 연발 권총은 그가 삼촌에게서 받은 것으로서 그의 집에 있는 트렁크 밑바닥에서 찾아냈고, 휴 플라벨 소유의 신기하고 흥미로운 무기도 있었는데, 그것은 플라벨이 1930년에 피레네산맥에서 주운 유럽산 지팡이 산탄총이었다. 이 모든 무기는 정식 절차에 따라 증거물에서 해제되었다. 샬럿 포이가 산탄총이나 권총, 혹은 연발 권총이 아니라 엽총 탄알에 맞아 살해되었다는 것이 밝혀진 후 자동으로 폐기된 것이다.

브루스 커닝엄의 .351 총은 10시 반에 수사본부에 접수되었다. 발사 실험이 이루어진 것은 11시경이었다. 절차는 초기 단계에서는 간단한 것이었다. .351에서 시험용 탄알을 앞이 뚫린 긴 나무 상자에 발사하는 것이었다. 상자 속 1미터는 솜으로 채우고, 그 뒤쪽 2미터는 솜 부스러기를 넣어 보강했다. 상자의 뚜껑을 열고 솜 뭉치 맨 끝에서 탄알을 꺼내면 솜이 둘둘 말리며 달라붙어 솜 고치가 된 탄알이 나오게 되는 것이었다.

그 탄알을 가만히 들어 올려 꼬리표를 붙인 다음 .351 총과 함께 밝은 조명과 현미경이 있는 위층 실험실로 옮긴다. 거기서 커츠 경사가 작업을 시작했다. 살인에 쓰인 탄알과 시험용 탄알이 나란히 두 쌍의 현미경 밑에 놓였다. 모든 것을 관찰하는 경사의 눈이 이쪽 렌즈들에서 저쪽 렌즈들로 움직였다. 그는 납으로 만든 그 탄알들을 조심스럽게 돌리면서 들여다보고 기록한 다음 다시 들여다봤다. 남자들이 간헐적으로 실험실을 드나들었다. 커츠는 전혀 신경 쓰지 않았다. 그는 경찰에서 세계 최고의 탄도 전문가였고 증언석에서 그의 말은 사실상 법이나 다름없었다. 단 하나, 누구도 그를 재촉할 수는 없었다.

그는 거의 세 시간이나 조사한 끝에 결과를 발표했다. 헨더슨 스퀘어 웨스트의 샬럿 포이는 브루스 커닝엄 중위 소유 .351 윈체스터 연발 엽총의 총탄에 맞아 숨졌다는 것이었다.

커츠의 철두철미한 조사에는 바늘 하나 빠져나갈 구멍도 없었다. 총신에 장난을 친 것도 아니었고, 그 어떤 속임수도 없었다. 그 상태 그대로 완벽하게, 총체적으로, 그리고 전적으로 브루스 커닝엄의 .351이 살인 무기라는 점에 의심의 여지가 없었다. 커츠가 직접 맥키에게 그 말을 전했다.

벽난로 불이 꺼져가고 사각의 판유리 거울 유리창은 이제 닫혀 있는 이스트 19번가 가게 안에서 맥키는 그 말을 듣고 나서 수화기를 천천히 전화기 본체에 떨어뜨렸다. 그의 시선은 벽난로 선반 상판 위의 황금 독수리를 지나 책장 맨 위 분홍색 도자기 양치기에게 옮겨갔다. 누런 소 한 마리를 끝 모를 어딘가로 끌고 가는 여자 양치기였다. 그러다가 그 시선은 브루스 커닝엄에게 다다랐다.

"미안합니다만, 중위." 그가 말했다. "나와 같이 가셔야 할 것 같습니다."

"축하합니다, 경감, 정말이오. 정말 수고했어요. 그것도 이번엔 빠르게 말이오. 더 멋진 해결은 바랄 수 없을 정도요. 정말 그래요. 거의 완벽했어요."

파란 눈에 버터 색 머리카락, 활력이 넘치는, 뉴욕 지방 검찰청의 땅딸막한 존 프랜시스 드와이어 검사가 센터 스트리트의 긴 회색 건물 복도 끝에 있는 커다란 사무실에서 양손을 비비며 기뻐하고 있었다. 이브 플라벨 사건이 발생한 다음 날 10시였다. 책상 뒤에 앉은 캐리 국장이 고개를 끄덕이며 동조했다. 맥키는 바깥을 향해 난 창문 옆에 서 있었다.

사실은 간단했고, 꼼짝달싹할 여지가 없었다. 샬럿 포이를 살해한 총은 브루스 커닝엄의 소유였을 뿐만 아니라 커닝엄, 오로지 커닝엄 한 사람만이 범행 시각에 그 총에 접근할 수 있었던 것이다.

공군 조종사는 그날 새벽 1시 15분에 구금되었다. 그는 이브 플라벨에게 모르핀을 투여했다는 것을 조용히 부인하고 샬럿 포이에 관한 자신의 결백을 재차 강조한 후 더는 어떤 진술도 하지 않았다.

경감이 계속해서 아무런 말이 없자 캐리 국장은 신경이 쓰이기 시작했다. "뭔가, 맥키?" 마침내 그가 내뱉듯이 말했다.

경감은 창문에서 몸을 돌렸다 "다 끝난 얘기 아닌가요?"

"자네는 커닝엄이 범인이라고 확신하나?"

"제 확신이라는 건 없습니다, 국장님." 맥키가 대답했다. "지금, 문제는 증거입니다. 그 엽총의 소유권은 중요하지 않습니다. 아니, 제일 중요하지는 않다는 거죠. 총이란 건 이전에도 도난당해 사용되었다가 버려지거나 되돌려진 적이 있으니까요. 이 사건에 관해 말씀드리자면, 딱 한 가지 구멍이 있습니다. 커닝엄의 두 동거인 중 한 사람인 그레이엄이 샬럿 포이가 살해되던 날 .351 총은 그 아파트에 있었다고 말하고 있다는 겁니다. 우리가 채워 넣어야 할 시간이 너무 많습니다. 변호인은 분명 그 총은 사건이 있기 전에 다른 사람이 가져갔다가 사건이 일어난 뒤에 되돌려 놓았다는 입장일 겁니다."

드와이어가 가볍게 코웃음을 쳤다. "어림없는 소리예요. 그건 아니죠. 잠깐만, 그레이엄이 밖에 있습니다. 그와 말씀해 보시겠습니까, 국장님? 좋습니다." 그가 버저를 누르자 브루스 커닝엄의 불운한 친구, 필립 그레이엄이 안으로 안내되었다. 면도도 하지 않은 채 지쳐서 어찌할 바 모르는 모습이었다. 전업 작가인 그는 오랫동안 소설 속에서 범죄를 다뤄왔지만, 현실은 또 다르다는 것을 새삼 깨달았다. 그는 수없이 했던 이야기를 다시 했다. 사골처럼 우려낸 그 이야기는 간단했고 중위에게 꼼짝달싹할 여지를 주지 않는 것이었다.

.351 총은 몇 달 동안 그 아파트에 있었다. 특히 수요일 아침에 그레이엄이 그 총에 눈길을 보낸 것은 개가 총을 바닥에 넘어뜨렸기 때문이었다. 맥키가 지적했듯이, 그날 늦게 그 총이 없어졌을 가능성도 있었다. 그 집에 같이 사는 조 뷰캐넌과 그레이엄은 집에 있기도 하고 나가기도 했던 것이다. 총을 어떻게 되돌려 놓을 수 있었는지는 또 다른 문제였다.

브루스 커닝엄은 이전 진술에서 자신은 헨더슨 스퀘어 북문에서 샬럿 포이와 만나기로 한 약속을 지키기 위해 수요일 저녁 7시가 조금 지나서 집을 나섰다고 했다. 그는 거짓말을 한 것 같았다. 그가 7시 몇 분쯤에 엘든 플레이스를 나선 것은 사실이지만, 예상치 않게 돌아왔던 것이다. 아마도 15분 뒤였을 것이다.

작가는 의자에서 몸을 꼼지락거렸다. 커닝엄이 돌아오는 것을 그가 정확히 본 것은 아니었다. 하지만 커닝엄이 그에게 큰소리로 말을 하기는 했었다. 몇 분 뒤에 커닝엄은 다시 나갔다. 그때, 그러니까 7시 20분에서 25분쯤에는 그레이엄과 조 뷰캐넌 모두 집에 있었다. 그레이엄은 8시쯤 저녁을 먹으러 나갔지만 조 뷰캐넌은 저녁 내내 그림을 그리면서 집에 남아 있었다. 그리고 그레이엄이 12시 조금 전에 돌아왔을 때 뷰캐넌은 그에게 적막한 저녁이었다면서 떠들썩한 일도 전혀 없었고 **찾아온 사람도 없었다고** 했다.

뷰캐넌의 직접 진술은 현재로서는 받을 수가 없었다. 살인이 일어난 다음 날 아침, 샬럿 포이의 사체가 발견되기 전에 그는 숙모를 방문하려고 뉴욕을 떠난 것이었다. 그레이엄은 마사 덴험이라는 이 숙모가 사는 곳을 알지 못했다. 뷰캐넌은 주말에 돌아올 것이라고 했다.

몇 가지 질문을 더 받은 후 그레이엄은 물러가고 브루스 커닝엄이 불려 들어왔다. 양옆에 선 형사 두 명에게 이끌려서 그 공군 조종사는 자신감 있는 걸음으로 방으로 들어왔다. 국장이 형사들에게 고개를 끄덕이자 그들은 철수했다. "앉으세요, 중위." 그가 말했다. 그러자 커닝엄은 그가 가리킨 의자에 몸을 맡겼다.

그에게는 그날 새벽 3시부터 겪은 일의 흔적이 그대로 드러났다. 군살 없이 검은 얼굴은 지쳐 있었고, 또렷하고 감성적인 입과 턱은 굳게 다물어지고 넓은 이마 아래 정면을 보고 있는 지적인 눈은 긴장 속에 실눈이 되어 있었다.

불안해하지 않는다면 그는 바보일 것이다. 그는 바보가 아니었다. '샬럿 포이를 살해한 직후 그 엽총을 내버리지 않았다는 건 바보 같은 짓이지.' 맥키는 돌이켜 생각했다. 이 사건의 특이점 중 하나인 그것 때문에 그는 불편했고 결단을 내리지 못하는 것이었다.

죄가 있든 없든, 그 공군 조종사의 평정심은 진짜였다. 뻐기는 태도도 없었다. 편한 자세로 다리를 꼬고 앉은 그는 어깨에 힘을 빼고 제복 속에서 훤칠한 모습으로 고개를 들고 있었다. 그는 주머니에서 담배 한 개비를 꺼내고는 생각에 잠긴 채 그 담배를 갈색 손등에 톡톡 치다가 양해도 구하지 않고 불을 붙였다. 그는 헨더슨 공원 북문에서 샬럿 포이를 찾지 못한 후 엘든 플레이스 아파트로 돌아갔다는 것을 시인했다.

"네, 거기로 돌아갔습니다."

드와이어가 그에게 다가갔다. "당신이 돌아갔다는 건 알고 있습니다. 그녀를 살해한 그 엽총을, 당시로선 안전한 장소라고 생각했던 곳에 두기 위해서였죠."

"아뇨, 검사님." 커닝엄이 두드러지게 짙은 눈썹을 강하게 찡그리며 대답했다. "제가 돌아간 건 지갑을 잊고 갔기 때문입니다."

드와이어가 웃었다. "이런, 이런, 좋습니다. 그러니까 지갑을 두고 왔다? 지금으로선 멋진 일 아닙니까?"

브루스 커닝엄은 냉정을 잃지 않았다. "그때는 그렇게 생각하지 않았습니다. 귀찮은 일이었으니까요."

"하지만 아주 편리하게 귀찮은 일이었죠." 드와이어가 으르렁거렸다. "이, 그러니까 지갑 관련해서요, 흥미로운 발견을 했을 때 당신은 어디 있었습니까?"

커닝엄은 그를 쳐다봤다. "공원 북문에요. 저는 샬럿 아주머니가 오지 않으신 걸로 판단하고 플라벨 양을 데리러 막 출발하려던 참이었는데, 옷을 갈아입으면서 지갑을 그 옷 주머니에 두고왔다는 걸 알게 됐습니다."

지방 검사는 대놓고 못 믿겠다는 표정이었다. "그때는, 제가 알기로, 비가 오고 있었는데…. 맞아요. 그러면 코트 단추를 채우고 있었을 것이고, 제복 상의에다 외투까지 입었겠죠. 그런데 안개와 빗속에 거기 서 있으면서 갑자기 지갑을 가져오지 않은 게 생각났다는 거군요."

"그렇습니다."

커닝엄은 미소를 지었다. '배심원단에 여자가 있다면,' 경감은 판단했다. '그리고 저렇게 자주 미소를 짓는다면, 프랜시스는 할수 있는 모든 걸 다 동원해야 목적을 이룰 거야.' 브루스 커닝엄은 내성적인 얼굴이었고 조금 냉담하게 반응하는 편이었지만 그가 웃으면 그런 분위기는 바뀌어 유쾌하고 따뜻하고 천진난만해졌고, 독보적인 매력이 묻어나는 것이었다.

그의 미소는 뉴욕 검찰의 냉혹한 지방 검사를 말랑하게 하는 효과를 발휘하지는 못했다. 검사는 거칠게 말했다. "플라벨 씨 가족은 부유한 사람들입니다, 커닝엄 씨. 당신은 그 집에 곧 도착하기로 되어 있었고 나탈리 플라벨과는 약혼한 사이죠. 그런데도 필요한 돈을 약혼녀나 그녀의 아버지에게 빌리는 대신 폭우를 뚫고 열 블록을, 그러니까 거기까지 다섯, 돌아오는 데 다섯 블록을 걷는 쪽을 택했다는 거군요."

중위는 여전히 당황하지 않았다. "저는 여성들에게 돈을 빌리지 않습니다, 검사님. 그리고 휴 플라벨 씨는 부자가 아닙니다."

그의 바위 같은 평정심이 프랜시스의 심기를 건드렸다. 그는 손짓으로 책상을, 그 위에 놓여 있는 엽총과 두 발의 탄알을, 그리고 엽총 옆에 놓인 <탄도국>이라는 제목의 보고서를 차갑게 가리켰다.

"우리는 더 이상 당신의 거짓말을 듣고 있을 필요가 없소, 커닝엄. 저 물건들이 진실을 말해주고 있소. 당신은 저 총으로 샬럿 포이를 쐈어요. 다른 누구도 저 총을 소지할 수 없었고 총이 발사됐던 시간을 포함한 시기에 대한 알리바이도 당신에게는 없어요. 당신은 확실한 유죄요. 그냥 자백하는 게 어떻겠소? 그러면 모든 사람이 다 편해질 겁니다. 당신 자신을 생각하지 않겠다면 당신이 약혼한 그 가엾은 젊은 여성을, 그녀의 가족을 생각해 봐요. 당신이 입고 있는 제복을 생각하라고요."

한순간 깜짝 놀랄 만큼, 맥키는 커닝엄이 무너질 것 같은 느낌을 받았다. 그는 총과 탄알을 암울한 시선으로 뚫어져라 노려보며 의자에 앉아 몸을 앞으로 기울였다. 검게 탄 그의 피부는 창백해졌고 그 빌어먹을 전시물을 바라보는 그의 가늘게 뜬 눈은 무기력하게, 거의 절망스럽게 번뜩거렸다. 그는 긴 숨을 내쉬고는 똑바로 앉았다.

"'질질 시간 끌지 말고 자백하고 죽어라.' 이런 거군요." 그는 지친 목소리로 말했다. "있잖아요, 전 경찰이 자백을 받아내려고 어떤 논리를 사용하는지, 한 사람의 목숨에 대한 대가로 뭘 지불하는지 종종 궁금했답니다. 이제 보니, 그건 그냥 엄포와 피로, 긴장, 그리고 당신들의 말을 더는 듣지 않기 위한 것일 뿐, 그 밖의 아무것도 아니었어요. 당신은 똑똑한 사람입니다, 검사님. 제가 한마디 하죠. 당신은 제게 기회와 무기를 제시했죠. 하지만 동기는요? 제가 샬럿 포이 아주머니를 살해할 만한 이유가 뭡니까? 그걸 제게 말씀해 주시면 좋겠군요. 그것만 말입니다."

그는 주 정부 수사의 약한 지점을 찌른 것이었다. 그럼에도 불구하고 그 질문은 실수였다. 그는 대답을 기다리는 것치고는 너무나 열렬한 태도였던 것이다. 그 동기가 뭔지 그들이 몰랐다고 하더라도 그에게 그런 동기가 있다는 것이 이제는 분명했다. 설령 동기가 없다고 해도 그에게 불리한 증거가 너무도 강력했다. 그는 밖으로 끌려 나갔다. 뒤이어 짧은 기자회견이 있었다. 결과는 이전과 마찬가지 결론이었다. 12월 4일 금요일, 오전 11시가 되기 전에 브루스 커닝엄은 샬럿 포이 살인 사건으로 체포되었다.

13

"아뇨, 아빠, 절 좀 내버려두세요. 부탁이에요."

나탈리가 일어났다. 그리고 헨더슨 스퀘어 집 거실의 전면 창으로 재빨리 걸어가서 밖을 내다보며 섰다. 푸른 바다색 넓은 커튼이 오후의 회색빛을 감싸고 있었다. 검은색 모직 옷을 입은 가냘픈 등은 창처럼 곧았고 부드러운 금발 머리는 굳은 어깨 위에 가만히 내려앉아 반짝이는 물결이 되어 있었다.

그녀를 향해 애원하듯 몸을 기울이고 있던 휴 플라벨은 절망적인 몸짓을 하며 벽난로 옆 깊은 소파 구석에 다리를 꼰 채 몸을 파묻었다. 맥키는 노란색 새틴 천 소파에 몸을 기대고 그 등받이 위에 팔짱을 낀 채 그들 두 사람을 지켜봤다.

국장 사무실에서 그 일이 있고 나서 그 소식은 플라벨 가족에게 즉시 전달되었다. 나탈리는 쓰러지거나 히스테리를 일으키지 않았다. 경찰의 어리석은 짓에 이를 악물고 분통을 터트린 후 그녀는 곧장 행동에 돌입했다. 그녀는 30분 만에 뉴욕에서 가장 저명한 형사 전문 변호사 제라드 버셜을 브루스 커닝엄의 변호사로 선임했다.

'샬럿 포이가 얼마나 애지중지 감싸며 키웠든, 나탈리를 감쌌던 포대기가 그녀를 나약하게 만들지는 않았군.' 경감은 생각했다.

창가에서 나탈리는 냉정하게 되풀이해 말했다. "증거가 무엇이든 난 아무 상관 없고, 그 엽총 같은 것도 전혀 관심 없어요. 브루스는 샬럿 이모를 죽이지 않았어요. 너무 황당해서 말이 나오지 않을 정도예요. 브루스는 **아무도** 죽이지 못할 사람이에요."

그녀가 말하고 있는 상대는 아버지였다. 휴 플라벨은 아무 말도 하지 않았다.

"너무 걱정하지 마세요, 플라벨 양. 중위의 보석 절차는 금방 마무리될 겁니다. 어쨌건, 그는 살인 혐의로 구속된 것이 아니고 용의자로서 구금된 상태니까요." 맥키가 달래듯이 말했다.

그는 지방 검사가 받아들일 수 있도록 자신이 온갖 설득을 다 했다는 것, 즉 증거를 완벽하게 확보하기 전까지 현시점에서는 용의자의 혐의를 적용하는 것이 살인 혐의보다 확실하다는 점 등을 말했다는 사실을 덧붙이지는 않았다. 또한, 브루스 커닝엄이 보석으로 오래 석방되어 있지는 못할 것이라는 사실도 덧붙이지 않았다.

제라드 버셜이 나탈리에게 브루스 커닝엄이 보석 신청에 적격하다는 것을 알려주자 그녀는 그에게 보석을 준비해 달라고 지시했다. 보석 조건은 까다로웠다. 나탈리는 법원이 요구한 십만 달러를 펜을 몇 번 움직여 처리했다.

드와이어는 불같이 화를 냈지만 그와 관련하여 그가 할 수 있는 일은 없었다. 그는 중위가 그들이 찾는 범인이며 그래서 범인을 더는 찾을 필요가 없다고 확신했다. 맥키의 생각은 달랐다. 그래서 그는 천천히 진행하라고 조언했다. 그는 사건의 진상 전체가 숨김없이 드러나기를 원했다. 샬럿 포이의 침실을 뒤졌던 피 묻은 신발을 신은 남자, 혹은 여자를 찾아야만 했다. 그것은 브루스 커닝엄이 아니었다. 커닝엄은 그 시각에 나탈리와 함께 있었다. 또

한 그가 찾아야 할 것은 샬럿 포이가 죽기 직전 수잔 드 상쥐와 만났을 때 튀어나온 모서리가 찢어진 사진이었다.

그는 책장 위에 걸린 불타는 주홍빛 드가의 그림을 우두커니 바라봤다. 무엇보다 먼저, 그는 엘든 플레이스 아파트의 세 번째 거주자인, 사라진 뷰캐넌을 찾아야 했다. 그는 샬럿이 살해된 날 저녁 8시부터 계속 그 집에 있었고 방문객이 없었다던 그의 증언이 바뀌지 않는다면 브루스 커닝엄은 전기의자에 앉게 될 것이었다.

뷰캐넌은 그날 저녁에 관해 그레이엄에게 "떠들썩한 일도 전혀 없었고 찾아온 사람도 없었다"고 했었다. 브루스 커닝엄을 제외하면 아무도 .351 총을 가져다 놓을 수 없었음을 시사하는 것 같은 말이었다. 그러나 그레이엄의 진술은 전해 들은 말일 뿐이고 뷰캐넌과 직접 말해보기 전까지는 확신할 수 없는 문제였다. 그는 병석에 있는 숙모를 방문하러 뉴욕을 떠난 상태였다. 그레이엄은 그 숙모가 어디 사는지 전혀 알지 못했다. 다만 뉴욕에서 그리 멀지 않은 곳에 있는 농장이라는 것만 알고 있을 뿐이었다. 뷰캐넌을 찾는 일은 이미 진행 중이었다. 그뿐만 아니라, 시더스 레스토랑에서 플라벨 가족을 지켜보고 있다가 급히 사라져 버렸던 그 신사도 맥키의 관심사였다.

나탈리가 창문에서 몸을 돌려 방 안을 무작정 돌아다니기 시작했다. 그녀는 아버지를 쳐다보지 않았다. 그가 브루스의 결백을 믿지 않는다는 것을 그녀는 알고 있었다. 그녀는 소파 테이블 옆에서 잠시 멈춰 서더니 크리스털 상자를 손으로 꽉 쥐고 옮기면서 말했다. "누군가 브루스의 엽총을 가져간 거예요, 아빠. 그게 우리가 증명해야 할 일이에요. 그 총은 몇 달 동안 거기, 브루스의 아파트에 있었어요. 그 집이 비었을 때 누구라도 가져갈 수 있었다고요. 전 열쇠가 있었어요. 다른 사람들도 열쇠가 있었겠죠?"

휴 플라벨이 그녀의 커지는 희망을 밟아 누르며 소리쳤다. "나탈리, 불쌍한 우리 딸," 그가 말했다. "그만하고 생각해 봐. 넌 그 열쇠를 잃어버린 지 오래야. 그리고 샬럿이 우리와 함께 이 집에 있은 지 열흘이 넘었어. 누군가 브루스의 총으로 그녀를 죽이고 싶었다면, 그렇게 오래 기다릴 이유가 있겠어?"

나탈리는 그에게 쏘아붙이듯 대꾸했는데 경감도 그보다 더 정확한 말을 하지는 못했을 것이다. "누군가 브루스의 총을 일부러 이용했다면요, 아빠, 그리고 그렇게 보인단 말이에요. 그렇다면 살인자는 브루스가 워싱턴에 있는 동안에는 그걸 쓸 수 없었을 거예요. 그래서 기다린 거죠. 그리고 수요일 저녁에 범행을 저지른 거예요. 왜냐하면 브루스가 집에 왔기 때문에, 또 왜냐하면—." 그랬다, 그녀는 사태를 이해했던 것이다. 그녀는 흔들림 없이 계속 말했다. "왜냐하면 누군가 샬럿 이모가 브루스에게 전화해서 그날 밤 7시 15분에 길 건너 공원에서 만나자고 하는 소리를 들었기 때문이죠."

휴 플라벨은 깜짝 놀라며 성을 냈다. "나탈리… 그게 무슨 말이냐? 생각해 보렴. 그 말은 이 집 안의 누군가가…."

그녀는 물러서지 않았다. "그래요," 그녀가 황망하게 말했다. "저도 알아요. 하지만…." 그녀는 눈에서 눈물을 떨구면서 아버지에게 대들었다. "아빠는 브루스가 샬럿 이모를 **진짜로** 죽였다고 믿는 건 아니죠? 그런 거예요?"

플라벨은 감히 그렇다고 말하지는 못했다. 그는 손사래를 쳤다. "물론 아니다."

"그럼 됐어요." 나탈리가 대답했다. 그리고 가차 없는 논리로 그를 궁지로 몰았다. "누구의 짓이든 그 사람은 샬럿 이모가 어디로 가는지 아는 사람일 수밖에 없어요. 그렇다면 이모가 브루스에게 전화하는 소리를 듣지 못한 사람이 어떻게 그걸 알 수가 있었겠어요?"

맥키가 끼어들었다. "미스 포이가 그날 밤 여기서 나갈 때 누군가 뒤를 밟았을 수도 있습니다." 그가 말했다.

플라벨은 그 제안을 덥석 물었다. "바로 그겁니다, 경감님. 제 생각엔 그게 맞는 것 같습니다. 전화 통화는 사건과 아무 상관이 없었던 겁니다. 어쩌면 냇의 말이 옳을**지도 몰라요**. 누군가 브루스가 범인으로 보이기를 원했을 수도 있다는 거죠. 그렇게 생각하면, 확실히, 이 집 바깥에 누군가 돌아다니고 있었던 것 같기도 하고…."

경감은 이미 그랬을 가능성을 고려해 본 바 있었다. 그는 엘든 플레이스 아파트의 열쇠 문제로 되돌아갔다. 나탈리는 브루스 커닝엄이 6월에 입대하면서 자신에게 열쇠를 남기고 갔다고 말했다. 그녀는 7월과 8월 초에 그에게 필요한 물건들과 책 몇 권, 그리고 두꺼운 스웨터를 보내주려고, 그리고 그 뒤에는 몇몇 주소를 보내주려고 그 열쇠를 사용했었다. 그러다가 열쇠를 잃어버리고 말았다. 언제인지는 알 수 없었다. 브루스가 11월에 집에 와서 열쇠를 달라고 했을 때 열쇠를 넣어뒀던 가방 속 수납공간을 들여다봤더니 열쇠가 없었다는 것이 그녀가 아는 전부였다.

"그때 일을 기억하기는 힘든데, 한 번은 아빠와 수잔이 저랑 같이 갔잖아요, 아빠? 그리고 두 번째는 짐 홀랜드와 함께 갔던 것 같아요. 그가 여기로 오는 길이어서 공원에서 그를 만났어요." 그녀가 이맛살로 찡그린 채 골똘히 집중하며 그렇게 말하자 맥키는 의아한 마음이 들었다.

"세 번째는요, 플라벨 양?" 맥키가 묻자 나탈리가 말했다. "저 혼자였어요…. 아뇨, 혼자가 아니었어요. 맞아요, 알리시아 언니가 같이 있었어요. 그래요, 언니가 창문과 문틀의 나무 세공을 마음에 들어 해서…."

'자, 또다시 그들이야.' 맥키는 씁쓸하게 생각했다. '브루스 커닝엄을 제외하면, 52번가 레스토랑에서 모르핀 캡슐 상자를 처리할 수 있었던 그 똑같은 사람들로 다시 돌아온 거야. 게다가 그들은 모두 아직 활보 중이고 증거라고는 없으니….' 그는 그런 생각을 하며 밖으로 나갔고, 그런 생각이 마음에 들지 않았다.

그날 이른 오후에 드와이어는 19번가 가게로 이브 플라벨을 보러 갔다. 그가 경감보다 먼저 그녀를 찾아간 것은 유감스러운 일이었다. 이브는 모르핀 중독의 후유증으로 여전히 쇠약한 상태였다. 드와이어는 그녀를 알지 못했고, 그녀가 브루스 커닝엄의 체포 소식을 듣고는 충격에 빠져 아무 말 없이 벽난로 앞 의자에 앉아 베개에 머리를 기대고 있는 것을 기력이 약한 탓으로, 그리고 이복 여동생에 대한 걱정 탓으로 생각했다. 그는 자기를 살짝 외면하고 있는 무표정하며 매력적인 그녀의 얼굴과 단답형의 대답, 그리고 피해 가는 시선에 완전히 속은 것이었다.

"자 보세요, 여동생이 그런 남자와 결혼하는 걸 바라지는 않겠죠, 플라벨 양?"

"그럼요. 아, 그럼요."

"당신이 엘든 플레이스 아파트에 가서 브루스 커닝엄의 엽총을 가져온 건 여동생을 보호하기 위해서였죠. 그녀가 고통받지 않았으면 해서요. 하지만 그 총이 어떤 목적으로 사용됐는지는 몰랐단 말입니까?"

"네, 몰랐습니다."

이브는 쓰러지지 않기 위해서 몸속에서 젖 먹던 힘까지 다 짜내고 있었다. 드와이어는 부드럽게 그녀를 대했다. 그는 브루스에게 나탈리의 남편감으로서 부적합한 뭔가가 있다는 것을 샬럿이 알게 됐다고 말했다. 사망 당일 오후에 그녀가 전화로 나탈리의 변호사인 스펜서 고램에게 그런 얘기를 했다는 것이었다. "당신의 가엾은 이모는 그날 밤, 아마도 자신이 아는 내용을 가지고 커닝엄을 질책하기 위해 그를 만나러 갔을 때, 본인의 사형 집행 영장에 서명을 했던 겁니다. 그녀는 그의 계략에 바로 놀아났던 거예요. 그것은 살인을 위한 완벽한 장치였죠. 날은 어두웠고 짙은 안개가 내려앉아 있는 데다 거리는 텅 비어 있었으니까요. 얼마나 냉혹한 남자인지 생각해 보세요, 플라벨 양. 그는 총을 쏴서 당신의 이모를 쓰러뜨리고는 그 총을 임시로 엘든 플레이스 거실에 되돌려 놓고는 아무 일도 없었다는 듯 당신의 여동생을 데리고 저녁을 먹으러 나갔습니다. 잔인한 일이었죠. 충격적이었고요. 커닝엄이 미스 포이를 죽여야 했던 어떤 이유가 있었는지 생각나거나 짐작되는 바가 있으신가요?"

"아뇨, 없는 것 같아요. 없습니다." '그게 다야.' 이브는 멍하게 생각하며, 꼼짝도 하지 않고 앉아서 자신을 집어삼키려는 거센 검은 바다 위로 떠오르려고 애썼다. 그게 사건의 핵심이었다. 샬럿 이모는 그날 헨더슨 스퀘어의 집 벽난로 앞에서 브루스가 자신과 말하는 것을 봤고, 그 잠깐의 눈길로 그녀가 짐과 약혼을 발표하여 이루어 낸 그 모든 것은 물거품이 되었다. 그랬다. 샬럿 이모는 진실을 알고 있었다. 하지만 이모는 죽고 없었다. '경찰이 알아내서는 절대로 안 돼, 절대로.'

드와이어는 계속해서 동기의 골조를 말로 세워가고 있었다. "당신의 여동생 나탈리는 아주 부유한 젊은 여성입니다. 커닝엄은 그녀의 돈과 결혼하고 싶어 했죠. 미스 포이는 그 결혼에 위협이 됐기에 죽어야 했습니다."

끔찍하게 말도 안 되는 소리였다. 이브는 그것이 사실이 아님을 알고 있었다. 그러나 주 정부의 수사가 완결된 마당이니 그녀는 공포에 휩싸였다. 그런 모습을 내보여서는 안 되었다. 그녀는 자제력을 잃지 않으려고 맹렬히 버티고 있었다. '움직이지 마.' 그녀는 속으로 말했다. '말하지 마. 물러서지 마. 이 사람이 추측하게 해서는 안 돼…'

아마도 그때였을 것이다. 쓰디쓴 괴로움이 불꽃처럼 그녀를 휘감기 시작하여 그녀를 집어삼키고 골수까지 먹어 삼키기 시작했던 것이다. 그 괴로움 속에는 그녀의 외로움이 깃들어 있었다. 나탈리는 공개적으로 브루스의 일을 슬퍼할 수 있었고 그럴 권리가 있었지만, 그녀, 이브는 여동생에 대한 심려와 그녀를 대리한 격정 외에는 아무것도 내보일 수가 없었다. 그러나 진실을 절대로 아무도 추측하지 못하도록 그녀가 할 수 있는 어떤 결정적인 일들이 있었다. 그녀는 가능한 한 빨리 짐과 결혼을 마무리 지어야 했다. 그게 절대적으로 필요한 일이었다. 자신과 브루스 사이의 감정에 관한 힌트 하나만 표면에 드러나면 그는 사라지게 되어 있었다. 그녀는 짧게 기도하고 맹세했다. 브루스가 구원받는다면 자기는 사는 동안 다시는 그런 식으로 그를 생각하지 않을 것이라고, 절대로, 절대로 말이다.

드와이어는 수많은 질문을 하고서 정작 중요한 정보는 하나도 얻지 못한 채 떠났다. 그가 막 나갔을 때 짐이 가게에 왔다. 그는 이브가 병상에서 나온 것을 보고는 너무나 기뻐했다. 그는 그녀의 의자 옆에 무릎을 꿇고 그녀를 품에 안았다. "어젯밤에는 당신이 이렇게 다시 앉아서 얘기하는 모습을 다시는 보지 못하게 될까 봐 두려웠어." 그녀의 뺨에 자기 뺨을 비비면서 그가 쉰 목소리로 말했다.

그의 듬직함, 단단함, 선함이 위로가 되었다. 그는 전혀 이기적인 사람이 아니었고 요구하는 것도 거의 없었다. 그러나 거의 곧바로 그들은 언쟁을 시작했다. 브루스가 체포되었다는 사실과 그 연유를 짐은 알고 있었던 것이다. 그는 이브가 그 엽총을 가져와서 숨기려 한 것을 나무랐다. "나탈리를 생각하는 건 정말 잘한 거지만 당신한테 무슨 일이 생겼는지 한 번 봐."

그는 브루스가 체포된 것을 황당한 실수라고 생각하지 않았다. "커닝엄이 그런 짓을 했다는 게 가능할 성싶지는 않지만 어쨌거나 누군가 샬럿 아주머니를 죽였어. 그리고 상당한 근거가 확보되지 않았다면 경찰이 살인 혐의로, 혹은 살인과 연관된 혐의로 사람을 체포하지는 않는다고…. 알았어, 알았어, 자기야. 자기 기분만 나아진다면 브루스 커닝엄이 눈보다 더 희다고 내가 맹세할게." 그가 진지하게 말했다.

짐은 너그러운 말투였다. 하지만 그녀를 보는 그의 눈빛에는 의아함이 있었다. 의문이 들었던 것일까? 이브가 재빨리 말했다. "나탈리는 마음이 깨질 듯 아플 거예요, 짐. 아아, 걔는 아무 말도 하지 않겠지만, 죽을 것 같겠죠." 작고 차가운 경고로 자신의 아픈 마음을 돌돌 말아버리고서 그녀는 눈빛과 목소리, 심지어 생각까지도 훈련해야 한다고 되뇌었다.

잠시 뒤 이브는 외출하겠다는 선언으로 검시 과장의 지시에 따라 그녀를 돌보던 숙련된 간호사를 혼비백산하게 했다. 짐은 전혀 모르는 그 여성보다는 그녀를 잘 이해했다. "여동생을 보고 싶은 거예요." 그가 말했다. "가게 해주는 게 더 나아요. 아니면 거기 앉아서 온갖 생각을 하느라 미쳐버릴 겁니다. 제가 책임질게요. 나간다고 해서 뭐가 그렇게 나빠질 수 있다는 건지 모르겠군요. 이브가 피곤하지 않도록 제가 돌보겠습니다. 그리고 오래 있지 않도록 할게요."

그는 택시를 잡았고 간호사를 도와 그녀를 택시에 태웠다. 그리고 그들은 헨더슨 스퀘어의 집으로 갔다. 그들이 도착했을 때 거기에는 알리시아와 제럴드, 그리고 수잔이 있었다. 땅거미가 내릴 무렵이었다. 커튼이 드리워지고 전등이 켜져 있었다. 나탈리는 피부가 백지처럼 하얬고 피골이 상접해 보였다. 이브를 보자 그녀는 펄쩍 뛰어 일어나 그녀에게 가서 양손을 붙잡았다. "언니 괜찮아? 이렇게 움직여도 돼?" 그녀가 걱정스럽게 물었다.

"열이 그렇게 높지는 않아. 하지만 어쩌면 비틀거릴 수도 있어."

이브는 이렇게 말하고는 애정 어린 눈빛으로 나탈리의 눈을 보며 미소를 보냈다. "너를 보고 싶었어." 그들은 말없이 눈빛을 주고 받았다. 그들 두 사람은 모두 브루스의 무죄를 강하게 확신하고 있었다. '우리만 그런 거야.' 이브는 쓸쓸하게 생각했다. 그런 건 아무 상관 없었다. 나탈리의 차분한 연대에 그녀는 새롭게 힘을 얻었다. 차가 들어왔고 나탈리는 자신감 넘치는 침착한 분위기로 차를 따랐다. 이상하게도 감동적이었다.

이브는 벽난로 주변에 느슨한 반원형으로 모인 다른 사람들을 마주 보고 나탈리 옆에 앉았다. 그들과의 거리감이 앞의 공간보다 더 크게 느껴졌다. 휴와 알리시아, 그리고 수잔은 짐과 마찬가지로 브루스가 결백하다며 입에 발린 말들을 했지만 정말로 그렇게 믿지는 않았다.

나탈리는 낮은 목소리로 그녀에게 브루스의 변호사인 제라드 버셜과 그가 하고 있는 일을 얘기해 줬다. 그때 현관문이 열리더니 복도를 가로지르는 발소리가 들렸다. 나탈리는 아치형 입구 맞은편에 앉아 있었다. 그녀는 도중에 말을 중단하더니 기쁨의 비명을 울리며 벌떡 일어나서 거실을 가로질러 가기 시작했다. 이브역시 일어섰다. 다른 사람들도 마찬가지였다.

브루스가 계단을 내려오고 있고 나탈리는 그의 품에 안겨 웃다가 울고, 울다가 웃었다. 이내 그가 팔을 풀자 나탈리는 머리를 뒤로 젖혔고 그들은 벽난로로 다가왔다. 브루스를 축하하는 목소리들이 왁자지껄 일었다.

그는 기분 좋게, 형식적으로 묵례를 한 뒤 이브 쪽으로 고개를 돌려 그녀의 눈높이에 눈을 맞췄다. 그가 활기찬 목소리로 말했다. "병상에 누워 있는 걸로 생각했는데요. 그렇게 서 있어도 되나요?"

"이제 앉을 거예요." 이브는 그렇게 말하고는 아까 앉아 있던 의자에 몸을 파묻었다. 무릎이 떨렸다. 이렇게 감옥에서 나와 자유의 몸이 된 그를 보자 그녀는 기운이 없어지고 숨이 막혔다.

브루스는 그녀에게서 돌아서지 않았다. 가슴 주머니 위 양 날개가 빛을 받아 반짝이는 가운데 제복을 입은, 크고 곧은 자세의 그가 거기 차 쟁반 옆에 서 있었다. "엘든 플레이스에 가서 그 총을 가져가지 말았어야죠. 당신이 무슨 일을 당했는지 한 번 봐요. 죽을 수도 있었어요." 그가 천천히 말했다.

시계가 똑딱거리는 소리가 들렸다. 바깥에서는 택시 한 대가 거리를 지나갔다. 이브는 컵을 조심스럽게 탁자 위에 놓았다. 주위가 회색으로 빙글빙글 돌았다. '다른 사람들은, 나탈리는 어떻게 생각하고 있었을까? 브루스는 왜 여기서, 지금, 저들 앞에서 그 총 얘기를 한 것일까? 저들은 알고 있었던 거구나.' 그녀는 혼란에 빠져 되뇌었다. '하지만 어떻게 설명해야 조금이라도 그럴듯하게 들릴 것인가.'

그녀는 아무런 설명도 하지 않았다. 설명을 한 것은 나탈리였다. 그녀는 왼팔로 브루스의 팔짱을 끼고 오른팔로는 이브를 잡았다. 이브를 가까이 끌어당기고서 그녀는 브루스의 얼굴을 올려다보며 또랑또랑한 목소리로 말했다. "언니는 우리를 위해서 그랬던 거야, 자기야. 고맙게도, 언니는 무사해."

이브의 눈에서 눈물이 쏟아졌다. 이 쓰디쓴, 아이러니한 상황, 진실을 알지 못하는 나탈리의 너그러운 마음이 불타는 화살이 되어 그녀의 가슴에 박혔다. 끔찍하게 고통스러웠다. 그녀는 견딜 수 없는 느낌이 들었지만 견뎌야 한다는 것을 알았다. 그녀는 브루스에게 눈길을 주지 않았다. 걱정할 필요는 없었다. 그녀가 그를 봤을 때 그는 그녀도, 나탈리도 보지 않고 외면한 채 벽난로 불길을 보고 있었다.

알리시아의 쾌활한 재잘거림과 아버지의 계산된 말투, 제럴드의 재미있는 수다를 들으며 이브는 해야 할 일은 딱 하나라고 매몰차게 다짐했다. 나탈리의 행복은 브루스에게 달려 있었다. 그는 혐의를 벗어야만 하고 그녀는 반드시 도와야…. 그때였다. 거기서 있던 그녀의 머릿속에 샬럿이 죽던 날 밤 집 밖을 서성이고 있던 그 남자가 떠올랐다.

그녀는 흥분된 목소리로 빠르게 말하기 시작했다. 안개 속에서 그 남자와 계단 발치에서 부딪쳤던 상황을 설명했다. "그 사람은 무슨 이유가 있어서 거기 있었던 게 분명해요. 그냥 지나가고 있던 게 아니었어요."

나탈리가 흥분해서 말했다. "어떻게 생긴 사람이었어, 이브 언니?"

그러나 이브는 알지 못했다. 그는 어둠 속의 목소리였을 뿐, 그 이상은 아니었다.

후에 그녀는 자기가 그때 조금만 더 예민했다면 뭔가를 느꼈을 것이라는 사실을 깨달았다. 질문들이 쏟아지면서 목소리 하나가 사라졌고 벽난로 주위 느슨한 원에서 얼굴 하나가 고개를 돌렸다. 그런 건 이제 별로 중요하지 않았다.

다음 날, 북동쪽으로 90킬로미터 떨어진, 세찬 바람 부는 언덕에서, 눈이 내리기 시작하던 황량한 하늘 아래에서 그녀는 샬럿이 죽던 날 밤 헨더슨 스퀘어의 집 바깥을 서성이던 그 남자를 봤다. 그를 보고 그의 목소리를 들었으며 새로운 국면의 괴로움에 시달렸고, 자신이 보고 들은 것으로 인해 48시간 만에 두 번째로 죽음에 가까이 가고 말았다.

14

수잔 드 상쥐는 어두운 색조의 명품 홈드레스 속에서 큰 키와 우아함, 그리고 성숙하고 육감적인, 의심할 바 없는 매력을 한껏 노골적으로 드러내고 있었다. 그녀는 맥키와 기분 좋게 악수를 하고는 트리아농 호텔 9층에 있는 스위트룸의 거실 의자를 그에게 가리켰다. 일요일 아침 11시의 일이었다.

그곳은 평범한 호텔 스위트룸이었지만 수잔 드 상쥐가 거기 있으니 뭔가 달라 보였다. 그녀는 어디에 있건 자신의 흔적을 남기는 여자였다. 군데군데 잡지와 책들이 흩어져 있고 나지막한 초록색 수반에는 제비꽃이, 거울 앞에는 수선화 다발이 공기를 향기로 물들이고 있었다.

그녀는 브루스 커닝엄이 샬럿의 살인에 연루되어 체포된 일을 심각하게 받아들였지만 과하게 낙담하는 모습은 아니었다. "저는 자유롭게 말씀드릴 수 있어요, 경감님. 저는 나탈리 플라벨을 아주 좋아하게 됐거든요. … 만약 그가… 그런 류의 사람이라면, 결혼하고 나서 알게 되는 것보다 지금 알게 된 게 얼마나 다행인지 몰라요. 가여운 아이, 그 애에겐 끔찍한 일이지만 결국은 극복하게 될 거예요. 다 지나가니까요." 그녀가 말했다.

꽃은 휴 플라벨이 보낸 것이었다. 그의 카드가 벽난로 선반 위에 놓여 있었다. 맥키가 말했다. "드 상쥐 부인, 지난번에 시더스 레스토랑에서 당신 뒤에 있던 테이블에 어떤 남자가 있었습니다. 당신은 나가면서 그 남자에게 인사를 했었죠. 그 사람은 누구죠?"

그들은 둘 다 서 있는 상태였다. 수잔 드 상쥐는 백단향 상자에서 담배 한 개비를 꺼내며 탁자 옆에 서 있었다. 그녀가 천천히 몸을 돌렸다. 그녀의 넓은 이마 밑 아치형 눈썹 미간에 세로로 주름이 잡혔다. 그녀는 잘생긴 여자였고 풍족한 삶을 살아왔다. 그녀가 휴 플라벨에게 감정적으로 그렇게 이끌렸다는 것이 경감으로선 의아했다. 그가 그렇게 느낀 것은 처음이 아니었다. 플라벨은 다 괜찮은 사람이기는 했다. 그는 쉰 살이 넘었음에도 준수한 외모에, 충분히 지적이었고 태도도 무난했지만, 편협하고 자기중심적이고 자신의 방식을 고수하는 사람으로서 지독한 이기주의자였다. 그는 또 엄청나게 부자인 딸의 아버지이기도 했다. 맥키는 그 점을 되새겼다. 게다가 나탈리는 마음이 넓었다. 이브가 말한 것처럼, 그녀는 베풀기를 좋아해서, 그녀와 관계를 맺은 사람들은 더 바랄 것이 없을 정도였다. 그는 이 여자의 재정 상황을 조사해 보기로 마음먹었다.

수잔 드 상쥐는 속눈썹 너머로 은밀하게 그를 지켜보고 있었다. "시더스에 있던 남자라…. 아, 이제 기억나네요. 에드거였어요. 에드거 벤틀리요. 당연히 알죠. 제 남편의 사촌이거든요. 그런데… 그걸 왜 물어보시는 거죠, 경감님?"

맥키가 그녀에게 말했다. "그는 목요일 밤에 플라벨 씨 일행의 테이블을 주시하고 있었습니다, 드 상쥐 부인. 아시다시피, 이브 플라벨이 중독된 그 모르핀 캡슐이 바닥에 떨어진 그때 말입니다. 벤틀리 씨가 그 모르핀을 버린 사람에 대한 단서가 될 만한 어떤 미세한 움직임이라든지, 뭔가를 봤을 가능성이 있죠. 당신들은 이래저래 자신들의 일에 몰두하고 있었지만, 이 벤틀리 씨는 당신들 모두를 어느 정도 관찰할 수 있는 위치에 있었으니까요. 그것도 그렇지만, 그가… 관심을 가진 데는 어떤 이유가 있었을 테고요."

수잔 드 상쥐는 어깨를 으쓱했다. 그녀의 희미한 미소에 피곤함과 그만 물러나고 싶다는 기색이 돌았다. 그녀에게서 즐거운 기분은 사라졌다. 그녀는 예쁜 손으로 책을 몇 페이지 넘기고는 한숨을 쉬었다. "가엾은 에드거. 휴 때문에 그랬겠죠. 그게 그러니까, 에드거는 오랫동안 저와 결혼하고 싶어 했답니다. 그리고 그는… 그래요, 그는 제가 플라벨에게 관심이 있는 게 싫은 거죠. 너무나 자연스러운 반응이겠지만 짜증 나고 지겨워요. 그날 밤 얘기를 하자면, 제 생각에 에드거는 중요한 건 보지 못했을 거예요. 그가 오늘 아침에 여기 왔었는데 만약 뭔가를 **봤다면** 저한테 얘기했겠죠. 사실, 솔직히 말해서, 그랬다면 그는 기뻤을 거예요."

그녀는 벤틀리의 직업이 건축가이며 코네티컷주의 뉴워크에 산다고 설명했다. 뉴욕에는 방문차 와 있는 것인데, 그가 어디 묵고 있는지 그녀는 몰랐다. 아니, 모른다고 말했다. "그를 다시 보게 되면, 경감님, 제가 알아내서 알려드릴게요."

"감사합니다, 드 상쥐 부인."

그는 그녀가 진실을 말하는 것일 수도, 아닐 수도 있다고 생각했다. 목소리, 표정, 행동과 태도, 모든 것이 자연스러웠다. '다른 사람들도 그랬듯이, 그런 건 전혀 중요하지 않아.' 맥키는 돌이켜 생각했다. 그가 여태껏 다룬 모든 사건 중에서 이 사건이야말로 정말 지킬과 하이드 같았다. 이 순진무구한 얼굴들 중 하나는 무자비하고 영악한 살인의 의지와 능력을 뒤로 감추고서 해맑은 순수의 얼굴을 내보이고 있는 것이었다. 일반적인 의미로 평가하자면, 수잔 드 상쥐 역시 의심스럽기는 지금까지 연루된 다른 사람들과 다를 바 없었다. 그녀는 휴 플라벨이 사랑했던 사람의 옛 친구로서 그가 그녀를 다시 만났을 때는 더 무르익은 여인이 되어 있었다. 이브는 그녀를 무척 좋아했지만 알리시아 플라벨은 몹시 싫어했다. 알리시아가 싫어하는 것은 이해할 만했다. 그녀는 같은 배를 타고 있었다. 그녀는 휴가 제일 아끼는 사람이고 휴와 나탈리에 대해 야단법석을 떨어왔기에 8백만 달러의 그 집안에 다른 여자가 불쑥 들어온 것에 분개할 만했던 것이다.

맥키는 그 문제로 계속 회귀하지는 말자고 짜증스레 되뇌었다. 그 돈은 휴 플라벨이 아니라 그의 딸의 것이었고 나탈리는 멀쩡하게 살아 있으니까 말이다. 드 상쥐가 특별한 주목을 받게 된 유일한 이유는 샬럿 포이가 사망하기 세 시간 전에 샬럿과 단둘이서 무슨 일인지 아리송한 대담을 나누는 와중에 찢어버린 그 사진 때문이었다. 모퉁이가 찢긴 그 사진을 찾기 위해 플라벨의 집과 마찬가지로 그녀의 숙소 역시 이미 수색한 바 있지만 아무 소득 없이 끝나고 말았었다.

그는 아무런 경고도 없이 그녀 앞에 그 인화지 조각을 내놓았다. "이것 좀 보시겠습니까, 드 상쥐 부인?" 그는 갑작스럽게 그 사진을 그녀 앞에 내밀면서 그녀의 얼굴에 시선을 고정했다. 그리고 자신이 옳았다는 것을 알았다. 그랬다. 죄가 있든 없든, 이 여성은 어떤 식으로든 작고한 샬럿 포이와 깊숙이 엮여 있었다. 수잔 드 상쥐는 그가 내보인 그 작은 물건을 보고는 눈에 띌 만큼 몸을 떨었다. 그러나 그녀는 다재다능한 여인이었기에 재빨리 본래의 모습을 회복했다. "알아듣지 못하게 말씀을 하시니, 경감님. 저는 무슨 말인지 잘⋯."

맥키가 그녀의 말을 끊었다. 그는 지친 목소리로 말했다. "목요일 아침에 헨더슨 스퀘어에서 샬럿 포이의 사체가 발견된 후 당신은 브루스 커닝엄에게 뭘 좀 해달라고 하기 위해 그의 집에 갔던 겁니다. 제 생각엔 그에게 플라벨 씨 집 집필실에서 이 종이 조각을 가져와 주기를 바라신 것 같은데요. 당신 자신을 위해서라도 제게 사실대로 말씀하셔야 한다는 점을 강조하고 또 강조해야겠습니다. 이건 누구 사진이었습니까, 드 상쥐 부인? 누가 찍은 거죠? 사진을 찢은 이유는요? 그 사진에 무슨 중요한 의미가 있었나요?"

그녀가 그걸 말해주지는 않을 것이었다. 그럴 리가 없었다. 그녀는 정신을 가다듬고는 깜짝 놀랐다는 듯 대답했다. "잘못 아셨어요, 경감님, 완전히 잘못 짚으셨어요. 저는 —." 그녀는 말을 잠시 멎고는 그를 쳐다보며 얼굴을 찌푸렸다. "지금 그 말씀을 하시니까, 기억이 나는 것 같아요. 집필실로 저를 보러 왔을 때 그녀 손에 사진이 있었어요. 하지만 저는 그게 누군지 몰라요. 그녀가 그걸로 뭘 하고 있었는지도, 또는 그 사진이 무슨 의미가 있는 건지도 모른답니다."

맥키는 새빨간 거짓말이라고 속으로 생각했다. 그녀가 그 말을 하느라 쏟은 노력과 감추어 놓은 마음의 동요 — 아니, 동요 이상의 어떤 것 — 가 너무 훤히 보였다. 그 사진의 원본을 찾으면 큰 진전이 있을 것이었다. 그 사진 뒤에 숨은 이야기가 무엇이건 그것이 수잔 드 상쥐의 입에서 나오지는 않을 것이었다.

몇 분 뒤에 그는 갔지만 집을 나가기 전에 전화 통화를 하는 한쪽 편의 소리를 들었다.

휴 플라벨이 드 상쥐 부인에게 전화를 걸어 자신들과 함께 이스트포트로 가서 샬럿의 장례식에 참석해 달라고 부탁하는 전화였다. 그녀가 말했다. "휴, 당신이 원한다면 그럴게요. 당신 생각에 제가 조금이라도 조금이 된다면요. 아뇨, 전혀 문제없어요. … 어쨌거나 우리 집에 갈 생각이었거든요. 거기서 하고 싶은 일들이 좀 있고 해서…."

플라벨 가족은 12시 15분에 그랜드 센트럴 역에서 떠나기로 되어 있었다. 샬럿 포이의 시신은 전날 밤늦게 지방 검찰청을 떠나 코네티컷의 장의사에게 보내졌다. 뷰캐넌을 찾기 전까지는, 브루스 커닝엄이 누명을 썼을 가능성이 조금이라도 있는 한, 이 사람들에 대한 감시는 계속되어야 할 것이었다. 맥키는 드 상쥐 부인에게 감사의 말을 하고 그곳을 떠났다.

맥키는 에드거 벤틀리가 그날 아침 일찍 드 상쥐 부인을 방문했다는 사실을 확인했다. 엘리베이터 안내양과 수위의 말에 따르면 그와 비슷한 인상착의의 남자가 트리아농 호텔에 9시 반에 와서 10시쯤 나갔다는 것이었다.

뉴워크 경찰은 벤틀리가 건축가로서 실버마인에 아담한 집이 있고 그 집을 사무실로도 사용하고 있음을 확인해 줬다. 그는 적당한 재력의 소유자였고 하인은 두지 않았다. 그리고 그의 집은 잠겨 있었다. 그래서 더 이상의 정보는 나오지 않았다. 그를 찾아 뉴욕을 뒤지려면 시간이 오래 걸릴 것이고 어쩌면 수포로 끝날 수도 있으며, 설령 어찌어찌해서 그의 소재를 파악한다고 해도 결과는 실망스러울지 몰랐다. 플라벨 가족에게 그가 관심을 보인 것은 드 상쥐 부인의 말처럼 애정 문제에서 비롯된 것인지도 모르며 시더스 레스토랑에서 아무것도 보지 못했을지도 모르는 것이다. 그럼에도 불구하고, 게다가 살인 수사반에 일손이 부족한 까닭에 드와이어나 캐리 국장이 조금도 격려하지 않는 것이 사실임에도 불구하고 맥키는 벤틀리의 소재를 찾아보기로 했다.

그에 따라, 기쉬 형사와 윌레스키 형사가 호텔을 돌기 시작했고 맥키는 나탈리의 재무를 담당한 보스턴의 변호사 스펜서 고램과 늦어진 면담을 했다. 고램은 샬럿 포이의 책상에 있던 서류에서 아무런 문제점을 발견하지 못했다. 샬럿은 무엇 하나 내버린 것이 없는 것 같았고 그의 작업은 보람이 없었던 만큼이나 시간도 오래 걸렸다. 그녀의 귀중품, 주식과 채권, 개인적 소지품 등은 그랜트 내셔널 은행의 개인 금고에 보관되어 있었다. 정확하게 파악하려면 그 금고를 조사해야 할 것이었다. 상속인이 유산 관리장을 받을 때까지 기다리지 않고 경찰이 조사를 하려면 법원 명령이 필요했다.

맥키는 기다리고 싶지 않았다. "금고의 내용물을 아십니까?" 그가 물었다. "네." 고램은 대답과 함께 죽은 여인의 책상 속에 있었던 작은 녹색 장부를 보여줬다.

경감은 그랜트 내셔널 은행의 수석 부사장에게 양해를 구했다. 20분 뒤 고램과 그는 은행 금고 보관실의 잠긴 문을 뒤로 하고 긴 서랍을 조사하고 있었다. 그 변호사는 작은 녹색 장부를 대조하며 서랍을 들여다봤다. 다시 한번 서랍을 보고서 그는 놀란 얼굴이 되었다. 샬럿이 작년 6월에 매입한 9천 달러의 전쟁 채권이 사라지고 없었다.

조사 결과 샬럿 포이는 지난 화요일, 그러니까 죽기 전날 금고를 방문했다. 그리고 그날 그녀는 맥키가 그녀의 침실 짐 가방에서 본 그 고색창연한 작은 나무 상자를 금고에서 꺼내 갔다. 채권은 그 상자 속에 들어 있었을지도 몰랐다. 지금은 그 금고에 없었던 것이다. '제럴드 플라벨은 이모를 위해 가끔 알아서 투자를 해주곤 했어.' 맥키는 생각했다. '그런데 근심 걱정에 점점 더 시달리고 있는 그 잘생긴 제럴드는 돈에 쪼들려서 사방에 빚이 있단 말이지.'

이런 추정은 틀린 것 같았다. 사무실로 돌아왔더니 지문국에서 온 보고서가 맥키를 기다리고 있었다. 샬럿이 보스턴으로 가져가려 했던 그 작은 나무 상자의 지문 감식이 끝났다는 것이었다. 관련된 남녀의 지문을 세밀하게 조사하느라 시간이 오래 걸렸다. 광택 나는 그 나무 상자에서 나온 지문은 한 가지, 오직 한 가지였다. 휴 플라벨의 지문이었다. 속기사인 켄트가 경감에게 그 보고를 전했다. 그것은 충분히 흥분할 만한 내용이었다. "어떻게 생각하십니까, 경감님?" 켄트가 말했다.

맥키는 대답하지 않았다. 그는 녹색 서류함 위 벽에 걸린 시계를 쳐다봤다. 12시 14분이었다. 플라벨의 기차는 12시 15분발이었다. 도저히 맞출 수 없는 시간이었다. 그는 거기 앉은 채 흐린 하늘 아래 우울하게 솟아 있는 길 건너편 옥상을 쳐다보며 그래도 아무 문제 없다고 되뇌었다. 플라벨 가족은 감시하에 있으며, 일행 중 누구도 잠시라도 빠져나가는 것은 꿈도 꾸지 못할 것이고, 몇 시간 후면 뉴욕으로 돌아올 것이다. 게다가 그는 여기서 긴급히 해야 할 일이 있었다. 윌레스키에게서 전화가 왔다. 수잔드 상쥐 남편의 사촌을 찾았다는 것이었다. 에드거 벤틀리는 헨더슨 스퀘어 남쪽에 있는 눈에 잘 띄지 않는 작은 호텔에 묵고 있었다. 맥키는 의자를 휙 돌렸다. 그리고 무거운 마음을 털어내고 수화기를 집어 들었다.

거의 같은 시각, 북동쪽으로 3킬로미터 떨어진 그랜드 센트럴 역의 긴 승강장에 있던 이브 플라벨은 막연하게 무서운 예감이 들면서 불안감을 느꼈는데, 경감이 인정하지 않으려고 했던 것이 바로 그것이었다. 한기가 뼛속까지 시리도록 느껴졌고 자동차 불빛은 어두웠다. 이브는 뉴욕을 떠나고 싶지 않았다. 샬럿의 장례식에 가고 싶지 않았다. 그때, 그 마지막 순간에, 그녀는 일어나서 문으로 내닫고 싶은, 그래서 출입로를 따라 달려서 그 큰 역을 빠져나가 바깥으로, 자유로운 거리로 나가고 싶은 충동을 느꼈다. 그러나 그날, 샬럿이 죽던 그 날 오후처럼 이미 너무 늦었다. 승강장에서 희미하게 "모두 탑승하십시오"라는 차장의 외침이 들리자 문이 닫히고 열차가 출발했다.

뉴욕에서 이스트포트로 가는 여정은 한 시간 남짓으로 그리 길지 않았다. 빠르게 달리는 뉴헤이븐 열차의 차창 밖으로 도시가 빠르게 교외로 바뀌고 교외는 다시 마을들이 점점이 박힌 탁트인 시골로 바뀌었다. 황갈색 들판과 숲 지대가 번쩍번쩍 스쳐 지나갔다. 그리니치에서는 납빛 하늘 아래 납빛으로 물든 해협의 모습이 잠깐 보였다. 플라벨 일행은 같이 모여 앉아 있지 않았다. 짐 홀랜드와 이브는 통로를 사이에 두고 앉았고 나탈리와 수잔, 그리고 휴는 멀리 뒤쪽에 있었다. 알리시아는 제럴드와 함께 아침 일찍 먼저 간 상태였다. 샬럿은 이스트포트의 한 장례식장에서 장례를 치른 후 마을 끄트머리에 있는 작은 공동묘지에 묻힐 것이었다.

뉴욕에서 이 살인 사건은 별다른 파장을 일으키지 않았다. 세계 대전 시기의 그 도시에는 이목을 끄는 일들이 차고 넘쳤기에 브루스의 체포 후 기자들이 취재하러 온 것을 제외하면 그들을 성가시게 하는 일은 없었다. 이스트포트는 다를 것이었다. 휴는 젊은 시절 거기서 살았고, 해마다 여름이면 그곳으로 돌아왔다. 그는 느릅나무 아래 회색 석조 성공회 교회에서 이브와 제럴드의 어머니와 결혼식을 올렸고, 세 명의 자식들, 즉 제럴드와 이브, 그리고 나탈리가 그곳에서 세례를 받았다. 그들 모두는 그 작은 마을에 도착할 일이, 신중하건 아니건 이런저런 질문이 통과의례처럼 쏟아질 일이 두려웠다.

나탈리가 아니었다면 이브는 오지 않았을 것이다. 그녀는 여전히 기력이 약한 상태였고 신체 기관이 받은 타격 때문에 조금 불안정했다. 그러나 그녀에게 따뜻한 관심을 쏟았던 검시 과장이 동의해 줬다. "그렇게 해도 나빠지는 일은 없을 겁니다. 그런 일을 당하면 급속도로 안 좋아진 것만큼이나 회복도 빠르거든요. 다만, 너무 피곤해지지 않도록, 감기에 걸리지 않도록 조심하세요."

나탈리는 전날 오후에 애처롭게 말했었다. "언니가 오면 좋을 텐데, 이브 언니. 그러면 내 기분이 조금 나아질 것 같아. 하지만 무리하는 건 절대 안 돼." 그녀의 눈빛만 봐도 알 수 있었다. 그 눈빛은 지금은 더 엉망이었다. 지난 24시간 동안 그녀는 많이 변해 있었다. 하룻밤 사이에 나이를 다섯 살은 더 먹은 것 같았다. 그녀는 여느 때처럼 온화했지만 피부색은 나빴고 가녀린 하얀 얼굴에는 엄숙한 빛이 새로 더해져서 잔 다르크가 무거운 검은 정장을 입고 부드러운 금발 머리 위에 챙이 큰 검은 모자를 쓴 것처럼 보였다. 더는 밝게 빛나지도, 열정이 깃들지도 않은, 돌처럼 굳어 내면으로 침잠한 그녀의 커다란 갈색 눈이 아버지의 얼굴과 제럴드와 알리시아, 그리고 수잔과 짐의 얼굴 위를 스쳐 지나갈 때는 전날부터 그들과 그녀 사이를 갈라놓은 거리감이 더 두드러지게 드러나곤 했다.

그녀는 지난밤 이브와 단둘이 잠깐 있을 때 딱 한 번 무너진 모습을 보였었다. 그때 그녀는 미친 사람처럼 두려움을 쏟아냈다. "그는 자기가 저지르지 않은 일로 유죄 선고를 받을 거야, 이브 언니. 그들은 그에게 사형을 선고할 거고…. 난 알아, 신문에서 그런 기사들을 읽은 적이 있단 말이야. 날 속이려고 하지 마. … 난 **견딜** 수가 없어. 브루스가… 감방에, 철창 너머에 있다는 걸 생각하면…." 이브는 그녀를 품에 안고 몸의 떨림이 멎을 때까지 꼭 껴안아 주면서 결국에는 그녀를 진정시켰다.

"확실한 건 아무것도 없어." 그녀는 나탈리에게 말했다. "저녁 내내 브루스의 아파트에 있었던 그 남자를 잡기 전까지는 아무것도 확실하지 않아. 누군가, 아마도 수요일 밤에 샬럿 이모가 나가기 전에 헨더슨 스퀘어에서 서성거리고 있었던 그 남자가 브루스의 아파트로 가서 총을 되돌려 놓았다는 게 입증될 거야. 그렇게 될 거야, 나탈리. 내가 장담해."

짐이 나중에 그녀와 같은 말을 하며 거들었지만 나탈리의 반응은 냉담했다. 그녀는 언제나 짐을 좋아해 왔는데 지금은 다른 사람들에게 그런 것처럼 그에게서 등을 돌렸다. 그가 표현하지 않았던 생각을 느꼈던 것이다. 그녀의 본능은 옳았다. 짐은 이브에게 진지하게 말했었다. "나탈리의 기분을 북돋워 주려고 애쓰는 건 다 좋지만, 실수하는 건지도 몰라. 그 총 건은 말도 안 되게 이상하잖아."

그 말에 철갑 같은 이브의 방어막은 뜨거운 고통 속에 녹아내렸고 그녀는 그에게 격렬하게 화를 냈다. 이제 그들은 브루스에 관해서나 그에게 어떤 가능성이 있을지에 관해 더는 말하지 않았다. 샬럿 살인 사건도 더는 거론하지 않았다. 사실상, 샬럿은 살해된 것이 아니라 그냥 숨진 것이었다. 휴는 그런 사람이었다. 그는 그런 분위기를 조성했다. 그의 처형이자 동반자, 가까운 친구였던 고인은 저승사자가 데려간 것이었다. 이르건 늦건 누구나 그렇게 되는 것이다. 가까운 이들, 사랑하는 이들이 세상을 떠났다. 뭐, 그런 게 인생이니 순응하는 것 외에 별수가 없었다.

그는 정말 놀라운 사람이었다. 머핀이 탔다거나 호텔 침대가 딱딱하면 한바탕 난리를 칠 수 있는 사람인데도 그 크나큰 상처는 놀라울 정도로 의연하게 받아들이는 것이었다. 어쩌면 그는 무엇이든 원하는 대로 실제 믿을 수 있는 사람이기 때문에 그런 일을 그토록 잘 해낸 것인지도 모른다. '샬럿 이모가 죽던 날 밤에 아버지는 늘 하던 대로 산책하러 나갔을까?' 이브는 궁금했다. '헨더

슨 스퀘어의 그 오래된 아름다운 집 계단 발치에 무서운 얼룩을 남긴 것은 아버지였던 걸까?'

휴, 혹은 제럴드, 혹은 그 누구라도 자기 혈육은 아닐 것이라고 그녀는 생각했다. 혈육이 자신에게 어떻게 그런 독을 주입하겠는가? 샬럿이 죽던 날 밤 계단 발치의 어둠과 안개 속에서 기이하게 기다리고 있던 그 남자였다. 그래야만 했다. 왜 누군가가 그렇게 아무 목적도 없이 기다리고 있었을 것인가?

어떤 손이 팔을 건드리는 바람에 그녀는 몸이 뻣뻣하게 굳었다. 그건 통로를 가로질러 몸을 기울인 짐일 뿐이었다. "지금 쳐다보지는 마, 이브." 그가 희미한 미소를 띠고 말했다. "그런데 저 냉각기 근처에 있는 신사, 해병 두 사람 뒤에 서 있는 저 사람 형사 아니야? 첫날 가게에 경감과 함께 왔던 사람 아닌가?"

이브는 차량 앞쪽 파란색 두 재킷 뒤에서 수하물 선반을 무념무상으로 응시하고 있는 덩치 큰 남자의 옆모습을 힐끗 쳐다봤다. "맞아요, 그런 것 같아요, 짐." 차분하게 말했지만 이브의 가슴은 뛰고 있었다. 브루스는 체포되었는데 뉴욕 경찰이 그의 유죄를 확신한다면 왜 **자신들을** 미행하고 감시하고 있었던 걸까? 그건 분명히 그들이 브루스에 대해 확신하지 못하다는 뜻이었다.

이스트포트에서 기차를 내리면서 그녀가 이 소식을 나탈리에게 전했더니 나탈리도 같은 결론을 내렸다. 그녀의 얼굴이 모자 밑 그늘 속에서 환해졌다. 그 환해진 얼굴은 얼마 가지 못했다. 휴가 그녀의 팔을 잡고 이브에게서 떼어 놓았던 것이다. 샬럿도 언제나 그녀를 그렇게 떼어놓으려고 애쓰곤 했었다. "발 조심해라, 얘야." 그는 앞 유리에 A, B, C 카드를 붙여 놓은 검은색 긴 리무

진으로 그녀를 이끌었고, 그들은 모두 그 리무진을 타고 샬럿이 누워 기다리는 크고 하얀 건물로 갔다.

장의사인 케이블 씨가 계단 맨 위에서 그들을 맞아줬다. 안에서는 헨델을 연주하는 오르간 소리가 은은하게 들려왔다. 황혼에 물든 넓은 공간에는 두꺼운 카펫이 깔려 있고 미어질 듯 많은 꽃이 내뿜는 짙은 향이 가득했다. 사람들이 남녀로 무리를 이루어 서 있거나 작은 금박 의자에 앉아 있었다. 그들 중 몇몇은 이브가 아는 사람들이었다. 그녀는 스미스 부부, 벤슨 부부, 미스 저드, 해리스 목사와 악수했다. 그리고 예순다섯 살의 장밋빛 피부, 백발의 머리 아래 못된 호기심으로 두 눈을 반짝이며 아무 말도 하지 않는 것으로 신경을 긁는 시슬리 드와이트와도 악수를 나눴다.

샬럿이 늘 보던 검은 옷을 입고 양손을 가만히 가슴 위에 얹은 채 누워 있는 관의 머리맡과 발치에는 양초들이 놓여 있었다. 이브는 회색 벨벳 기도대에 무릎을 꿇고 자신의 이모였던 여인을 내려다봤다. 무서웠다. 그녀는 아무런, 그야말로 아무런 느낌이 들지 않았다. 브루스의 체포와 그가 뒤집어쓴 끔찍한 혐의 때문에 마치 신경이 뜨거운 인두에 지져져서 영구히 타버리기라도 한 듯 감각이 상실된 것 같았다. 보이고 들렸지만, 듣고 대답할 수 있었지만, 그녀에게는 사람과 사물이 유리 벽 저편 가늠할 수 없는 먼 거리에 있는 것만 같았다.

짐이 그녀 옆에 무릎을 꿇었다. 그는 울고 있었다. 이브는 솔직히 놀랐다. 그러다가 그가 샬럿을 좋아했다는 것, 그리고 그가 어렸을 때 샬럿이 그에게 잘해줬다는 것이 기억났다. 그가 대학을 다닐 때 샬럿은 그에게 용돈을 주고 직접 건포도 빵을 구워주기도 했었다. 짐은 손수건을 꺼내 슬쩍 눈을 닦았다. 그리고 그들 두 사람은 일어섰다.

제럴드는 야자수들이 늘어선 곳에서 시슬리 드와이트와 대화하고 있었다. '오빠는 정말 형편없이 쭈그러들었어.' 이브는 냉철하게 생각했다. 어렸을 때 그는 유쾌하고 겁 없고 솔직한 소년이었으나 지금은 형편없어 보였다. 겨우 스물아홉 살밖에 되지 않았음에도 그의 이목구비와 벗겨져 가는 이마에는 이미 나이가 들어가는 징후가 보였다. 심지어 그의 두상도 달라진 것 같았다. 그의 머리는 더 작아지고 어깨 위에 얹힌 품새도 달랐다. 그가 어렸을 때, 그리고 자라날 때 샬럿은 그를 끔찍이도 아꼈다. 그러나 그가 결혼해서 집을 떠나 자기 가정을 꾸리자 그녀는 상심했다. 불쌍한 샬럿, 그녀가 계획한 건 모두 다 틀어졌다. 그녀는 나탈리를 보스턴 코리 집안의 그 사촌과 결혼시키기로 단단히 마음먹고 있었다. 나탈리는, 그러는 대신, 브루스와 약혼했다.

얼마나 엄청난 전투가 벌어졌던가! 샬럿의 의지가 강했던 만큼 나탈리의 의지는 더 강했다. 이브는 때때로 샬럿이 상황에 달리 대처했다면 나탈리가 그 약혼을 고집하지 않았을 거라고 생각하곤 했다. 나탈리는 안 된다는 매서운 말을 들으면 정말로 원하든 아니든 상관없이 자기 방식대로 하려고 단단히 마음먹어 버리는 것이었다. 그것은 인간의 자연스러운 본능이었다. 나탈리는 그런 본능이 고도로 발달했다. 이브는 나탈리가 일곱 살 때 있었던 일이 기억났다. 제럴드와 또 어떤 남자애와 함께 하교 후에 서커스를 보러 가는 것이 허락되지 않자 그녀는 얼굴이 새까매져서 소리를 질렀고, 급기야 앓아누워서 의사와 간호사가 불려오고 집이 한바탕 뒤집혔던 일이었다. 나중에 나탈리는 작고 순진무구한 얼굴로 눈을 커다랗게 뜨고서 이브에게 말했었다. "난 병에 걸리게 할 수 있어. 하고 싶으면 열이 나게 할 수도 있어." 샬럿이 재치 있게 판단했다면 나탈리는 브루스를 포기했을지도 모른다. 만약 그랬다면, 브루스는 그렇게 되지 않았을…. "그만." 그녀는 혼잣말을 읊조리며 어두침침한 공간으로 다시 시선을 보냈다.

알리시아는 주위를 돌면서 조용한 위로의 말을 듣고 질문을 하고 질문에 대답하는 등 너무나 훌륭하게 처신했다. 그녀는 장례식장과 결혼식장에서는 최고라는 게 이브의 판단이었다. 장례식에 관한 작은 안내 책자를 만들면 분명 큰돈을 벌 수 있을 것 같았다. 너무 과하지 않으면서 세련된 그녀의 검정 드레스는 안성맞춤이었고 그녀의 태도 또한 마찬가지였다. 그녀는 일할 줄 알았고, 한결같은 태도를 유지하며 사람들을 북돋워 주고, 품위와 절제 속에 슬퍼했으며, 사람들에게 휴와 나탈리를 위로해 달라고 끝없이 간청하곤 했다. 그녀는 그들에게 눈길을 보내며 그들이 어떤지, 필요한 것은 없는지 끊임없이 살폈다.

"이브," 짐이 그녀 옆에 와서 멈춰 섰다. "당신 괜찮아? 밖에 나가서 바람을 좀 쐬는 게 어떨까?"

그는 무척이나 우울해 보였다. '가엾은 짐, 정말 상심했구나.' 애정과 후회가 뒤섞여 마음이 저려오면서 그녀는 생각했다. 나탈리는 그의 그런 점을 좋아했다. 그들은 둘 다 너무 쉽게 마음이 상하곤 했던 것이다. 이브는 여동생을 힐끗 쳐다봤다. 그녀는 벤슨 부부와 얘기를 나누는 휴와 수잔 사이에 뻣뻣하게 서 있었다. 나탈리는 아무 말도 하지 않고 있었다. 검은 모자, 검은 코트 속에 큰 키와 넓은 어깨, 너무나 마른 몸으로 그녀는 정면을 똑바로 응시하고 있었다. 잠들었다 해도 좋을 만큼 무표정한 얼굴이었다.

"냇 옆을 떠나면 안 될 것 같아요." 이브가 짐에게 말하자 그가 연민이 묻어나는 목소리로 말했다. "불쌍한 아이, 그래, 그러지 않는 게 좋겠네." 그리고 그들은 건너편에 있는 그녀에게 갔다. 목사가 흰 제례복을 입고 나타나자 모두들 자리에 앉았고 웅성거리던 목소리가 멈췄다. 다행히도 장례 예배는 짧게 끝났다. 10분 뒤 그들은 모두 차를 타고 퀸스 하이웨이를 달려 잎이 다 떨어진 느릅나무들과 죽은 정원을 지나 언덕 동쪽 경사면, 마을과 강이 내려다보이는 곳에 있는 공동묘지에 도착했다.

낮은 철책으로 둘러싸인 큰 장방형의 플라벨 묘역은 정문에서 그리 멀지 않은 곳에 있었다. 이브의 어머니와 나탈리의 어머니가 모두 거기 묻혀 있었다. 이브는 차에서 먼저 내려서 서리 내린 딱딱하고 마른 잔디를 가로질러 걷기 시작했다. 무덤 근처에 사람들이 모여 있었다. 그들은 오랜 지인들과 오랫동안 플라벨 가족에게 최상의 제품들을 공급해온 마을의 주요 상인들이었는데, 그중에는 단순한 호기심에서 모인 사람들도 있었다.

그녀가 갑자기 멈춰 섰다. 심장이 위험한 수준으로 뛰고 있었다. 몇 미터도 떨어지지 않은 곳에서 브루스가 비석에 느긋하게 몸을 기댄 채 그녀를 쳐다보고 있었던 것이다. 그의 커다란 군복 외투의 갈색이 뒤에 있는 쥐똥나무의 어두운 색조 속에 녹아 들어 있었다. 각진 강한 얼굴 위에 어두운 띠처럼 아래로 처진 눈썹 아래 그의 밝은 눈이 그녀의 눈을 탐색하고 있었다. 그의 얼굴에서 열대의 태양에 검게 탄 색조는 점점 희미해지고 있었다.

이브는 가만히 서 있었다. 할 수만 있다면 그녀는 그를 피해 도망쳤을 것이다. 이제 브루스와 자신의 사이에는 아무것도 없었다. 앞으로도 아무것도 있을 수가 없었기에 이런 우연한 만남은 너무나도 견디기 힘들었다. 무덤은 브루스 뒤에 있었다. 그는 무덤으로 가는 그녀의 길을 가로막고 있었다. 정문 밖에서는 다른 사람들이 차에서 내리고 있었다. 이브는 부드러운 회색 가죽옷을 바싹 여미며 브루스에게 짧게 미소를 짓고 온화한 어조를 띠려고 더듬거리면서 말했다. "안녕하세요, 여기서 뭘 하고 있어요? 출입 구역을 벗어나거나 보석 규정을 위반한 건 아니겠죠?

브루스는 계속해서 그녀를 응시했다. 그의 녹갈색 눈은 환하게 불타고 있었다. "내가 오기를 나탈리가 바랐고 맥키 경감이 관할 구역을 떠날 수 있도록 일을 처리해 줬어요. 보라색 모자를 쓴 신사 하나가 분명 덤불 뒤 어딘가에 숨어 있겠죠." 그가 말했다.

목소리와 발소리가 점점 가까이 다가오고 있었다. 브루스는 이브 뒤쪽을 힐끗 쳐다보고는 그녀의 눈을 똑바로 응시했다. "짐 홀랜드와 결혼할 건가요? 그 결혼을 끝까지 끌고 갈 거예요?" 그는 움직이지 않았다. 그의 목소리를 듣자 이브의 뺨에 피가 쏠렸다.

그녀는 겨울 새들이 지저귀는 소리에 귀를 기울였다. 그의 어깨에 달린 은색 줄들이 은색이 아니라 푸르스름한 회색 같다고 그녀는 생각했다. 그들 사이에 있는 길고 좁은 봉분 위에 빛바랜 화환이 비스듬히 놓여 있었다. 화환 속의 장미들은 시들어 색을 잃어버렸다. 그녀는 고개를 들었다. 코트 깃에 뒷머리가 쓸렸다. 그녀의 주홍색 입이 굳어졌다. "당신이 이해가 안 되네요. 내가 뭘 끝까지 끌고 간다는 —?" 그녀는 그렇게 말하면서 정신을 가다듬었다. 그리고 천천히, 조심스럽게, 또한 신중하게 말을 이어갔다. "당연히 난 짐과 결혼할 거예요. 이번 사건을 겪으며 난 많은 걸 배웠어요. 이제 난 내가 짐을 행복하게 해줄 수 있고 짐도 나를 행복하게 해줄 수 있다는 걸 깨닫고 있어요. 나탈리가 문제가 아니라고 해도 달라질 건 없을 거예요. 난 짐을 항상 사랑했어요."

브루스는 계속해서 그녀를 응시했다. 그녀는 가늘게 뜬 그의 눈에서 나오는 빛이 조롱인지 아닌지 알 수 없었다. 그녀의 목에서 맥박이 펄떡거렸다. "그럼 그걸로 끝이군." 그는 중얼거리더니 비석에서 몸을 떼서 그녀 옆을 지나갔다. 마치 그녀를 전혀 모른다는 듯이, 마치 이제 더는 그녀에게 관심이 없다는 듯이….

나탈리가 정문을 통과해서 가까이 오고 있었다. 브루스는 그녀에게 가서 그녀의 팔을 잡았다. 그녀는 몸을 떨기 시작했다. "마음을 굳게 먹어, 아가야." 제럴드가 말했다. 그리고 그들 셋은 앞으로 걸어갔다. 짐은 이미 휴와 수잔, 그리고 알리시아와 함께 앞서간 상태였다.

이브는 따라가지 않았다. 가슴이 벅찼다. 그녀는 비석과 군데군데 풍화된 어떤 묘 사이로 완만하게 내려가는 자갈길로 접어들었다. 위쪽 언덕에 말없이 모인 사람들로부터 15미터쯤 떨어져서 그녀는 대리석 천사상 옆에서 걸음을 멈추고는 길에서 한 걸음 벗어났다. 그녀는 그 암석상에 어깨를 기대고 담배를 찾아 주머니 속을 더듬었다. 통증이 느껴졌다. 조금 있으니 통증은 잦아들기 시작했다.

어디선가 까마귀 한 마리가 새된 소리로 울었고 바람이 불었다. 동쪽으로, 언덕과 들판이 저 멀리 한 지점에서만 보이는 해협을 향해 달려가고 있었다. 낮게 깔린 하늘 아래서 해협은 흰색 실이 얼기설기 얽힌 잿빛 삼각형처럼 보였다. 바람은 차가웠지만 이브는 살을 에는 그 한기에도 아랑곳하지 않았다. 잠시나마 눈과 입을 단속할 필요 없이, 생각조차 할 필요 없이 혼자 있는 것이 좋았다. 그녀는 멍하니 묘비들을 바라봤다. 몇몇 묘비는 오래된 것들이었다. 한 묘비 위에 이끼로 얼룩진 문구가 보였다. "제레미아 카우치, 14세, 1812년 위도 44, 경도 36의 바다에서 실종." 별로 오래되지 않은 묘비 위의 '드 상쥐'라는 이름에 눈길이 닿았다. 당연히도, 수잔의 남편이 여기 묻혀 있는 것이었다. 이브는 비문을 읽었다. 비문은 짧았고 별다른 말은 없었다. "루시앙 드 상쥐, 1882년 2월 11일 출생, 1921년 6월 17일 사망." 근처 같은 구역에 아주 작고 가는 대리석 묘비가 있었다. 그 위에는 "루시, 수잔과 루시앙 드 상쥐의 딸, 생후 2개월 4일, 1921년 6월 4일 사망"이라고 적힌 문구가 있었다.

'가엾은 수잔 아주머니, 같은 해에 며칠 사이로 남편과 외동딸을 잃었구나.' 이브는 생각했다. 나탈리의 어머니가 사망해서 휴가 두 번째로 홀아비가 된 해였다. 그의 결혼 성향을 생각해 보면, 그가 수잔에게 눈길을 주지 않은 것이 놀라웠다. 아니, 그는 그랬는지도 몰랐다. 그러면 샬럿이 그녀를 싫어하는 이유가 설명되는 것이었다. '그녀는 왜 다시 재혼하지 않았을까?' 이브는 의아한 마음이 들었다. 그녀는 극히 매력적이었고 루시앙 드 상쥐 이후에도 분명 남자가 있었을 것이었다. 수잔은 어떤 책에 나온, 혹은 누군가 말한 것처럼 "내게 남편은 더 이상 없을 거야"라는 유형의 여자였던가?

눈송이가 이리저리 한가로이 흩날리며 내려오고 있었다. 이브는 담배에 불을 붙이고 폐 깊숙이 연기를 들이마셨다. 목사가 기도하고 있었다. 알아들을 수 없는 낭랑한 기도 소리가 쓰디쓴 공기에 실려 희미하게 들려왔다. 다른 소리는 나지 않았다. 그때, 어딘가 이브 가까운 곳에서 어떤 남자가 말하는 소리가 났다. 그는 대리석 천사상 저 너머에 있어서 모습은 보이지 않았지만, 어렴풋이 익숙한 목소리였다. 그녀가 의식적으로 귀를 기울이지는 않았기에 처음에 그의 말은 그녀의 뇌에 아무렇게나 들어오고 있었다. "… 놀랐어요?" 석상 저쪽에서 남자가 말했다. "하지만 내가 관심 있을 거라는 건 분명 알았을 텐데요?" 교양 있는 목소리였다. 거의 어르는 듯한 부드러운 목소리였지만 그 밑바닥에는 모순된 어조가 있었다. 누군지 모르지만 상대방은 아무런 대답을 하지 않았고 그가 계속해서 말했다. "우리는 얘기를 좀 해야 할 거요, 친구. 정말 진지한 얘기 말이오. 그럴 거죠? … 좋아요. 이따가 오후에 내가 전화하죠."

이브가 갑자기 정신이 번쩍 든 것은 그때였다. 그녀는 그 목소리를 알아차렸다. 목이 죄어들고 온몸에 한기가 흘렀다. 대리석 천사상 저편에 있는 남자는 샬럿이 죽던 날 밤 헨더슨 스퀘어의 집 바깥에서 그녀와 부딪쳤던 그 남자였다.

한순간 그녀는 너무 놀라서 움직일 수가 없었다. 그날 밤 계단 발치에서 배회하던 사람을 두고 그녀 나름의 논리를 내세웠음에도 불구하고 그가 샬럿의 운명에 중요한 역할을 했다고 정말로 믿지는 않았었다. 이제는 상황이 달랐다. 이제 연관이 있었던 것이다. 그렇지 않다면 뉴욕에서 멀리 떨어진 이곳에, 이 공동묘지에 그가 왜 왔단 말인가? 그녀는 그가 누구인지 알아내야만 했다. 천사상이 그녀의 길을 막고 있었다. 그녀는 재빨리 몸을 돌려 넓게 펼쳐진 대리석 날개 옆 주목 나무 옆으로 돌아가기 시작하다가 움푹 꺼져 있는 어떤 묘비에 발이 걸려 무릎을 땅에 심하게 부딪치며 넘어졌다. 발목이 아팠다. 그녀는 개의치 않았다. 그녀는 어찌어찌 몸을 일으키고 달려갔다. 남자는 거기 있었다. 그녀에게서 9미터쯤 떨어진 곳에서 빠르게 길을 걷고 있었다. 남자의 등이 보였다. 그녀는 그 등을, 그가 쓴 모자와 코트를, 값비싼 밝은 갈색 그 폴로 코트를 바라보며 호흡을 가다듬었다. 그 남자는 샬럿이 살해되던 날 밤에 그 집을 지켜보고 있었을 뿐만 아니라 다음 날 오후에도 헨더슨 스퀘어의 길 건너편 보도에 서 있었고 브루스의 아파트까지 그녀를 따라갔었다. 그녀가 그 엽총을 가지고 엘든 플레이스를 빠져나와서 한 블록 위에서 택시를 잡았을 때 그가 반대편 모퉁이에 서 있었기 때문이다.

예배가 끝났고 사람들이 가기 시작했다. 폴로 코트를 입은 그 남자는 사람들의 끄트머리에 다다라서 그 속으로 들어갔다. 그녀가 볼 수 있는 것은 그의 모자가 전부였다. 그녀는 경악하며 잠시 그 자리에 멈춰 섰다. 그를 놓쳐서는 안 되었다. 그가 누군지 알아내야만 했다. 그녀가 다시 출발하려던 순간 그녀의 뒤, 그녀가 오던 방향에서 소리가 났다. 뒤를 돌아보고서 그녀는 얼어붙었다. 수잔 드 상쥐가 거기 있었다. 그녀는 언덕 위로 그녀를 향해 오고 있었다. 폴로 코트를 입은 남자가 말을 건 사람은 수잔이었던 것이다. **수잔은 이브가 안다는 것을 확신하기 전까지는 방금 있은 그 만남을 인정하지 않을 것이었다.**

물결처럼 굽실거리며 반짝이는 머리 위에 옆으로 얹어 쓴 작은 검정 모자 아래 그녀의 잘생긴 얼굴은 침착했다. 모자 위에는 하얀 새 장식이 있었다. 그녀는 이브에게 미소를 지었다. "얘야, 넌 어디서 튀어나온 거니?" 그녀는 가볍게, 그리고 너무나 아무렇지도 않게 말했다.

이브는 그녀를 쳐다봤다가 시선을 돌렸다. 그녀는 스커트에서 풀과 나뭇가지들을 털어내고 똑바로 서서 어깨를 폈다. 폴로 코트를 입은 그 남자와 수잔 드 상쥐 사이의 대화는 그녀로 인해 중단된 셈이었던 것이다. 그 대화는 다시 이어질 것이다. 그 남자가 그렇게 말했으니까 말이다. 그녀는 그때 거기 가서 듣고 볼 작정이었다.

그녀는 자기가 이렇게 시치미를 잘 떼는 것에 경이감을 느끼면서 크게 말했다. "저는… 아주머니는 어디서 튀어나온 거예요? 저는 묘비들을 보면서 주위를 돌아다니고 있었어요. 저와 함께 계셨어야 하는데, 수 아주머니, 몇몇 묘지들은 정말 진기하더군요."

그녀는 시선을 옮기다가 깜짝 놀라 몸이 굳었다. 브루스가 수잔 뒤에 서 있었다. 그는 수잔을 보고 있지 않았다. 그녀를 쳐다보고 있었다. '수잔과 폴로 코트를 입은 그 남자가 대화하는 걸 그가 들었을까?' 이브는 긴가민가했다. 그녀에게 확실한 것은 단 한 가지였다. 그가 그녀를 믿지 않는다는 것이었다. 그녀는 수잔은 속였을지 몰라도 그를 속이지는 못했다. 그는 뭔가 문제가 있음을 알았다.

그녀는 그에게서 어깨를 돌렸다. 그다음 그들은 다른 사람들에게 합류했다. 그들이 정문 앞에서 차에 올랐을 때 폴로 코트를 입은 그 남자의 흔적은 보이지 않았다. 그들은 레드 폭스 로드에 있는 집으로 출발했다. 알리시아가 말하기를, 그곳에 차가 준비되어 있다는 것이었다.

브루스는 그들과 함께 가지 않았다.

4시 15분 전이었다.

15

"하지만 난 계속 있을 수는 없어요, 짐. 오늘 밤에 가게로 돌아가야 해요." 이브가 말했다. "10시까지는 다음 기차가 없고, 그러면 너무 늦게 도착할 거예요."

짐은 그녀를 향해 이맛살을 찌푸렸다. 그는 그 상황이 마음에 들지 않았다. 장례식이 끝난 만큼 그는 훨씬 쾌활해져서 본래의 모습을 되찾았다. 그들은 레드 폭스 로드 끝에 있는 플라벨 저택의 홀에 있었다. 그곳은 이브가 태어난 곳이자 해마다 여름이면 셀 수 없이 돌아오곤 했던 곳이었다. 그 집은 원래 강이 굽이쳐 흐르고 나무들이 우거진 작은 언덕 위에 세운 식민지 시대의 작고 하얀 집이었다. 지금은 버지니아가 결혼할 때 증축한 양쪽 날개 건물과 나탈리가 어렸을 때 그녀를 위해 만든 보육실, 그리고 놀이방이 더해져서 얼기설기 뻗은 저택이 되어 있었다. 집 앞에는 도로가 상당히 가까이 있었고 뒤쪽과 옆쪽에는 과수원과 정원이 개울을 지나 넓은 강어귀를 향해 동쪽으로 내달리며 펼쳐져 있었다. 이브는 세월의 때가 묻은 아름다운 거울을 들여다봤다. 거울 속에는 그들이 4시에 도착해서 차를 마셨던 길고 멋진 응접실의 한 부분이 비치고 있었다. 그 정경을 보며 그녀는 깨달았다. 그곳은 휴의 소유지만 나탈리의 도움이 없다면 결코 계속 유지할 수 없으리라는 것을.

알리시아가 모든 것을 준비해 놓은 상태였다. 방을 열어 환기하고 석유난로를 켜놓았다. 그녀는 겨울에 그 집에 살고 있던 에디 부인에게 휴가 좋아하는 스콘을 만들어 달라고 부탁하기까지 했다. 조명과 벽난로 불, 추운 데서 들어와 맞이한 온기, 우중충한 12월의 오후를 차단하는 커튼 때문에 분위기는 더 화사하게 여겨졌다. 그런 것들은 이브에게는 아무런 효과가 없었다. 나중에 그녀는 그 시간을 공포와 악몽 그 자체로 항상 기억하게 되었다.

원래 계획대로라면 그들은 5시 37분 기차로 뉴욕으로 돌아갔을 것이다. 그러나 수잔이 불타는 장작들에 예쁜 손을 뻗으면서 자신은 잔디밭 아래 있는 작은 자기 집에서 주말을 보낼 거라고 말하자 나머지 사람들도 그곳에 계속 머물기로 했다.

휴는 수잔과 나란히 소파에 앉아 있었다. 벽난로 불빛이 그의 콧대 높은 잘생긴 얼굴을 그림자로 빚어내고 있었다. 그는 멋진 생각이라고 말했다. 다음으로 알리시아가 말했다. 이브는 자신이 수잔을 면밀히 지켜보고 있었다면 알리시아 역시 그랬다는 생각이 들었다. 알리시아는 수잔이 그들과 함께 집으로 돌아온다는 것을 알고는 기분이 나빠졌다. 묘지 정문에서 그녀는 수잔의 손을 붙잡고 말했었다. "샬럿 이모님을 위해서 이렇게 고생해 주시다니 정말 친절하세요, 아주머니. 게다가 두 분은 그렇게 서로 좋아하는 사이는 아니었는데 말이에요. … 저희와 함께 가신다고요? 아… **정말 좋죠.**"

달콤 쌉쓰름한 알리시아의 태도, 경계하는 그녀의 실눈, 아버지가 수잔에게 조금만 관심을 보여도 제럴드와 주고받는 그녀의 의미심장한 눈길, 그것은 그 악몽의 일부였다. 휴와 수잔이 결혼하게 된다고 해도 그들 두 사람이 왜 신경을 써야 하는 걸까? 그게 그들의 이해관계에 영향을 미치는 걸까? 그런 것이 분명했다. 알리시아는 휴와 수잔 두 사람만 함께 있도록 남겨두고 가지는 않을 것이었다. 그녀가 밝은 목소리로 말했다. "아버님 말씀이 옳아요. 여기서 평온하고 조용히 지낼 수 있는데 저 무시무시한 경찰들이 있는 시내로 돌아가는 건 어리석을 것 같네요."

브루스는 그때 거기 없었다. 그는 잠깐 들어왔다가 나탈리와 함께 집 주위를 산책하고는 혼자서 마을로 갔다. 제럴드는 벽난로 옆에서 담배 파이프를 닦고 있었다. 그는 파이프를 훅 불고는 조롱하듯 웃었다. "장례식에서 회색 중절모를 쓰고 있던 신사를 못 봤다는 말은 아니겠지, 여보? 우리와 같은 기차를 타고 왔어. 바로 지금 정문 밖에 주차하고 있을 거라는 데 당신이 원하는 걸 뭐든지 다 걸겠어."

알리시아는 그를 쳐다보더니 얼굴빛이 흐려졌다. "뭐라고?" 그녀가 날카롭게 말했다. 수잔은 설탕 집게를 떨어뜨렸고 그 때문에 쟁반에 살짝 금이 갔다. 그녀는 눈치채지 못한 것 같았다. 휴는 화가 나서 얼굴이 벌게진 채 몸을 세우고 바로 앉았다. 브루스가 비록 절차상 보석으로 풀려났지만 사실 살인죄로 체포된 상태인데 수사를 더 할 필요가 있냐는 반발의 말이 그의 입에서 맴돌았다. 그는 그런 식으로 대놓고 말하지는 않았지만 그의 말에는 그런 암시가 담겨 있었다. "정황상 이건, 우리를 감시하는 것 말이야, 무도한 짓이야." 그는 애써 자제하면서 이렇게 말했던 것이다.

그의 말의 의미는 놓칠 수가 없는 것이었다. 나탈리가 알아들었다. 그녀는 이브의 의자 옆 방석에 앉아 있었다. 옆의 테이블에 놓인 차에는 손도 대지 않은 채 팔꿈치를 무릎에 대고 깍지 낀 손에 턱을 얹고 있었다. 그녀는 옛날 그들의 유모였던 푸시를 안절부절못하게 하곤 했던 바로 그 어둡고 침울한 분위기에 빠져 있었다. 그녀의 어깨는 방을 향해 있었지만, 그녀는 기쁨이 없어진 자신만의 세계 속으로 깊이 침잠해 버린 것 같았다. '아버지는 그러시지 말았어야 해.' 이브는 고개를 돌려 그를 보며 생각했다. 부드럽게 반짝이는 금발 머리카락에 감싸인 나탈리의 가녀린 얼굴이 새하얗게 굳어갔다. 그녀는 한순간 그렇게 앉아 있다가 벌떡 일어섰다. 그녀는 키 크고 곧고 강인한 모습으로 거기 서 있었다. 그녀의 눈은 더 이상 뿌연 갈색의 원반이 아니라 검게 빛나는 분노 그 자체였다.

"난 이런 건 못 **참겠어요**." 그녀는 양손을 허리에 대고 고개를 뒤로 젖힌 채 강하고 건조한 목소리로 말했다. "못 참는다고요. … 아빠는 브루스가 샬럿 이모를 죽였다고 생각하고 있어요. 아니라고 하지 말아요. 아빠가 그렇게 생각하는 걸 난 알아요. 당신들 모두 그렇게 생각하잖아요. 이브 언니만 빼고 모두 말이에요. 아아— 어떻게 그렇게 멍청하고 그렇게 잔인할 수가 있어요?" 그녀는 간담이 서늘해진 얼굴들을 비난하듯 휙 둘러봤다. "난 여기 더는 있지 않을 거예요. 난 가버릴 거야. 난 —."

그녀는 분노와 반란의 어두운 바람을 타고 있는 젊은 여전사가 되어 있었다. 그녀에게는 그 감정의 무게가 너무 버거웠다. 목소리는 갈라지고 턱이 덜덜 떨리고 있었다. 눈물이 강물처럼 뺨을 타고 흘러내리기 시작하자 그녀는 재빨리 얼굴을 손에 파묻고 절대 그치지 않을 것처럼 울기 시작했다.

다른 사람들이 모두 일어나 의자에서 나왔다. 제럴드가 제일 먼저 그녀에게 갔다. 그들은 팔로 그녀를 감싸 안았다. 그들은 그녀가 틀렸다고, 자기들은 브루스가 유죄라고 생각하지 않는다고, 그동안 겪은 일 때문에 그녀가 지친 거라고 했다. 휴식을 취하고 잠을 좀 자고 걱정을 그만해야 한다고, 브루스는 괜찮을 거라고, 모든 게 다 괜찮아질 거라고 했다.

수잔만이 동요하지 않았다. 그녀는 수놓은 소파 구석, 원래 있던 자리에 그대로 앉아서 바닥을 멍하게, 거의 바보처럼 바라보고 있었다. 그런데 그녀는 바보가 아니었으니….

알리시아와 제럴드, 휴와 짐은 나탈리와 화해했다. 나탈리는 자리에 앉아서 알리시아가 따라주는 차를 순순히 마셨다. 그러나 물러서지는 않았다. "내가 힘든 것보다 여러분이 더 힘들겠죠. 그걸 깨닫고 있어요. 하지만 난 브루스를 알아요. 그는 어떤 이유에서건 절대로 그렇게 누구를 죽이지 못하는 사람이라는 걸 안다고요. 증거가 얼마나 많든 난 상관없어요."

그런 다음 사태가 진정되었다. 나탈리가 브루스에게 전화를 걸었더니 그는 그날 밤 이스트포트에 있는 여관에 묵을 거라고 했다. 이따가 들르겠다고 그가 말했다. 이브는 그를 보지 않아도 돼서 기뻤다. 그녀는 다른 사람들에게 작별 인사를 했다. 짐하고만 여전히 얘기가 끝나지 않은 상태였다. 수잔은 아직 그 집에 있었지만 곧 자기 집으로 갈 예정이었는데 이브는 그녀가 집을 나서기 전에 혼자 나가고 싶어서 안절부절못하고 있었다.

짐은 그녀가 출발하는 것을 격하게 반대했다. 그는 월요일에 처음 시작하기로 되어 있는 업무에 관한 추가 지시를 받기 위해 다음 날 아침 일찍 브리지포트에 가야 했기에 남아 있어야 했다. 그는 계단 기둥에 몸을 기댄 채 불만스럽게 그녀를 쳐다보며 말했다. "당신이 왜 내일까지 기다리지 못한다는 건지 모르겠어. 브리지포트 일은 오래 걸리지 않을 텐데 말이야."

그러자 이브는 능청스럽게 꾀를 냈다. 그녀는 그 모든 일을 하는 동안 그런 자신이 싫어서 냉담해졌다. "바보처럼 굴지 말아요, 짐. 결혼하려면 준비해야 할 일이 태산이란 말이에요." '그건 사실이잖아.' 그녀는 씁쓸하게 생각했다. 그녀는 수잔을 염탐해야 했다. 몸을 웅크리고 살금살금 기어가서 친한 사이였던 여자의 말을 엿들어야 했다.

짐은 그녀가 괴로운 마음을 뒤로 감추고 시선을 피한 것을 수줍음으로 받아들인 것이 분명했다. 빅토리아 시대 같은 그의 보수적인 사고는 우스꽝스러웠지만 감동적이기도 했다. 그는 여러 모로 순진했다. 신부는 얼굴이 발갛게 상기돼야 하고 주저하는 태도여야 하고 약간은 두려워해야 한다. 그래야 안심시켜 주고 위로하고, 그리고 사랑할 수 있는 것이다. 차가운 손가락이 이브의 등을 쓸어 내리고 그녀의 목덜미를 어루만졌다. 그녀는 몸을 떨며 마음을 단단히 먹고 얼굴을 들었다. 그리고 필요한 순간이 지나자 짐의 품에서 몸을 빼냈다.

"아무리 그래도 역까지는 함께 가도 되는 거지?"

"아뇨, 안 돼요." 이브가 굳게 말했다. "당신이 나탈리를 지켜봐 주면 좋겠어요. 그게 아니어도 그 엔지니어가 당신에게 다시 전화할 거잖아요." 현관문 너머에서 경적이 울렸다. 그녀는 장갑과 핸드백을 집어 들었다. "지금 택시가 왔어요."

바깥은 어둡고 추웠다. 눈이 내리다 말다 하고 있었지만 폭풍이 본격적으로 시작된 것은 아니었다. 짐은 이브를 택시에 태우고 그녀에게 부드럽게 키스하며 몸조심하라고 말했다. 문이 쾅 닫히자 차는 짧은 진입로를 내려가 도로로 들어갔다. 정문 바로 뒤에서 자동차 불빛에 한 남자의 크고 검은 모습이 포착됐다. 맨해튼 살인 수사반의 피어슨 반장은 다시 어두운 그늘로 뛰어들었지만 이브가 이미 그를 발견하고 난 뒤였다. '더 많은 걸 알아내고 나면 곧 경찰이 필요할지도 몰라.' 그녀는 생각했다. 지금 그녀가 아는 것이라곤 샬럿이 죽던 날 밤 헨더슨 스퀘어의 집 근처에서 어슬렁거리던 폴로 코트를 입은 남자가 수잔의 친구, 혹은 지인이라는 사실뿐이었다. 그녀가 경찰에 가면 경찰은 "으음— 그래서 어쨌다는 거죠?"라고 할 것이었다. 그 남자 자신은 아마도 모든 것을 부인하면서 그녀가 미쳤다고 큰소리를 칠 것이었다. 그의 말이나 그녀의 말은 똑같은 것이고 그녀에게는 증거가 없었다. 그랬다. 그녀는 마음속으로 생각했던 일을 해내야 할 것이었다.

처음 할 일은 너무나 간단했다. 차가 임페리얼 애비뉴로 방향을 틀었을 때 그녀는 도로가 강에 접하는 곳에서 기사에게 요금을 내고 내렸다. 그녀는 마음이 바뀌었다고 하며 팁을 넉넉히 줬다. 그는 집까지 도로 태워주겠다고 했지만 그녀는 그 제안을 거절했다. "고맙지만 바로 코앞인걸요. 그리고 운동도 하게 되니 좋죠."

차가 시야에서 사라지자 그녀는 몸을 돌려 왔던 길이 아니라 더 먼 길로 빙 돌아서 돌아가기 시작했다. 그녀는 현관문 옆으로 다시 들어가는 대신 북쪽 들판을 지나서 그쪽 부지에 쭉 늘어선 나무들 속에 파묻힌 작은 다리를 건너갈 생각이었다. 경찰은 거기 사람을 배치할 생각을 결코 하지 못했을 것이다. 그 일대를 잘 아는 사람이 아니라면 그렇게 드나드는 길이 있다는 걸 알 리가 없었다.

그곳은 무척 캄캄했지만 이브에게는 손전등이 있었다. 그곳 역시 거대한 도시의 한 블록이었지만 건물들 대신 여기저기 움푹움푹 패인 언덕과 숲이 있을 뿐이었다. 그녀는 손전등을 계속 켜고 그 블록의 삼면을 다 가로질러 갔다. 부지를 둘러싸고 있는 높은 담장에 출입문이 하나 있었다. 울창한 자작나무 뒤 눈에 띄지 않는 작은 문이었다. 이브는 걸쇠를 들어 올린 다음 밀어서 문을 열었다.

경첩 삐걱거리는 소리가 크게 났다. 그녀는 심장이 방망이질 쳐서 숨을 가다듬었다. 그러나 지금은 더 크게 들리는, 바로 앞쪽의 콸콸 흐르는 물소리를 제외하고는 정적을 깨는 소리는 조금도 들리지 않았다. 그녀의 주위에는 어둠과 가까이 압박해 오는 나무덤불 외에는 아무것도 없었다. 그녀가 다가가고 있던 개울은 좁고 물살이 빨랐으며 조수의 영향을 많이 받았다. 썰물 때는 물이 만으로 일제히 빠져나갔고 밀물이 되면 녹색의 점액질로 얼룩진 옹벽들 사이로 3미터 높이까지 물이 차올랐다. 물은 빠져나가고 있었다. 이브는 예상했던 것보다 일찍 다리까지 왔다. 다리 입구는 관목으로 막혀 있었다. 이브는 검은 오리나무 틈새로 손전등 불빛을 비추어 가느다란 수직 막대 기둥들에 좁은 회색 판자를 십자로 박아 놓은 다리를 내려다봤다. 원래도 단단한 것과는 거리가 멀던 그 다리는 허리케인으로 갈라지고 여기저기가 주저앉아 있었지만 조심하면 아직은 사용할 수 있는 상태였다. 난간 중 한쪽은 사라져 버렸지만 다른 한쪽은 남아 있었다. 이브는 난간을 잡았다. 손으로 잡자 난간이 흔들리는 게 느껴졌다. 그녀는 손전등을 껐다. 어둠이 짙었기에 그녀가 열린 공간으로 나가는 순간 아주 미세한 불빛이라도 저 멀리 잔디밭과 정원에서 보일 것이었다. 그녀는 흔들리는 난간을 조심스럽게 잡고 다리를 건너가기 시작했다. 6미터 아래 울퉁불퉁 솟은 날카로운 검은 바위들, 그리고 그 밑에서 소용돌이치는 웅덩이와 물거품을 볼 필요가 없다는 게 다행이었다. 밀물 때는 물에 빠지는 걸로 다녔지만 썰물 때는…. 그녀는 발걸음을 내디딜 때마다 확인하면서 앞으로 나가는 길을 감각으로 찾았다. 그리고 마침내 반대편의 단단한 지면에 도달했다. 그녀는 몇 미터 더 가서 멈춰 섰다.

수잔과 폴로 코트를 입은 그 남자가 만나기로 했다면, 그 장소는 수잔의 집일 것이라고 그녀는 판단했다. 더 있다가 저녁을 먹고 가라는 휴의 초대를 거절하면서 수잔은 말했었다. "당신이 괜찮다면, 저녁은 사양할게요. 써야 할 편지들과 정리할 일들이 좀 있거든요. 그리고 나면 자려고 해요. 좀 피곤한 하루였어요."

언덕 위의 저택은 나무에 가려져 있었다. 그때 어둠 속에서 현관 근처로 밝은 눈빛 같은 손전등이 나타났다. 누군가 마구간과 차고로 이어진 자갈밭 너머 참나무 아래로, 탁 트인 평평한 잔디밭을 향해 긴 비탈길을 내려오고 있었다.

이브는 라일락 덤불 속으로 들어갔다. 그들은 그녀로부터 10미터도 떨어지지 않은 곳으로 지나갔다. 소곤소곤 말하는 그들의 목소리가 그녀의 귀에 들렸지만 무슨 말을 하는지는 들리지 않았다. 수잔과 그녀의 아버지였다. 수잔의 집과 그들의 집 사이에는 울타리가 없었다. 납작한 판석들을 따라가면 그 작은 집의 측면 테라스가 나왔고, 집의 정면은 개울을 향해 나 있었다. 수잔이 문을 열고 안으로 들어갔다. 휴가 따라 들어가자 창문에 불이 켜졌다.

이브는 거실이 일부 보이는 한 창문으로 안을 들여다봤다. 수잔이 코트와 모자를 벗고 있었다. 그녀는 모자를 테이블로 던지고는 휴를 향해 돌아섰다. 휴가 그녀의 두 손을 잡고 뭔가를 말했다. 수치심과 불쾌감이 밀려들어서 이브는 시선을 돌렸다. 그녀가 다시 봤을 때 수잔은 거실 블라인드를 내리고 있었고 아버지의 손전등은 밝은 원을 그리며 언덕 위로 사라지고 있었다. 이브는 조심스럽게 발걸음을 옮겨 라일락 덤불을 돌아서 갔다. 아버지가 어둠 속으로 사라지자 그녀는 자리를 잡고 앉아서 기다렸다. 그 작은 집은 썩 잘 지어진 집이 아니어서 방들이 모두 한 층에 있었다. 그래서 창문 옆에서 귀를 기울이면 무슨 말이든 들을 수 있을 것이 확실했다.

그녀는 불침번이 길어질 것에 대비하고 있었지만 기다린다는 것이 얼마나 지루한지는 전혀 알지 못했다. 처음에는 몹시 추웠다. 그다음에는 시간이 흘러도 아무 일도 일어나지 않았고, 의심스러운 마음이 그녀를 괴롭히기 시작했다. 수잔이 공동묘지에서 폴로 코트를 입은 그 남자와 얘기를 한 것은 사실이고 그와 만난 일을 숨기려고 한 것도 사실이었지만, 그 만남은 범죄와는 무관한 것이며 그가 샬럿이 죽던 날 밤 집 밖에서 서성거리던 남자였다는 걸 수잔이 몰랐다고 한다면? 그 남자는 그 후 일어난 여러 가지 일들, 즉 잠기지 않은 가게 창문, 각테일에 탄 모르핀 등과 전혀 무관할지도 몰랐다. 그녀는 고개를 흔들었다. 아니었다. 그날 밤 헨더슨 스퀘어 계단 발치에서 서성이던 그 남자의 유죄 가능성을 공동묘지의 그 장면이 있기 전까지 그녀가 암암리에 믿지 않았던 것과 마찬가지로 이제 그녀는 그의 무고함을 믿을 수가 없었다.

침묵과 어둠, 마른 나뭇잎들 위에 눈송이 쌓이는 소리, 그리고 콸콸거리는 물소리가 들렸다. 그녀는 시계도 없었고, 시간이 얼마나 흘렀는지 정확한 개념도 없었다.

그녀는 자신이 들었던 몇 마디 말을 몇 번이고 분석하고 또 했다. "놀랐어요? 내가 관심이 있을 거라는 건 분명 알았을 텐데요." 무엇에 관심이 있다는 걸까? 살해당한 여인의 장례식에서? "우리는 얘기를 좀 해야 할 거요, 친구."

그의 말투에는 친밀감과 일종의 은근한 위협이 있었다. 마치 그와 수잔은 많은 말을 하지 않아도 서로를 이해한다는 듯이. 이브는 갑자기 수잔에 관해 자기가 아는 것이 거의 없다는, 사실상 아무것도 없다는 사실이 떠올랐다. 그녀가 어떤 사촌과 함께 오랫동안 외국에서 살았고 여행을 많이 했다는 것 그리고 전쟁이 발발하자 18개월 전에 미국으로 돌아왔다는 것밖에는 아는 것이 없었다. "내가 전화하죠." 폴로 코트를 입은 그 남자가 말했었다. 이브는 그의 전화 소리를 듣지 못했다. 그러나 수잔은 그와 단둘이 만나기 위해 여기 자기 집으로 내려온 것이 분명했다.

추위 속에서 그런 생각을 떠올리고 있자니 고통과 환멸이 스며들었다. 그녀는 수잔을 무척 좋아했었다. 지금까지 알고 지낸 그 어떤 여자보다 그녀를 좋아했고 자신과 수잔이 친하다고 생각했었다. '그래, 다시 생각해 봐야 해.' 그녀는 되뇌었다.

'뭐지?' 심장이 쿵쾅거렸다. 그녀는 똑바로 일어섰다. 어둠 속에서 그녀 가까운 곳 어딘가에서 천이 사각거리는 소리, 혹은 발소리, 혹은 나뭇가지를 스치는 코트 소리일지도 모르는 소리가 들렸다. 그녀는 뚫어져라 어둠 속을 응시했다. 차라리 끈으로 묶인 두꺼운 자루 속에 있는 게 더 나을 지경이었다. 그녀의 왼편 작은 집 안 여기저기서 가늘게 새어 나오는 불빛을 제외하면 온통 암흑천지였다. 그녀는 고개를 좌우로 돌리며 귀를 기울였다. 진눈깨비가 가늘게 내리고 물이 흘러갔다. 다른 것은 아무것도 없었다. 그러나 그녀의 신경은 떨렸고 그녀는 처음으로 물리적 두려움을 느꼈다. 그녀는 어둠 속에서 여기 바깥에 혼자 있는 것이고 아무도 그녀가 어디 있는지 몰랐다. 돌아서서 비탈길 위로, 불빛과 사람들이 있는 하얀 저택으로 달려가고 싶은 충동이 그녀를 거의 압도해 왔다. 짐이 거기 있을 것이다. 그리고 나탈리와 제럴드도. '바보같이 굴지 마.' 그녀는 잔뜩 굳은 채 속으로 격렬하게 말했다.

그녀는 개울에서 십여 미터 거리에 쭉 펼쳐진 잔디 위에 있었고 그녀의 정면에는 개울이 있었다. 다리가 그녀 앞에, 바로 밑에 있었다. 그녀가 아까 건너왔던 길에서 누군가 다리를 향해 오고 있었다. 출입문의 경첩이 삐걱거리더니 작은 원형의 불빛이 회색 판자 위에 떨어졌다. 남자였다. 그는 부드럽게 휘파람을 불고 있었다. 낙타 털 코트를 입은 남자였다. 옅은 천이 불빛 뒤에서 일렁거렸다. 수잔의 방문객이 도착한 것이다.

그의 손전등이 시험하듯 다리를 휙 휩쓸더니 다시 춤을 추었다. 그는 오리나무 덤불 사이로 나와서 걸음을 옮겨 나무판자 위에 섰다. 갑자기 동작이 멎었다. 휘파람도 멎었다. 이브는 넋을 잃고 바라보고 있었다. 신기한 일이 일어났다. 그가 들고 있던 손전등 역시 동작을 멈추고 가만히 있었다. 그러더니 손전등이 넓은 호를 그리며 공중으로 날아올랐다가 꺼졌다. 바로 그 순간, 아니 어쩌면 그보다 1초 빠르게, 이번에는 아주 또렷하고 확실한 소리가 들려왔다. 둔탁한 **타격음**이었다. 골프공을 200미터 거리 페어웨이로 날려 보낼 때 나는 것과 똑같은 깔끔한 타격 소리였다. 그러나 그건 아니었다.

이브의 갈비뼈 아래가 무게에 짓눌렸다. 그녀는 숨을 쉬려고 했지만 그럴 수가 없었다. 다른 소리들이 들렸기 때문이었다. 폴로 코트를 입은 그 남자가 다리에서 물속에 늘어선 울퉁불퉁한 검은 바위들 위로 떨어진 것이었다. 그가 땅에 닿는 소리가 들렸다. 나지막한 신음이 들렸다. 그러고는 아무 소리도 나지 않았다. 그리고 그다음으로 발소리가 들렸다.

누군가 이브를 향해 비탈길을 달려오고 있었다. 다리에서 그녀가 서 있던 지점을 향해 곧장 달려오는 것이었다. 공포가 이브의 근육을, 그녀의 목을 막았다. 막혔던 목이 풀리면서 그녀는 비명을 지르려고 입을 열었다. 비명은 나오지 못했다. 강한 일격에 비명이 막혔고 이브는 고꾸라지며 쓰러졌다. 그 순간 그 밤과 어둠, 공포도 까맣게 사라져 갔다.

16

이브는 의식을 완전히 잃지는 않았지만 강타당해 쓰러지면서 기절했고 정신이 온전히 다시 돌아왔을 때는 3-4분이 지나 있었다. 그녀는 자기가 어둠 속에서 땅바닥에 옆으로 뻗어 있다는 것을 깨달았다. 추웠다. 무릎과 손바닥은 불타고 있었고 머리가 울리면서 아프고 무거웠다. 얼떨결에 손전등을 발견한 그녀는 비틀거리며 일어섰다.

그 직후에 무슨 일이 있었는지에 대한 그녀의 기억은 언제나 흐릿했다. 누군가 그녀를 친 다음 도망쳤다. 그 사람이 누군지 알아내야 하며 이것은 중요한 일이라는 혼란스러운 느낌이 들었었다. 그리고 폴로 코트를 입은 그 남자가 있었다. 그는 다쳤을 게 거의 확실했다. 그리고 그녀에게는 도움이 필요했다. "수잔 아주머니!" 그녀가 날카롭게 소리를 질렀다. "수잔 아주머니!" 그리고 손전등을 켜고 직접 잔디밭을 가로질러 가서 다리 위로 나왔다. 그녀는 손전등을 들고 밑의 어둠을 보며 몸을 떨면서 흐느꼈지만 부질없었다. 폴로 코트를 입은 그 남자는 물과 거품 속에 엎드려 누워 있었다. 그의 팔은 머리 위로 널브러져 있었다. 한쪽 팔에는 피가 있었다. 그는 움직이지 않았다.

"무슨 일이야… 누구… 어디야?" 피어슨 반장이 이브의 비명을 들었다. 그는 언덕에서 번개처럼 달려 내려와 다리 위 그녀 옆에 있었다. 그는 이브가 보고 있던 곳을 봤다. "맙소사." 그의 입이 떡 벌어졌다. 그리고 그는 적시에 몸을 휙 돌렸다. 이브가 술에 취한 것처럼 휘청거리고 있었다. 그녀의 손전등이 다리 아래 도 랑에 있던 다른 손전등 옆으로 떨어졌고, 그녀는 조용히, 죽은 듯 이 그에게로 쓰러졌다.

"우리 둘 다 골로 가지 않은 게 행운이었죠. 정말 아슬아슬했어 요. 한순간 전 우리 둘 다 죽었다고 생각했답니다." 피어슨은 분 해하면서 자기가 겪은 시련에 격분했다. 그는 그 기억이 떠오르는 지 이마를 문지르며 경감을 쳐다봤다.

두 남자는 레드 폭스 로드 끝에 있는 플라벨의 저택 널찍한 홀 의 불 켜진 전등 아래 있었다. 8시가 좀 지난 시간이었다. 위층에 있는 방으로 실려 간 이브는 침대에 누워 있었다. 현지 의사가 그 녀 옆에 있었다. 다른 사람들은 문을 닫은 채 거실에 있었다. 다 리 아래 바위투성이 수로에 떨어진 사람은 수잔 드 상쥐 남편의 사촌인 에드거 벤틀리였다. 벤틀리는 죽지 않았다. 하지만 머리 에 부상을 입었고 다리는 골절되고 팔꿈치가 부서졌으며 갈비뼈 세 개에 금이 갔다. 내상 가능성도 있었고 뇌진탕이 있었다. 구급 차가 출동해서 그를 노워크 병원으로 이송했다. 그를 검사한 외 과 의사가 막 전화를 한 참이었다. 그는 뇌진탕이 얼마나 심한지, 벤틀리의 회복 가능성이 어느 정도인지 아직은 말할 단계가 아 니라고 했다. 그의 상태를 파악하는 데는 시간이 걸릴 것이었다.

맥키는 한 시간 전에 이스트포트에 도착했다. 그는 주머니 에 양손을 넣은 채 어슬렁어슬렁 마루 위를 돌아다니고 있었 다. 그가 대답하지 않자 피어슨이 방어적으로 계속 말을 이어갔다. "그건 **제** 잘못이 아니었습니다. 제가 이 사람들 모두를 어떻게 다 감시해야 했겠습니까? 그게, 그러려면, 군대가, 정규군이 필요할 거…."

경감은 고개를 끄덕였다. "괜찮네, 반장. 자네 탓이 아니야. 책임이 있다면 그건 드와이어지. 그는 다음 주 초에 브루스 커닝엄을 기소하려고 할 거야. 벤틀리가 이 동네에 있다는 걸 알자마자 내가 여기로 왔어야 했는데 말이야. 하지만 그러지 못했지. 우리의 존경할 만한 지방 검사님이 내게서 자세한 설명을, 그것도 구두로 들어야 했는데, 그게 최소한 세 시간이나 걸렸거든. 플라벨 양이 기절한 후 정확히 무슨 일이 있었지?"

"음, 모두 달려왔어요. 드 상쥐 부인이 제일 먼저였죠. 그녀는 여기 이 집으로 달려왔고 금세 그들이 다 모였어요."

"그들은 이브 플라벨을 보고 놀란 것 같았나?"

"놀란 정도가 아니죠. 그들은 말문이 막힐 정도로 아연실색했어요. 특히 그 덩치 큰 친구, 짐 홀랜드와 나탈리 플라벨이 그랬죠. 그녀는 계속 '하지만 이브 언니는 **뉴욕**으로 돌아가고 있었는걸요'라고 하면서 양손을 비벼댔어요. 반쯤 미친 것 같았어요. 홀랜드도 난리가 났죠. 그들과 좀 더 얘기해 보시겠어요?"

"아직은 아니야." 맥키가 말했다. "아마도 이브 플라벨을 보고 난 다음에." 그가 돌아섰다.

뉴볼드 박사가 계단을 내려오고 있었다. 뉴볼드는 부스스 헝클어진 은발에 안경을 쓴 중년의 마른 남자였다. 그는 플라벨 가족과 아는 사이였고, 그들이 이스트포트에서 여름을 날 때 그들의 주치의 노릇을 했다. 이전에는 그의 아버지가 했던 일이었다. 그는 이브가 나아졌다고 말했다. 그녀는 눈이 약간 부어서 보지 못하지만, 별문제는 없으므로 며칠 지나면 괜찮아질 것이었다. 이브가 기본적으로 고통스러워하는 것은 충격 때문이었다. "그녀는 당신을 보지 못해 안절부절못하고 있습니다, 경감님. 제가 모시고 간다고 했답니다."

피어슨은 거실 문 앞에 남아 있고 맥키와 의사는 계단을 올라갔다. 이브는 침대에 있지 않았다. 그녀는 레몬색 벽과 중국풍 장식 벽걸이가 있는 그늘진 큰 방의 넓은 창문 앞 긴 의자에 있었다. 창문에는 프랑스식 화사한 커튼이 드리워져 있고 전등이 켜져 있었다. 베개가 이브의 머리와 어깨를 받치고 있었다. 이브는 방문객들이 들어오자 그들을 향해 고개를 돌리면서 살짝 움찔했다. 뉴볼드 박사는 "살살 해요. 너무 많이 움직이지 말아요, 이브"라고 말하고는 경감에게 말했다. "필요 이상으로 그녀를 힘들게 하지 마세요. 제가 이따가 진정제를 줄 겁니다." 그는 나갔다.

나탈리와 알리시아가 이브의 옷을 하얀 실크 잠옷과 하얀 가운으로 갈아입혀 놓았다. 파란 새틴 이불이 그녀의 무릎을 덮고 있었다. 그녀는 붕대를 감은 양손을 몸 앞쪽에 느슨하게 모았다. 창백한 한쪽 뺨에는 바닥에 부딪히면서 생긴 찰과상이 있었다. 그녀는 이스트포트에 도착한 순간부터 낙타 털 코트를 입은 남자가 언덕 밑 다리에서 떨어질 때까지 일어났던 모든 일을 그에게 조용히 이야기했다. 거기 있지 않은 깊은 거울 속을 들여다보고 있는 듯했다.

맥키는 한 손을 눈 위에 대어 빛을 가리면서 열심히 귀를 기울였다. 이브가 마지막으로 말했다. "전 저 자신을 절대 용서 못 할 거예요, 절대로. 누군가에게, 그 형사에게 그 사람에 관해서, 그 사람이 수잔을 만나러 여기 온다고 말했어야 했어요." 그녀는 몸을 떨고 있었다.

"맞습니다." 맥키가 자리에서 일어나 방 안을 돌아다니기 시작하며 동의했다. "그게 더 나았을지도 모르죠. 반대로 보면, 당신이 그 개울가에 있었기 때문에 아마도 벤틀리가 그때 그곳에서 죽지 않았던 걸 겁니다. 지금 상황에서는 그는 가망이 있습니다."

이브는 기분이 나아지기 시작했다. 그녀는 저 무시무시한 바위에 부딪혀 다친 그 남자에 대해서는 마음 한편으로만 안타까워했을 뿐이었다. 진짜 중요한 것은 브루스가 그를 공격한 혐의에서 벗어나 있다는 점이었다. 벤틀리가 공격당했을 때 브루스는 여관에 있었다. 그는 나중에서야 그 집에 들렀던 것이다. 그는 나탈리와 함께 잠시 그녀를 보러 왔다. 의사는 그들이 오래 있는 것도, 그녀가 그들의 질문에 대답하는 것도 허락하지 않았다. 브루스는 조롱과 쓸쓸함, 분노, 그리고 일말의 냉소적인 유머가 뒤섞인 이글이글한 눈빛으로 그녀를 오래도록 쳐다봤다. 그는 나탈리에게 유난히 다정하고 연인처럼 굴었다. '그렇게 해야겠지.' 이브는 속으로 되뇌면서 이글거리던 그 불길에서 빠져나와 정신을 차렸다. 그리고 크게 말했다. "경감님, 그럼 브루스는 무죄라는 거죠? 샬럿 이모를 죽이지 않았다는 거죠?"

경감은 가만히 서서 아름답고 매력적인 그녀의 얼굴을 내려다봤다. 그가 제일 먼저 확인했던 것이 벤틀리가 공격당한 시각 커닝엄의 행방이었다. "벤틀리가 추락한 게 사고가 아니라면요." 그가 대답했다. "잠깐만, 그래요, 그건 사고가 아닐 거예요. 그렇게 보이도록 의도된 거로 생각됩니다."

실제로, 이브의 이야기를 듣자 일어났던 많은 일이 그에게 명확해졌다. 그 작은 집은 전화가 개통되어 있지 않았다. 에드거 벤틀리는 6시 15분 전쯤에 여기 이 집으로 수잔 드 상쥐에게 전화를 했다. 그는 그녀와 말을 나누었는데, 그들 사이에 짧막하게 오갔던 그 대화의 내용을 그녀는 신경이 완전히 쇠약해진 멍한 얼굴로 다시 말했다. "에드거는 저를 만나고 싶다고 했어요. 저는 알겠다고 했죠. 그가 말하기를, 어떤 사람이 정문을 감시하고 있다는 거예요. 그래서 저는 그에게 개울 건너 다리로 오라고 했어요."

"그는 왜 사람들 눈을 피하고 싶었던 거죠, 드 상쥐 부인?" 어깨가 으쓱 올라갔다 내려왔다. "에드거는… 구린 인간이었어요."

"그가 온다는 시간을 말했습니까?"

"네. 그때가 6시 15분 전이었는데요. 그는 45분 안에 올 거라고 했어요."

"당신을 만나고 싶은 이유를 말했나요? 아니면 당신은 미리 알고 있었나요?"

"전… 몰랐어요."

벤틀리는 시간 맞추어 왔다. 누군가 흉기, 골프채, 또는 긴 파이프, 아니면 몽둥이 비슷한 것으로 무장한 채 다리 입구를 가린 나무 덤불에 은신하며 그를 기다리고 있었다. 그의 윤곽은 손전등에 비쳐서 훌륭한 표적이 되었다. 문제는 습격이 **어떻게** 이루어졌는지가 아니라 누가, 왜 습격했냐는 것이었다.

'왜'가 좀 더 쉬웠다. 벤틀리는 샬럿이 살해되던 날 밤에 플라벨의 집 바깥에 있었고, 모르핀 약상자가 테이블 밑바닥에 떨궈

졌을 때도 52번가의 그 레스토랑에 있었으니, 자신을 위험에 빠뜨릴 뭔가를 목격했던 것이 분명했다. 그러나 그의 행동에는 그 이상의 것이 있었다. 맥키는 이브에게 샬럿이 사망한 날 아침, 그러니까 수요일 아침에 벤틀리가 헨더슨 스퀘어 남쪽에 있는 호텔에 투숙했다고 말했다. "그는 그날 오후에 공원에 있었어요. 그 집을 지켜보고 있었고, 또 드 상쥐 부인도 지켜보고 있었죠."

이브의 양손이 파란 새틴 이불의 접힌 부분을 꽉 움켜쥐었다. 그리고 그녀는 눈을 감았다. "그럼 경감님은 범인이… 수잔 아주머니였다고 생각하세요?

"전 모릅니다, 정말이에요. 이게… 있군요." 경감이 엄지손톱으로 의자 옆 작은 탁자 위에 놓인 전화기 끝을 튕기자 팅하고 작은 소리가 났다. "드 상쥐 부인은 아래층 서재에서 벤틀리의 전화를 받았습니다. 하지만 이 집에는 세 개의 내선이 있죠. 여기 플라벨 양의 침실에 하나, 당신 아버지 방에 하나, 그리고 복도 끝에 하나, 이렇게 말입니다. 벤틀리가 드 상쥐 부인에게 한 전화를 들을 수 있었던 사람은 얼마든지 있습니다."

시계가 똑딱거리고 벽난로 불이 타닥거렸다. 밖에는 눈이 내렸다. 이브는 미동도 하지 않고 누워 있었다. '브루스의 목숨, 아니면 아버지의, 혹은 나탈리의, 제럴드의, 아니면 짐의 목숨이 달린 일이야.' 그녀는 절망적으로 생각했다. '브루스일 리는 없어. 나탈리나 제럴드, 혹은 아버지일 리도 없지.' 당연히 아니었다. 그들은 그 남자를 건드리지 않았다. 그러나 다른 사람들, 짐이나 수잔, 아니면 알리시아가 관련돼 있다는 생각도 터무니없기는 마찬가지였다. "그 남자가 당했을 때 그들이 모두 어디 있었는지 알아내 주실 수 없나요?" 그녀가 낮은 목소리로 말했다.

맥키의 미소가 옅어졌다. "이곳은 큰 저택입니다. 벤틀리는 6시 반쯤에 습격당했어요. 여기 있는 사람들, 당신의 아버지와 이복 여동생, 오빠, 그의 아내와 홀랜드 씨는 7시로 예정된 저녁 식사를 기다리며 자신들의 방에 있었습니다. 드 상쥐 부인은, 그녀의 말로는, 언덕 밑 자기 집에 있었고요."

이브의 얼굴이 멍해졌다. "수잔 아주머니와 얘기해 보셨나요, 경감님?"

"네, 아, 그럼요."

"뭐라고 하던가요? 벤틀리 씨를 안다는 사실을 왜 제게 숨기려고 했을까요? 공동묘지에서 왜 그런 척했던 거죠?"

맥키는 즉시 대답하지는 않았다. 그의 눈에 자신을 쳐다보던 수잔 드 상쥐의 얼굴이 보였다. 그녀의 초롱초롱한 눈빛은 기묘하게도 빛을 잃었고 크림색 피부는 파랗게 보일 정도로 새하얬다. 그녀는 입술에 힘을 주고 말했었다. "에드거는 아무것도, 아무것도 몰라요. 그냥 엄포였을 뿐이에요. 그는 압박을 가하려고 한 거예요. … 그는 기지를 발휘해서 살아가고 있는데 이 일로 돈을 벌수 있을지 모른다고 생각했어요. 아, 그는 교활하고 영악해요. … 전 그를 건드리지 않았어요. 전 집에서 나가지 않았어요. 이브의 비명을 들었을 때 전 거기서 그를 기다리고 있었어요. 전 에드거에게 그만둬야 한다고, 나와 플라벨 가족을 염탐하는 짓을 그만둬야 한다고 말할 생각이었어요."

그랬을 수도, 아닐 수도 있었다. 맥키는 낮은 의자에 앉았다. 그는 새틴 이불의 접힌 부분을 집어 아무 생각 없이 손가락으로 끌어당겼다. "명백한 모순을 아시겠나요, 플라벨 양? 에드거 벤틀리는 누군가에게 위험한 인물이었기에 습격당한 게 분명한데 그 위험은 당신의 이모가 살해된 날 밤 헨더슨 스퀘어의 집 바깥에 그가 있었다는 것과 그다음 날 밤에 모르핀 캡슐 상자가 버려진 시더스 레스토랑에 있었다는 사실 때문인 걸로 보입니다. 하지만, 이게 중요한 점인데요, 만약 드 상쥐 부인의 말이 사실이고 벤틀리 씨가 이익을 좇았다면 그는 왜 샬럿 포이가 죽기 **전에** 드 상쥐 부인과 헨더슨 스퀘어의 집을 지켜보고 있었던 것일까요? 우리는 모르는 게 무척 많습니다. 우리가 아는 한 가지 중요한 일은 당신의 이모 샬럿이 당신의 이복 여동생 나탈리에게 위협이 되는 중요한 정보를 알고 있었다는 겁니다. 그녀가 나탈리의 변호사 스펜서 고램에게 전화로 그렇게 말했어요. 그날 오후 그녀는 그에게 '당신을 만나야 해요. 말씀드릴 게 있습니다. … 이건 너무 끔찍해요'라고 말했고 그 변호사가 그 일이 나탈리에게 영향을 미치는 것이냐고 묻자 '그래요'라고 대답했습니다. 그리고 겁이 난다고 덧붙여 말했어요."

그는 의자 뒤쪽으로 깊숙이 앉아서 담배에 불을 붙였다. '그래, 그녀가 두려워한 건 온당했던 거야.' 그는 생각했다. 샬럿이 알고 있거나 알게 된 것이 무엇이건 그 증거는 그녀가 보스턴으로 가져가려고 했던 그 여행 가방 속 작은 나무 상자에 있었다. 상자의 내용물은 그녀가 사망한 후 치워졌다. 그 안에 무엇이 들어 있었는지 알아낼 수 있다면…. 그는 이브에게 샬럿이 죽기 전날 은행에서 그 작은 나무 상자를 찾아갔다고 설명했다. "혹시 그걸 보신 적이 있나요, 플라벨 양?"

이브의 눈이 갑자기 밝아졌고, 그녀가 고개를 끄덕였다. "네. 아주 잘 기억하고 있어요. 샬럿 이모가 처음으로, 그리고 유일하게 제 뺨을 때린 게 바로 그 작은 상자 때문이었으니까요. 아주 오래전 일이에요." 그녀는 생각에 잠긴 목소리로 말했다. "그때 저는 대여섯 살 정도였을 거예요. 저는 항상 그 상자만 보면 마음이 홀렸어요. 그건 여기 이 집 샬럿 이모의 책상에 있었고요. 어느 날 저는 그 상자를 열어 보려고 했죠. 그런데 샬럿 이모가 그걸 손에 들고 있는 저를 발견하고는 세차게 따귀를 때렸어요. 지금도 이모의 그 얼굴이 떠올라요. 얼마나 불같이 화를 내고 있었는지…" 그녀가 불안한 표정으로 맥키를 쳐다봤다. "이게 조금이라도 도움이 되나요, 경감님?"

"그 말은 당시에도 그 상자의 내용물이 그녀에게 중요했다는 뜻이군요." 맥키가 천천히 말했다. 18년, 혹은 19년 전인 그때 휴 플라벨은 다시 홀아비가 되었고 수잔 드 상쥐는 과부가 되었다. 나탈리의 어머니와 수잔의 남편은 같은 해 두 달 사이에 연이어 사망했던 것이다. 그들의 유령이 희미하게 어른거렸다. 경감은 그들에 대해 곰곰이 생각하며 여러 가능성을 손꼽아 봤다. 예를 들어, 순전히 가정일 뿐이지만, 휴의 두 번째 아내인 버지니아의 죽음에 뭔가 잘못된 것이 있었다고 해보자. 논의를 풀어가기 위해, 그녀가 제거된 것이라고 가정하면? 자, 그렇다면 어떨까? 그렇다면 플라벨이 아내의 재산을 상속받게 되리라는 추정이 가능하고 그 경우 그는 부자가 되어 자유롭게 다시 결혼할 것이었다. 일은 그런 식으로 풀리지는 않았다. 그러나 그런 것은 플라벨이나 수잔이 미리 알 일은 아니었다. 만약 뭔가 잘못되었다는 것을 샬럿이 알았다면 그녀는 아이들을 위해 입을 다물고 수잔 드 상쥐에게 물러나라고 경고하는 것으로 만족했을지도 몰랐다. 수잔이 남편의 사망 직후 이스트포트를 떠난 것은 분명했고, 20여 년간 플라벨 일가에게는 아무 일도 일어나지 않았다는 것도, 그런 다음 수잔 드 상쥐가 다시 나타난 것도 분명했다. 그 후 얼마 지나지 않아 샬럿은 세상을 하직한 것이었다.

'그 두 죽음에 대해 좀 더 알아봐야 해.' 맥키는 그렇게 마음먹은 뒤 이브에게로 다시 관심을 돌렸다. 그는 그녀를 어둠 속 개울 위쪽 경사면으로, 그리고 그녀에게 달려왔던 발소리로 이끌었지만 도움이 될 만한 것은 얻지 못했다. 발소리는 그저 발소리였을 뿐이었고 그 뒤 그녀는 일격을 당했던 것이다.

맥키는 우울하게 고개를 끄덕였다. "야구로 치면 범인은 공이 들어오기 전에 홈 플레이트를 통과하려고 했던 거죠. 위급해지기 전에요. 당신이 방해가 된 거고요." 그는 이브의 모자와 코트가 놓인 테이블로 갔다. 그리고 그녀의 작은 삼각 모자를 집어 들어 집게손가락으로 빙빙 돌렸다. 부드러운 검정 펠트 천에 풀잎들이 달라붙어 모자는 엉망이 되어 있었다. "당신은 어쩌면 머리에 치명적인 중상을 입을 수도 있었는데 이 모자 덕을 봤어요. 하지만…" 그는 모자를 조심스럽게 내려놓고 다시 의자로 돌아가서 이브의 아름다운 눈을 뚫어져라 응시했다. 크고 검은 그 눈에 긴장감이 어려 있었다. "그런 행운은 다시는 없을지도 모릅니다. 아니, 없을 겁니다. 자, 아가씨, 만일 뭔가를 발견하면, ― 게다가 당신은 보고 들을 수 있는 내부에 있으니까 그럴 가능성이 아주 크죠. ― 그러면 내게 알려줘요. 내가 처리할 수 있게 말이죠. 약속하겠어요?"

이브는 깍지 낀 자기 손을 바라봤다. 내부에는 아버지와 제럴드, 그리고 짐이 함께 있었다. 그러나 브루스가 위험에 처해 있었다. 무슨 일이 있어도 그의 결백을 입증해야만 했다. 앞으로 일어날지도 모를 일을 생각하니 숨이 막혔지만, 그녀는 떨리는 입술을 악물면서 고개를 끄덕였다.

그때 피어슨이 문을 두드렸고, 맥키는 이브를 남겨두고 나갔다.

새로운 소식이 있었다.

넓고 우아한 홀의 계단 발치에 서서 경감은 스페인산 가죽으로 만든 남성용 밤색 수제화 한 켤레를 쳐다봤다. 새것이나 다름없는 신발이었다. 가죽이 물에 젖어 있었다. 그 신발은 다리에서 3미터 떨어진 개울물 속에서 발견되었다. 신발은 오래전부터 거기 있었던 것이 아니었다. 신발의 주인은 제럴드 플라벨이었다.

17

"이모는 제가 죽인 게 아니에요, 경감님. 전 아니에요. 당신이 틀렸다고요." 제럴드 플라벨은 손수건으로 얼굴을 닦고는 카펫 위를 또다시 빠르게 왔다 갔다 했다. 그는 칼라 속으로 손을 넣어 목을 닦고는 무거운 것을 털어내듯 머리를 흔들었다. 그의 눈은 차가웠고 잔뜩 경계하고 있었다.

"하지만 그 신발이 당신 거라는 건 인정하고 있죠." 맥키가 말했다. "좋아요, 그 신발을 왜 버렸는지, 정확히 무슨 일이 있었는지 말해봐요."

두 남자는 홀의 뒤쪽 조찬실에 있었다. 휴 플라벨과 알리시아, 수잔 드 상쥐, 나탈리, 그리고 짐 홀랜드는 여전히 거실에 있었는데, 거실 문 앞에는 피어슨이 떡하니 서 있었다. 알리시아는 제럴드가 불려갔을 때 살짝 헉하는 소리를 냈지만 그게 다였다.

"말씀드릴게요." 약해 보이는 의자에 털썩 몸을 던지며 제럴드가 말했다. 그의 동작에 의자가 반항하듯 삐걱거리는 소리를 냈다. "제가 이걸 털어놓게 되어 기쁠 거라는 걸 아무도 모릅니다. 끔찍한 일이었어요. 전 절대로 그 일을 잊지 못할 것 같습니다. 이모가 어둠과 추위 속 아무도 돌보지 않는 곳에 누워 있는 걸 생각하면 저는 잠을 잘 수가 없었어요." 그는 격하게 몸을 떨며 신음을 삼켰다. "하지만 제게는 걱정해야 할 다른 사람들이 있었어요. 알리시아와 아들 말입니다." 그는 숨을 길게 들이마시고는 세 번째 담뱃불을 붙였다. 그리고 나름대로 일관성 있게 말하기 시작했다.

문제는 샬럿이 11월 말에 버몬트에서 돌아왔을 때 시작됐다고 그는 말했다. 그는 10월 중순에 베닝턴 외곽의 농장에서 샬럿을 보고는 놀랐던 바가 있어서 그만큼 많이 놀라지는 않았다. 그때 그와 알리시아, 나탈리와 휴는 퀘벡에서 돌아오는 길이었는데 나탈리가 샬럿을 보고 싶어 해서 들른 것이었다. 샬럿은 그들을 전혀 반가워하지 않는 것 같았다. 말도 거의 하지 않았고 무서운 모습이었다. 그는 그 이유를 병 때문이라고 생각했었다. 그녀는 거의 1년가량 몸이 좋지 않았다. 그러나 그녀는 신체적인 것만이 아니라 정신적으로도 변해 있었다. 그녀는 롱아일랜드에 있는 그의 집을 담보로 그에게 1만 달러를 대출해 준 상태였다. 괜찮은 투자였다. 그는 이자를 정기적으로 내고 있었기에 그녀가 전화를 걸어 올 거라고는 전혀 예상하지 못했다. 그런데 그녀는 그렇게 했다. 뉴욕으로 돌아온 지 이틀 만에 그를 불러서 1만 달러를 현금으로 즉시 돌려달라고 했던 것이다.

"이모는 사업이라는 게 뭔지 몰랐어요. 저는 그 돈을 마련하는 건 불가능하다고, 돈을 구하러 다니면 제 신용이 나빠질 것이고, 잘 된다 해도 대출을 새로 받는 데는 시간이 걸릴 거라고 애써 설명했어요. 하지만 이모는 제 말을 듣지 않으려고 했어요. 12월 1일까지 시간을 줄 테니 그때까지 제가 그 돈을 내놓지 않으면 그 빌어먹을 대단하신 코리 집안의 변호사인 고램에게 압류 절차를 시작하게 할 거라고 했어요. 그날 오후 우리 모두 그 집에 있을 때 이모가 다음 날 보스턴으로 갈 거라고 하기 전까지 저는 이모의 말이 진심일 거라고는 정말 믿지 않았거든요. 그 말에 제가 경악했다는 걸 기탄없이 말씀드릴게요. 저는 집으로 갔습니다. 술을 엄청나게 마시고는 소파에서 잠이 들었죠.

깨어나 보니 홀랜드는 가고 없었고 알리시아는 개를 데리고 나갔더군요. 저는 그때 마지막으로 샬럿 이모를 설득해 보려고 마음먹었습니다. 제가 아들을 생각해 달라고 호소하면, 공개적으로 압류가 진행되면 저는 거의 파멸이라고 말씀드리면 마음을 바꾸실지도 모른다고 생각했어요. 그래서 헨더슨 스퀘어 반대편에 있는 집으로 출발했습니다."

"몇 시였더라…?" 제럴드는 넥타이를 비틀었다. "7시 반쯤이었던 것 같은데 확실하지는 않습니다. 바깥에는 안개가 자욱했고 제 머리도 뿌옇기는 마찬가지였어요. 그래서 저는 차에 치일 일이 없는 공원을 통해서 갔습니다. 아파트 맞은편에 동문이 있거든요. 저는 제 열쇠로 그 문을 열고 걸어갔습니다. 손전등을 가지고 갔죠. 분수를 지나쳐서 북문 근처 톡 튀어나온 곳을 돌고 있을 때 여자 핸드백이 땅에 떨어져 있는 게 보였어요. 주워 들었죠. 샬럿 이모의 것이었어요. 저는 주위를 둘러봤고… 그랬더니 이모가 보였어요."

그는 잠시 말을 멈추고 양손으로 얼굴을 가렸다.

"계속하세요."

제럴드는 눈을 가린 채 나지막한 목소리로 말했다. "이모가 거기, 나무 덤불 사이 바닥에 누워 있었어요. 처음에는 이모가 돌아가셨다는 걸 몰랐어요. 그러다가 알아차렸죠. 그리고 전…." 그는 완전히 무너졌다.

맥키가 그 공백을 메웠다. "당신은 풀잎에다 신발을 닦고 공원을 나와서 길을 건너 플라벨 씨의 집으로 갔죠. 그리고 안으로 들어갔고요. 현관 안 복도 계단 발치에서 당신은 미끄러졌고 그래서 신발에서 완전히 제거하지 못했던 피가 카펫에 묻은 겁니다. 뭐 때문에 미끄러진 겁니까, 플라벨 씨?"

"깜짝 놀라서요. 위층 복도에서 누군가 움직이는 소리가 들렸거든요."

"누구였습니까?" 제럴드는 알지 못했다. 경감은 알고 있었다. 그 집에 있던 사람은 요리사와 휴 플라벨 둘뿐이었는데 요리사는 아니었으니…. 그건 잠시 내버려두고 그는 나머지 이야기를 차례차례 끌어냈다. 샬럿 포이는 자신이 애지중지했던 조카, 그래서 여러 가지로 망가뜨린 조카에게 몇 년에 걸쳐 돈을 빌려줬다. 큰 금액은 아니고 지금 100달러, 또 200달러, 그런 식이었는데 제럴드는 그 돈들에 대해 차용증을 써 줬다. 그는 그 차용증을 되찾고 싶었다. 그녀의 열쇠들은 항상 두는 곳인 서랍장 맨 위 칸 손수건 더미 아래 있었다. 그 차용증들은 책상에 없었다. 그는 여행 가방을 열었다. 고무줄로 묶어 놓은 차용증들이 거기 있었다. 그는 그것들을 가지고 나와서 없애 버렸다.

"당신은 또," 맥키가 기분 좋게 말했다. "9천 달러의 전쟁 채권도 가져갔죠. 이모의 죽음을 둘러싼 소동이 가라앉고 나면 나중에 현금화할 생각으로 말입니다. 당신은 수혜자였어요. 여동생인 이브가 당황스러운 질문을 하지는 않을 거라는 걸 당신은 알았던 거죠."

제럴드는 침울해졌다. "샬럿 이모는 이브를 좋아하지 않았어요. 그건 제게 주실 생각이었습니다."

　"그 채권은 어디 있었습니까?"

　"갈색 봉투에 차용증과 함께 있었습니다."

　"상자 속에 있지 않고요?"

　"어디… 아, 나무로 만든 샬럿 이모의 그 물건요. 아닙니다."

　"그 속의 내용물은 어떻게 했습니까?"

　"아무 짓도요. 저는 거기엔 손도 대지 않았습니다."

　맥키는 눈썹을 찡그린 채 제럴드를 가만히 쳐다봤다. 그가 진실을 말하는 것일 수도 있고 거짓말을 하는 것일 수도 있었다. 그 작은 나무 상자에 든 것이 무엇이든 그것은 어마어마한 중요성이 있었다. 모든 사건에는 거품을 불어 날리면 거기에 작은 핵처럼 중요한 사실, 진정한 정수, 중요한 원리, 살인을 일으킨 핵심적인 본질이 있었다. 이번 사건에서 그것은 그 작은 나무 상자의 사라진 내용물이었다. 상자에는 휴 플라벨의 지문이, 오직 휴의 지문만이 있었다. 맥키는 그와 관련하여 이미 그를 추궁한 바 있었다. 플라벨은 영리한 사람이었다. 그는 상자를 만진 사실을 부인하지 않았다. 하지만 열지는 않았다고 했다. "샬럿의 그 작은 나무 상자는 장인의 솜씨로 빚은 멋진 작품이었어요. 화요일 밤에 샬럿의 방에서 그녀와 이야기를 나누면서 그런 얘기를 했던 것 같아요. 그걸 제가 집어 들었을 수는 있지만 잠겨 있어서 열지 않은 건 확실합니다." 휴의 말은 그랬다. 만일 제럴드가 말한 게 사실이라면, 휴 플라벨은 분명 거짓말을 했던 것이다. 그가 처음 했던 진술에 따르면 샬럿이 살해되던 날 밤 플라벨은 6시 무렵 3층 자기 서재로 올라가서 10시 반에 바로 옆 침실로 자러 갈 때까지 거기 머물렀다. 그런데도 제럴드는 8시 20분 전쯤, 틀림없이 나탈리가 집에서 나가자마자 2층 복도에서 아버지의 소리를 들었다는 것이다.

나무 상자를 언급했을 때 휴 플라벨에게는 두려움이, 단단히 통제하고 있는 두려움이 느껴졌다. 이제 제럴드 플라벨에게서 두려움이 느껴지는 것이었다. 제럴드는 터놓고 고백하니 안도가 되고 마음이 한결 가볍다고 했지만 썩 그런 것 같지는 않았다. 그것은 터놓은 고백이 아니었다. 분명히 그가 말하지 않고 있는 것이 있었다. 그는 이브가 샬럿의 방문을 두드렸을 때 그 침실에 있었다. 또, 그는 모르핀이 주입된 칵테일을 만든 사람이기도 했다. 52번가 레스토랑에서 캡슐을 없애버린 사람이 그일 수도 있었다. 그날 밤 일찍이 벤틀리의 머리를 깨부순 사람이 그일 수도 있었다. 그는 방어적이고 경계하며 두려워했다. 그런데 그의 이야기에는 허점이 없었다. 맥키는 그에게 그 이야기를 앞뒤로 여섯 번이나 다시 하게 했다가 그를 보내주며 경고했다.

"플라벨 씨, 근처에 계십시오. 조 뷰캐넌이 브루스 커닝엄의 혐의를 완전히 벗겨준다면 우리는 당신과 더 자세히 얘기해야 할지도 모릅니다."

제럴드는 그에게로 휙 몸을 돌렸다. "뷰캐넌이 어떻게 브루스에게 도움을 줄 수가 있다는 겁니까?"

맥키가 조용히 말했다. "소극적으로는, 그가 지난 수요일 밤에 외출했다고 말한다면 브루스를 위해 많은 걸 할 수 있죠. 그럴 경우, 그 아파트가 비어 있는 상태에서 누군가 당신의 여동생 나탈리가 잃어버린 열쇠를 사용해서 살인에 쓰인 그 엽총을 다시 가져다 놓을 수 있었을 테니까요. 적극적으로는, 그가 아파트를 방문한 사람의 이름을 말한다면 똑같은 일을 할 수 있는 셈이죠. 그러면 열쇠가 없어도 그 총을 되돌려 놓을 수 있으니까요."

제럴드 플라벨의 잘생긴 회색 눈에 뭔가가 일어났다. 처음에는 빠르게 눈에서 빛이 번쩍이더니 그 후에는 지나치게 천진난만하고 지나치게 안정된 상태가 되었던 것이다. 하지만 그는 침착함을 유지했다. "저는 뷰캐넌이 브루스의 혐의를 벗겨주기를 바랍니다. 전 샬럿 이모를 죽이지 않았어요. 브루스도 아니라고 확신합니다." 맥키는 그 말에 아무 대꾸도 하지 않았다. 그는 조사가, 일시적으로는, 끝났다고 알렸다.

제럴드는 문 앞에서 머뭇거리다가 한 가지 청을 했다. 그는 자기가 공원에서 샬럿의 시신을 우연히 본 것, 그리고 그 집에 들어갔던 것이나 전쟁 채권에 관해서 알리시아는 전혀 모른다고 이미 말한 바 있었다. "아내에게 말씀하셔야 하나요, 경감님? 다른 사람들, 아버지와 나탈리도 알아야 하나요? 그러니까 오늘 밤에요? 제가 조심스럽게 그 일을 알릴 수 있다면, 그들이 심하게 기분 상하지는 않을 텐데…."

수사에 영향을 미치지 않는다면 플라벨과 그의 아내, 혹은 그의 가족 사이의 관계는 맥키의 관심사가 아니었다. "당신의 진술을 확인해 봐야겠죠. 하지만 꼭 오늘 밤이어야 하는 건 아닙니다." 그는 무심하게 말하고는 그 젊은 투자 사업가가 은혜에 감복하며 자기가 받은 일시적 침묵의 혜택에 비해 넘치는 감사와 만족을 표하는 것을 지켜봤다. 제럴드는 활력을 거의 완전히 되찾은 모습으로 계단을 올라가고 있었다. 놀라운 회복력이었다. 경감은 시선을 돌렸다.

사무실에서 그를 찾는 전화가 왔다. 그는 긴 현관 복도 끝에 있는 전화기로 가서 교환원의 번호를 눌렀다. 뉴욕을 떠나기 전에 그는 그 작은 나무 상자에 휴 플라벨의 지문이 있다는 보고를 받자마자 럼볼트 형사를 헨더슨 스퀘어의 집으로 보내 하녀들과 얘기를 해보라고 했었다. 럼볼트가 온 것이었다. 그의 탐문은 부분적인 성과를 거두었다. 위층에 있던 글로리아 폭스가 그 상자 속의 내용물을 얼핏 본 적이 있다는 것으로서, 그 이상은 아니었다. 샬럿의 비밀스러움, 그녀가 그 상자를 다루는 조심성에 그 하녀는 호기심이 발동했다. 화요일 저녁에 식구들이 저녁을 먹는 동안 그녀는 샬럿의 침실로 가서 서랍장 속 손수건 밑에서 열쇠를 꺼내 여행 가방과 그 상자를 열어봤다. 보석이나 돈, 아니면 적어도 금 조각이라도 있을 거로 기대했다는 게 그녀의 말이었다. 그녀는 훔칠 생각은 아니었고 그냥 보고 싶었다는 것이다. 보고 나서 그녀는 실망했다. 상자 속에 있던 것이라곤 흰색 휴지로 싸인 납작한 포장물이 전부였다. 별로 크지 않은 것이었다. 그녀는 조심조심 흔적이 남지 않도록 하면서 주름 사이 틈을 들여다봤다. 노란색 천이 하나 있고 분홍색 구슬이 엮인 줄이 있었다.

'노란색… 천과 분홍색 구슬 줄이라, 산호인가… 토르말린인가?' 맥키는 수화기를 본체에 내려놓고 반질반질하게 닦인 넓은 마룻바닥을 멍하니 바라봤다. 그가 귀를 바싹 기울였던, 그토록 애타게 기다리던 그 소식은 아무 소득이 없었으나… 그 수수께끼 같고 헤아릴 길 없이 드러난 물건 뒤에는 핵심이, 살인으로 분출된 폭력과 범죄라는 어두운 수수께끼의 핵심이 있는 것이었다. 샬럿은 분명 그 상자와 내용물을 보스턴으로 가져가지는 않았다. 그것들은 점점 더 가까워지고 있었지만 아직은 닿을 수 없는 거리에 있었다. 그는 생각에 잠긴 상태에서 벗어나 가만히 몸을 일으켰다. 제럴드 플라벨이 계단을 내려오고 있었다. 맥키는 피어슨에게 잠시 말을 건네고는 제럴드에게 가서 그와 함께 거실로 들어갔다.

짐 홀랜드는 전등 아래 구석 자리 큰 의자에 앉아서 책을 읽고 있었다. 나탈리는 핼쑥하고 날카로운 얼굴에 휑하게 큰 눈으로 벽난로 근처 2인용 소파에 알리시아와 함께 앉아 있었다. 수잔 드 상쥐와 휴 플라벨은 두 번째 벽난로 앞 소파의 양쪽 끝에 앉아 있었다.

문이 열리자 그들은 모두 걱정스러운 표정으로 재빨리 고개를 들었다. 알리시아가 벌떡 일어났다. 그녀는 맥키를 보고 그런 다음 자기 남편을 봤다. 제럴드의 태도를 보고 그녀는 안심했다. 그녀는 손수건으로 입술을 섬세하게 가다듬었다. 잘 손질된 한쪽 손의 탐욕스러운 손가락에 다이아몬드가 번쩍였다. 제럴드의 채권자들이 그를 '늑대처럼' 쫓아다니게 된 이유 중 하나는 어쩌면 그 보석이었을 수도 있었다. 알리시아가 밝은 목소리로 말했다. "아, 여보, 살아 있었네요. 우리 중 누가 다음으로 고문 의자에 앉을 차례죠?"

아무도 그녀의 가벼움, 그녀의 미소에 화답하지 않았다. 휴 플라벨이 소파에서 일어나고 있었다. 뻣뻣한 움직임이었다. 오십 대 초반이 아니라 관절염을 앓는 예순 살로 보였다. 그는 맥키를 향해 몇 걸음 다가갔다. 그의 목소리는 퉁명스러웠다.

"네, 플라벨 씨?"

"설명을 듣고 싶군요."

맥키는 입장이 뒤바뀐 것 같아 기분이 묘했다. 휴 플라벨은 샬럿이 살해된 날 밤 헨더슨 공원에 있는 집 3층의 서재에 계속 머물렀다고 내내 거짓말을 해왔다. 그리고 그 작은 나무 상자에 대해서도 그저 만지기만 했을 뿐이라고 했었다. "무슨 설명 말씀이신가요, 플라벨 씨?"

"제 딸 이브가 기차로 뉴욕에 가는 대신 벤틀리가 다리에서 떨어진 그 개울 옆에서 무엇을 하고 있었는지 말입니다."

정신을 가다듬고 있던 수잔 드 상쥐가 끼어들었다. "제 생각엔," 그녀는 차분히 말했다. "가엾은 그 아이는 저를 의심한 것 같아요. 어떤 면에서는 그 애가 옳았죠. 전 에드거가 부끄러워요. 제가 묘지에서 가족의 무덤을 보려고 가는데 그가 나타났어요. 이브는 우리가 얘기하는 소리를 들었던 거고요. 전 그런 줄 몰랐어요. 알았더라면 제가 그 애에게 에드거가 누군지 설명해줬을 거예요. 그랬다면 이브는 수요일 밤에 헨더슨 스퀘어의 집 밖에서 부딪쳤던 남자가 그였다고 제게 말했을 것이고, 우리는 함께 경찰에 갈 수 있었을 텐데 말이에요."

아주 번지르르한 말이지만 전혀 사실이 아니었다. 앞서 수잔 드 상쥐가 보였던 동요하는 태도가 그 설명을 부정하고 있었던 것이다.

그녀는 방에 있던 사람들 전체를 대상으로 말을 했다. 답을 한 사람은 휴 플라벨이었다. 그는 그녀를 향해 고개를 돌렸다. "이브가 당신을 의심했다고요, 수잔? 이런, 그 애는 바보예요, 바보…." 그가 말했다. 그는 잔뜩 화가 났다. 그는 수잔 드 상쥐와 사랑에 빠져 있었다. 알리시아와 제럴드는 전혀 그렇지 않았다. 수잔에게 머문 알리시아의 눈빛은 얼음처럼 적대적이었고, 말을 하는 그녀의 어조는 뭔가를 암시하고 있었다. "벤틀리 씨가 회복되면 그의 설명을 듣는 게 좋을 것 같군요. 그가 왜 우리에게 관심을 가지는지 말이에요. 그쪽에 전화해 볼까요?"

이 말은 에드거 벤틀리의 상태를 떠보는 것일 수 있었다. 그가 구급차에 실려 갔을 때 이 사람들은 그가 죽어가는 것으로 알고 있었다. 맥키는 이미 피어슨과 함께 한 가지 작은 실험을 준비해 둔 바 있었다. 그가 가볍게 웃자 반장이 노크를 하고 문을 열었다.

"노워크 병원에서 전화가 왔습니다, 경감님." 그가 말하며 어찌해야 할지 잘 모르겠다는 듯 주위를 둘러봤다. "제가 말씀드려도…?"

"그래, 계속하게."

"벤틀리 씨는 의식이 있고 말을 할 수 있습니다."

수잔 드 상쥐는 피어슨을 응시하고 있었다. 그녀의 내면에서 그녀를 지탱하던 어떤 것이 쓰러지고 있는 듯했다. 그녀는 미동도 없었지만 무표정한 얼굴과 꽉 움켜쥔 양손은 그녀가 무너지고 있다는 것을 드러냈다. 맥키가 돌연 시선을 다른 곳으로 돌렸다.

휴 플라벨이 다시 발작을 일으켰던 것이다. 그도 역시 피어슨을 응시하던 중이었다. 그러다가 그는 일말의 사전 경고도 없이 느린 동작으로 곡선을 그리며 앞으로 쓰러지고 있었다. 그의 얼굴은 청색증에 걸린 듯 부어 있었고 눈은 반쯤 감겨 있었다.

"아빠." 나탈리가 비명을 지르며 펄쩍 뛰어 일어나 그에게 달려갔다. 제럴드와 짐 홀랜드도 뛰어올랐다. 그들은 쓰러지던 남자가 바닥에 닿기 전에 그를 붙잡았다.

"벤틀리가 강타당했을 때 브루스 커닝엄이 마을에 있는 그의 객실에 있었던 게 **확실**합니까?" 뉴욕 지방 검찰청의 검사는 느린 걸음으로 이스트포트 여관의 낡고 큰 객실 바닥을 계속 왔다 갔다 했다.

레드 폭스 로드에 있는 플라벨의 저택 어두운 정원에서 범죄가 발생한 다음 날 아침 10시, 맥키의 주장으로 뉴욕에서 아침 기차를 타고 온 드와이어에게 그가 전날 밤의 사건에 관해 막 이야기를 끝마친 참이었다.

경감은 참을성 있게 말했다. "잠깐만요, 검사님. 이 사건에 두 명의 살인자가 있다고 생각하시는 건 아니시죠? 아니시라고요? 좋습니다. 그렇다면 우리는 샬럿 포이를 죽이고 이브 플라벨을 독살하려고 했던 사람이 벤틀리를 공격해서 저 다리 밑 바위들 위로 떨어지게 한 사람이라는 데는 의견이 일치된 겁니다."

드와이어는 마지못한 듯 침울하게 고개를 끄덕였다. "맞는 말 같군요, 경감."

"당연히 그렇죠." 맥키가 대답했다. "저는 벤틀리가 쓰러졌을 때 커닝엄이 그 다리에서 몇 킬로미터도 넘게 떨어진 거리에 있었다는 걸 경찰의 명예를 걸고 장담할 수 있습니다. 우리가 사람을 둬서 그를 감시하게 했는데 그는 여기 복도 끝 그의 객실에 있었습니다. 커닝엄은 벤틀리를 공격하지 않았어요. 이브에게 독을 먹이지도 않았죠. 그런 고로 커닝엄은 샬럿 포이를 죽이지 않았습니다."

드와이어는 변덕스럽고 짜증 난 손으로 옅은 금발 머리를 헝클었다. 자신의 사건 해결이 허를 찔렸기에 그는 당황하여 어찌할 바를 몰랐다. 그는 날카롭게 맥키에게 고개를 돌렸다. "이 얘기를 뉴욕에서 할 수는 없었나요? 굳이 나를 여기까지 오게 해야 했소?"

맥키는 담배 연기를 길게 내뿜었다. "뷰캐넌의 소재를 파악했기에 검사님이 직접 그와 얘기하시고 싶을 것 같아서 오시라고 한 겁니다."

드와이어가 갑자기 동작을 멈췄다. "아. 그래요? 알겠소….." 청자처럼 푸른 그의 눈이 다시 환해졌다. "그러면 좋겠군요, 맥키 경감." 그가 활력을 찾으며 말했다. "그걸로 될 거요. 이 사건은 이제 해결될 거요. 커닝엄이 무죄라면 누군가 그의 총을 가져가서 그걸로 포이를 쏘고는 지난 수요일 밤 그녀가 죽은 뒤에 엘든 플레이스 아파트에 다시 가져다 놓았겠죠. 뷰캐넌은 저녁 내내 거기 있었어요. 그 사람이 누군지 그는 알 거고…. 그는 언제 여기 오죠?"

"더치스 카운티에 있는 숙모의 농장에서 지금 차를 타고 오는 중입니다." 맥키가 드와이어에게 말했다. "벌써 30분 전에 도착했어야 하는 건데 도로 사정이 좋지 않아서요." 지방 검사는 다시 열의로 무장했다. 경감은 이브에게 공식적으로 몇 가지 질문을 더 하고 싶었기 때문에 시간을 절약하기 위해 드와이어가 뷰캐넌을 기다리도록 남겨놓고는 마을 건너편 레드 폭스 로드에 있는 저택으로 차를 몰고 갔다.

두 개의 벽난로가 있는 큰 거실은 깨질 듯 청량한 겨울 햇살로 밝게 빛났고 나탈리가 이웃 온실에서 주문한 꽃다발의 향기가 진동했다. 이브와 나탈리, 브루스 커닝엄이 거기 있었다. 브루스와 나탈리는 한 벽난로 앞에서 얘기를 나누고 있었고 이브는 노란색 부드러운 가운을 입고 무릎 위에 담요를 덮은 채 조금 떨어진 소파에서 신문을 읽고 있었다. 세 사람은 모두 경감을 흔쾌히 맞이했다.

이브가 그에게 미소 지으며 기분이 훨씬 나아졌다고 말하자 나탈리와 커닝엄이 소파 쪽으로 다가왔다. 나탈리는 행복해 보였다. 그녀는 세련되게 단장한 모습을 되찾았다. 멋지게 재단된 코트와 스커트를 입은 그녀의 머리와 눈, 피부는 빛이 났다. 그녀는 커닝엄의 소매를 가볍게 두드리며 간절하게 말했다. "브루스는 이제 다시 감옥에 가지 않아도 되는 거죠, 경감님? 벤틀리 씨가 말을 할 수 있게 되면 곧바로 누가 자신을 쳤는지 말할 테고, 그러면…." 그녀는 파란색 큰 꽃병에 담긴 주황색 국화 한 송이를 살짝 눌렀다. 그녀의 밝은 얼굴에 그늘이 살짝 스쳐 갔지만 그녀는 침착하게 말했다. "샬럿 이모를 죽인 사람이 누군지 알게 되겠죠."

"저는 기다리기가 힘드네요. 벤틀리가 의식을 잃지 않기를 바라고 있습니다." 커닝엄이 건조하게 말했다.

맥키는 빨간색 작은 가죽 수첩을 꺼내 사소한 세부 사항을 정리하기 시작했다. 그의 잉크가 떨어졌다. "혹시…?"

"저기 있어요." 나탈리가 말했고, 그는 긴 거실 맨 끝에 있는 책상으로 가서 만년필에 잉크를 채웠다. 간호사가 문으로 고개를 내밀었다. 휴 플라벨이 나탈리를 보고 싶어 한다는 것이었다. 그녀는 거실에서 나가 위층으로 올라갔다.

맥키가 잉크통을 다시 덮고 있을 때 거실 남쪽 끝에 있는 문이

다시 열렸다. 알리시아 플라벨이 입구에 서 있었다. 그녀는 그를 보지 못했다. 그녀는 잠자리가 불편했던 모양이었다. 달걀형 얼굴이 부어 있었다. 그녀의 눈은 이브와 커닝엄에게 고정되어 있었다. 커닝엄은 양손을 주머니에 넣은 채 소파 옆에 서 있었다. 두 사람 다 돌아봤다. 세 사람 사이에 묘한 긴장감이 감돌았다. 거실에는 시계 똑딱거리는 소리만 들릴 뿐 정적이 흘렀다. 그러자 알리시아가 말하기 시작했다.

"당신들은 또다시 그러고 있군요?" 그녀가 독기 어린 낮은 목소리로 말했다. "나탈리가 보이지 않는 순간, 시작이에요. 당신들은 나탈리를 속이는 건 성공했지만 나를 속이지는 못했어요. 샬럿 이모님도 마찬가지였죠. 그날 오후에, 그러니까 돌아가시던 날 오후에 샬럿 이모님은 당신들을 봤어요. 식당에 계셨는데 문을 열고 당신들 두 사람이 벽난로 앞에서 속삭이는 걸 봤다고요."

이브가 갑자기 소파에서 자세를 바로 하고 앉았다. 담요가 바닥으로 떨어졌다. 일어서면서 그녀는 약간 휘청거렸다. 그녀는 충격과 공포가 가득한 눈빛으로 알리시아를 마주 봤다. '새언니를 제지해야 해.' 그녀는 생각했다. '그녀가 나탈리의 인생을 이렇게 망가뜨릴 수는 없어. 모든 걸 한 방에 부숴버릴 수는 없다고.'

브루스가 말하기 시작했다. 그는 알리시아의 눈을 가만히 응시하며 천천히 말했다. "정신이 나가셨나요?"

알리시아는 그에게 한 걸음 더 다가섰다. 그녀의 눈은 불타고 있었다. "아뇨, 내 정신은 말짱해요." 그녀가 격렬하게 말했다. "제럴드가 경찰 조사를 받았어요. 난 당신들이 한 짓이 이 모든 일의 원인이라고 생각해요. 샬럿 이모님은 브루스 커닝엄 중위 당신에게 이모님이 당신을 어떻게 생각하는지 말할 작정이셨죠. 그런 다음 보스턴의 스펜서 고램에게 가서 그 사람에게 모든 것을 다 까발리려고 했고요. 그러면 당신과 나탈리의 결혼은 중단될 수도 있었어요."

이해관계와 감정이 서로 충돌하며 소용돌이치는 가운데 그들이 보지 못하고 알아차리지 못하는 뒤쪽에서 경감은 창문으로 시선을 돌려 누런 들판을 내다봤다. 그는 알리시아의 말을 믿고 싶지 않았지만, 그녀가 옳다는 것을 알았고 자신이 처음부터 진실을 알았어야 했다는 것도 알았다. 그 진실은 어젯밤 이브가 브루스 커닝엄에 대해 말하며 얼굴을 들었을 때, 새로운 희망을 담은 사랑스러운 눈을 크게 떴을 때 그녀에게 있었던 것이다.

그날 엘든 플레이스의 자기 방에 있던 브루스 커닝엄에게도 그 진실은 있었다. 맥키의 시선은 버섯 모양의 지붕이 얹힌 낡고 작은 집을 향해 있었지만, 그는 그것을 보고 있지 않았다. 모든 것이, 빌어먹을 정도로, 앞뒤가 맞았다. 나탈리는 자신이 죽을 경우 전 재산을 브루스 커닝엄에게 남긴다는 유언장을 썼다. 중위가 양손에 떡을 쥐기로 계획하고 있었다고 치자. 그가 마음먹을 가능성은 나탈리와 결혼한 다음 나중에….

맥키는 똑바로 섰다. 가느다란 눈꺼풀 사이에서 그의 눈이 반짝이기 시작했다. 돌연히 그는 자신의 추론이 완벽히, 전적으로 틀렸다는 것을 깨달았다. 브루스 커닝엄이 이브 플라벨을 사랑한다면, 치사량의 모르핀을 그녀에게 투여한 사람은 절대 그가 아닐 것이다. 그것은 이율배반이었다. 결론은 충분히 예상할 수 있는 것이었다. 커닝엄은 .351 윈체스터가 발견되기를 원했던 사람에 의해 선택된 것이다. 나탈리에게 무슨 일이 생기면 커닝엄이 상속자가 될 테지만, 범죄로 유죄 선고를 받은 사람은 상속의 수혜자가 될 수 없었기 때문이다. 그가 전기의자에 앉게 되면 특히 더 그랬다. 이 모든 것은 살인에 사용된 엽총을 **누군가** 샬럿이 살해되기 전에 엘든 플레이스에서 빼냈다가 수요일 밤에 그녀가 사망한 후 되돌려 놓았음을 뜻했다.

경감은 홱 돌아섰다. 문이 닫히더니 알리시아는 가고 없었다. 그녀는 그의 존재를 너무 늦게 알아차린 것이었다. 달아나는 것만이 그녀가 할 수 있는 유일한 일이었다. 어떤 겁쟁이가 샬럿 포이를 죽였는데 알리시아는 겁쟁이였다. 브루스 커닝엄과 이브는 모두 맥키를 말없이 응시하고 있었다. 맥키가 말을 시작하려다가 멈췄다. 바깥 복도에서 발소리와 목소리가 들렸던 것이다. 문이 홱 열리더니 지방 검사 드와이어가 쿵쿵거리며 들어왔다.

그는 문턱을 넘어 딱 멈춰 섰다. 30분 전에 여관에서 그는 잔뜩 풀이 죽어 있었다. 이제 그는 의기양양했다. 그의 얼굴은 분홍색 달이 되어 있었고 둥근 눈은 파랬다. 그는 맥키를 힐끗 쳐다보고는 그에게서 시선을 돌려 커닝엄을 봤다.

"중위," 그가 말했다. "우리가 원하면 언제든지 뉴욕으로 돌아오겠다고 했죠?"

커닝엄의 눈썹이 치켜올라 갔다. "물론입니다."

"좋소." 드와이어는 표정이 활짝 피어나더니 딱 부러지게 말했다. "당신은 **이제** 가는 거요." 그는 경감에게로 홱 돌아섰다. "뷰캐넌이 저기 여관에 있소. 그가 이야기를 해줬어요, 아주 많은 이야기를. 그가 한 말은 이런 거요. 샬럿 포이를 죽인 커닝엄의 .351

엽총은 그녀가 죽던 날 밤 7시 30분이 조금 지난 시간에 엘든 플레이스의 거실에 있었고, 자기가 그 총을 보고 만지기도 했다는 거요. 그리고 그날 밤 그 아파트에는 방문객이라고는 없었고 **저녁 내내 그는 거실에 계속 있었다고 말이오**. 샬럿 포이를 저승으로 보내고 나서 그 총을 되돌려 놓을 수 있었던 사람은 지구상에 단 한 사람, 커닝엄밖에 없어요."

그는 몸을 돌려 공군 조종사를 향했다. "당신을 첫 기차로 뉴욕으로 데리고 돌아갈 거요, 중위. 이번에는 보석으로 나오지 못할 겁니다. 커닝엄, 당신을 용의자가 아니라 지난 수요일 밤 샬럿 포이를 치밀하고 계획적으로, 냉혹하게 살해한 살인자로 체포하겠소."

문 앞에서, 드와이어의 건장한 몸 너머로 옅은 금빛이 번쩍였다. 나탈리의 머리였다. 그녀는 드와이어의 장황한 연설이 이어지는 와중에 아래층으로 내려온 것이었다. 그녀의 머리가 위로 올라갔다가 내려갔다. 고개가 축 늘어지더니, 그녀는 숨 가쁜 비명을 지르며 풀썩 주저앉았다.

18

캐리 국장이 역정을 냈다. "맥키, 자네가 내게 브루스 커닝엄이 아닌 다른 사람이 어떻게 포이 여인을 죽인 총을 쏠 수 있었는지 보여줄 수 있으면, 자네가 원하는 대로 다 도와주겠네. 브루스 커닝엄이, 다른 누구도 아닌 커닝엄만이 샬럿 포이가 총에 맞은 수요일 밤 7시에서 8시 사이에 그 .351 총을 소지할 수 있었어. 맞지?"

"네."

일요일 밤 9시였다. 그날 정오에 드와이어는 커닝엄 중위와 함께 뉴욕으로 돌아와서 그를 수감하고 48시간 이내에 정식 기소가 이루어지기를 기다리고 있었다. 경감은 센터 스트리트의 긴 회색 건물 2층에 있는 국장의 넓은 사무실 카펫 위를 왔다 갔다 한 바퀴 돌았다.

"어떻게 커닝엄이 결백할 수가 있냐고?" 캐리가 다그쳤다.

"모르겠습니다." 경감이 무심하게 중얼거렸다. 그는 다른 일들을 생각하고 있었다. "제가 알고 싶은 건 샬럿 포이가 나탈리의 변호사에게 보여주기 위해 보스턴으로 가져가려 했던 그 작은 나무 상자의 내용물입니다."

"제기랄! 노란색 천 조각과 분홍색 구슬 장신구잖아. 무슨 옛날 기념품인 거지."

"그렇다면 왜 없애버렸을까요? 왜 사라졌을까요? 왜 그 물건들의 흔적을 어디서도 찾을 수가 없는 거죠? 그리고 벤틀리는요?"

국장은 벤틀리는 제쳐 버렸다. "드와이어는 지금 그 친구가 어쩌면 사고로 다리에서 떨어진 건지도 모른다고, 아니면 그 이브 플라벨이 커닝엄의 혐의를 벗겨주려고 시도하면서 뭔가 속임수를 썼을지도 모른다고 생각하네. 그래, 이번만은 자네가 궤도를 벗어난 거야. 커닝엄은 빼도 박도 못하게 유죄라고."

그는 맥키에게 사건을 미결 상태로 두고 그가 계속 조사하도록 해주는 것은 오직 그의 길고 화려한 경력 때문이라는 점을 분명히 했다. 그에게 허용된 기회는 한정적이었다. 그는 두 명의 부하와 며칠의 시간을 확보할 수 있었다.

"감사합니다." 맥키는 모자를 집어 들고 건조하게 말하고는 사무실에서 나와서 커츠 경사를 찾으러 갔다. 그러나 그 탄도국 책임자는 디트로이트에 있었다. "언제 돌아오실지 저희는 모릅니다, 경감님. 어쩌면 일주일 내일 수도 있고…."

한 방 맞은 것이었다. 맥키에게는 경사가 필요했다. 그는 전신국에다 커츠와 연락하고 싶다고, 급한 일이라고 말한 다음 브루스 커닝엄을 만나러 갔다. 한편으로는 자신의 믿음을 재확인하고, 또 한편으로는 .351 총의 이력을 좀 더 알아보기 위해서였다.

두 남자의 면담은 짧게 끝났고 결론에 이르지 못했다. 새로 중요한 증거를 밝혀내지도 못했다. 그 면담이 미치게 될 광범위한 영향을 두 남자는 모두 전혀 짐작할 수 없었다.

밖에는 차가운 하늘에 별들이 반짝이고 있었고 담벼락 안에는 어두운 밤이 이어지고 있었다. 수감동 앞 좁고 긴 공간 맨 끝에 있는 노출 전구의 불빛으로는 밝힐 수 없는 어두움이었다. 열쇠가 삐걱거리고 커닝엄의 감방문이 철커덕 열리자 큰 키의 공군 조종사가 몸을 똑바로 세우고 긴 다리를 뻗을 수 있어 기쁘다는 듯 성큼성큼 그늘 속에서 걸어 나왔다. 맥키는 철창으로 막힌 창문 아래 소나무 테이블 옆에서 그를 기다리고 있었다.

깎아지른 듯 군살 없는 중위의 얼굴은 지쳐 있었으나 그의 눈빛은 곧고 흔들림이 없었다. 사건의 여러 변곡점에도 그의 사기는 꺾이지 않았고 심지어 흠집조차 나지 않았다. 그는 맥키가 알리시아의 비난을 엿들었다는 것을 알고 있었다. 그는 그녀를 욕하는 것 외에는 그 상황을 논하지 않았다. "귀여운 악녀예요, 안 그래요?" 그가 근육질의 갈색 손바닥으로 테이블을 치자 손목에 달린 인식표가 가느다란 쟁그랑 소리를 내며 정적을 깼다.

맥키는 아무런 언급도 하지 않았다. 그것은 기본적으로 그의 일이 아니었던 것이다. 브루스 커닝엄이 자매 중 한 명과 약혼한 후 다른 한 명과 사랑에 빠진 것은 그들 모두에게는 유감스러운 일이었지만, 그것은 이전에 벌어진 일이고 그들 스스로 해결해야 할 사적인 문제였다. 그의 유일한 관심사는 그것이 샬럿 포이의 살인에 영향을 미쳤냐는 것뿐이었다.

그는 커닝엄에게 질문했다. 그 공군 조종사는 이스트포트의 공동묘지에서 수잔 드 상쥐와 벤틀리 사이에 오간 대화를 일부 엿들었으며 자신이 마을로 벤틀리의 뒤를 따라가다가 그를 놓쳤다고 했다.

엽총에 대해서 그는 이스트포트의 어떤 친구가 캐나다 공군에 입대하면서 자신에게 준 것으로서 준 지 1년이 넘었다고 했다. 플라벨 가족은 그 총을 잘 알고 있었다. 제럴드는 개울 건너편 풀밭에 있는 사격장에서 그 총을 쏘아본 적이 있었고, 그 성능에 열광했었다. 그가 아는 한, .351 총은 그가 나가 있던 시간 내내 엘든 플레이스 아파트에 있었다는 것이다.

총에 관해서는 그 정도 선에서 끝내기로 했다. 샬럿이 죽던 날 오후 플라벨의 집에서 있었던 모임에 대한 그의 기억은 빈약했다. 그는 이브 플라벨을 사랑했지만, 자신이 실수로 약혼한 여자를 지극히 좋아했다 그녀를 생각하면 그는 비참해졌다. "지난 수요일에 저는 나탈리에게 사실대로 말하려고 결심하고 헨더슨 스퀘어의 그 집에 갔습니다." 그가 무뚝뚝하게 말했다. "그녀 자신을 위해서라도 그녀에게는 알 권리가 있습니다. 제가 그녀에게 의무감으로 뭔가를 해주는 걸 그녀는 원치 않을 겁니다. 안타깝게도…." 그의 목소리가 약간 흔들렸다. 그러더니 다시 탄탄해졌다. "이브는 그날 제가 그녀에게 말하려는 걸 막았습니다. 이브가 틀렸던 겁니다. 그녀는 샬럿 아주머니가 나탈리에게 해주고, 간섭하고, 나탈리를 아기 취급하면서 혼자 하도록 내버려두지 않았다고 스스로 비난했던, 바로 그런 일을 하고 있는 거예요. 나탈리는 상황을 받아들일 능력이 있습니다. 세상에는 수많은 남자가 있고 전 매력 없는 사람이에요. 6개월만 지나면 그녀는 다른 누군가와 약혼하고 지극히 행복해할 겁니다. 저는 이브에게 그렇게 말하려고 했지만 이브는 들으려 하지 않았어요. 듣고 싶지 않았던 건지도 모르죠. 음 이제, 저는 그때 하지 못했던 것을 지금 하고 있습니다. 저는 냇에게 편지를 썼습니다." 그는 주머니에서 봉인된 봉투를 꺼냈다.

맥키는 생각에 잠긴 채 그 봉투를 쳐다봤다. 커닝엄이 파혼하기로 결심했다면, 나탈리가 가능한 한 빨리 알아야 한다는 데 그는 동의했다. 처음에는 충격을 받겠지만 그녀는 젊고 변덕스러웠기에 곧 극복할 것이었다. 유일한 문제는 타이밍이었다. 그로서는 플라벨 가족의 안정을 유지하는 것이 최우선적인 일이었다. 조금만 소동이 일면 정서적 균형이 깨지고 지금까지 피해왔던 재앙이 야기될 수도 있었다. 이브가 독살당할 뻔하고 에드거 벤틀리가 다리에서 추락했지만, 지금까지 목숨을 잃은 사람은 샬럿뿐이었다. 그가 천천히 말했다. "이 시점에서 그 편지를 보내는 게 현명한 일인지 잘 모르겠군요, 중위."

"왜 아니죠?"

"왜냐하면 나탈리만 관련된 게 아니니까요." 맥키가 대답했다. "왜냐하면…." 그는 살얼음 위를 걷는 것처럼 조심스럽게 말을 골랐다. 그의 의식은 그 살얼음 밑에서 검은 물결이 되어 보이지 않는 목표를 향해 느리지만 끈질기게 흘러가고 있었다. "당신은 누군가 당신을 집어넣고 싶어 한 곳에 와 있고, 승산이 없는 처지예요. 상황이 안정된 만큼 더는 어떤 다른 시도가 이루어지지 않을 겁니다. 그게 언제까지냐면…."

"제가 영구 폐기 처분되었단 말입니까?" 커닝엄의 미소가 일그러졌다. "하지만 저는 경감님이 뭘 하시려는 건지 모르겠습니다. 제가 제거되어 죽는다고 칩시다. … 맙소사 —." 그는 급히 자세를 바로 하고 앉았다. 턱이 하얗게 갈라져 있었다. "그녀들이, 이브가 진짜 위험하다는 뜻은 아니겠죠?"

"안타깝게도, 이브 플라벨에 관한 한, 그럴 것 같습니다, 중위. 그녀는 이 사건의 여러 측면에 개입돼 있고 방해가 된 것도 한 번

이상이죠."

맥키의 마음속에 커닝엄의 이브를 향한 감정의 진정성, 깊이, 혹은 지속성에 대한 일말의 의심이 있었다 하더라도 그 조종사의 반응을 보고는 사라졌을 것이었다. 햇볕에 그을린 그의 피부가 시퍼레지고 밝은 눈동자는 활활 타올랐으며 발을 구르고 고개를 좌우로 비틀면서 평정심을 잃어버린 그의 감정은 그 누구도 모방할 수 없을 것이었다. 그가 앉은 의자가 쿵 소리를 내며 바닥에 쓰러졌고 교도관이 달려왔다. 맥키는 그를 다시 일으켰다. 커닝엄은 그런 사실조차 인지하지 못했다. "이브는 안 돼요, **안 돼**. 그것만 아니라면… 저는 뭐든지 감수할 수 있습니다." 그는 큰 소리로 말하고 있었다.

"앉으세요, 중위. 플라벨 양은 지금 무사합니다. 내가 사람을 보내서 그 집을 감시하고 있습니다. 당장은 위험하지 않아요."

맥키는 자신 있게 말했지만 그건 그가 느끼는 감정과는 거리가 멀었다. 그가 어떻게든 브루스 커닝엄을 안심시켰기에 공군 조종사는 정신을 되찾았고 이번에는 자기 쪽에서 질문을 던졌다.

"샬럿 아주머니는 왜 살해당한 거죠, 경감님? 제가 알고 싶은 건 그겁니다."

경감의 갈색 눈빛은 흐렸고 눈꺼풀이 내려와 있었다. "보스턴에 있는 나탈리의 변호사를 만나러 가지 못하도록 하려고 죽인 겁니다. 확실한 건 그게 전부입니다. 우리가 규명한 바는 샬럿이 고램과 나누려고 했던 내용이 무엇이건 그게 나탈리에게 위협이 된다는 겁니다. 그 위협의 증거는, 요약하자면, 그녀가 죽기 전날 은행에서 가져간 작은 나무 상자 속에 휴지로 싸여 있던 노란색 천 조각과 분홍색 구슬을 엮은 줄입니다. 그 상자의 나무에는 휴 플라벨의 지문, 오직 그의 지문만이 있습니다. 그는 그 내용물을 치우지 않았다고 합니다. 그의 부인은 그 진술이 적힌 종이만큼 의 가치도 없습니다."

"노란색 천… 그리고 분홍색 구슬 줄…." 국장과 마찬가지로 브루스 커닝엄도 시커먼 바다 위를 헤매고 있는 듯했다.

맥키는 그에게 빛이 되어 줄 수가 없었다. "그렇습니다." 그가 말했다. "그 물건들의 의미를 알 때까지 우리는 계속 표류하게 되겠죠." 담배 맛이 썼다. 그는 담배를 시멘트 바닥에 던졌다. 사실에 너무 근접한 비유여서 아무런 위안이 되지 못했다. 표류 — 정확히 그들이 하고 있는 일이 그것이었다. 안개와 암흑 속에서 방향타도, 노도 없이 표류하고 있는데 멀리서 난파가 임박했음을 알리는 경고음처럼 파도 부서지는 소리가 들려오는 상황이었던 것이다. 아직 난파되지는 않았지만 이런 상태가 얼마나 오래 지속될 것인가? 답은 간단했다. 상황이 여전히 변하지 않고 브루스 커닝엄이 희생양이 되어 있는 한 지속될 것이었다.

커닝엄은 알아들었다. "경찰에게는 범인이 있어야 하죠. 제가 선택된 거네요. 제가 범인인 한 샬럿 아주머니를 죽인 사람이 또다른 범행을 저지르지는 않겠죠?" 그가 말했다.

"일반적인 생각으로는 그렇죠." 맥키가 건조하게 말했다. 그는 의자를 뒤로 밀고 일어섰다. "그런 일은 생기지 않을 겁니다."

"어떻게 막으실 건가요?"

"52번가 레스토랑에서 모르핀 약상자를 테이블 밑에 폐기한 사람이 누군지 찾아야죠. 누군든 샬럿 포이를 제거한 사람이 이브에게 독을 주입한 겁니다."

"반드시 그들 중 한 사람인가요?"

"그렇죠."

"제 .351총에서 발사된 탄알이 샬럿 아주머니를 죽인 건가요?"

"네."

"하지만 ―." 브루스 커닝엄은 손가락으로 짧고 검은 머리카락을 어정쩡하게 쓸어 내렸다. "그 총은 수요일 저녁 7시 30분부터 계속 엘든 플레이스 아파트에 있었는데요. 뷰캐넌이 거짓말을 하는 게 아니라면요?"

"뷰캐넌의 말은 거짓말이 아닙니다."

"그럼 어떻게…."

맥키는 국장에게 했던 것과 똑같은 대답을 중위에게 했다. "잘 모르겠습니다, 지금은요. 하지만 만약 당신이 샬럿 포이를 쏘지 않았다면…."

"저는 절대로 아닙니다."

"그럼 그 사람들 중 한 명이 그런 겁니다."

경감이 할 수 있는 말은 그게 전부였다. 시간이 늦어지고 있었고 그에게는 해야 할 일이 있었다. 그는 교도관을 불렀고, 커닝엄이 감방으로 돌아가는 것을 보고는 사무실로 돌아와서 보고서가 산더미처럼 쌓인 책상으로 갔다. 커츠로부터는 아직 아무 연락이 없었다.

이스트포트의 휴 플라벨은 좀 더 회복된 상태였다. 이브도 그랬다. 나머지 사람들 모두 레드 폭스 로드의 그 집에 있었다. 적어도 표면적으로는 휴 플라벨을 배려한다는 이유에서였다. 노워크 병원에 있는 에드커 벤틀리는 몸 상태는 호전되었지만 정신은 여전히 혼미한 상태여서 당장 말을 할 수 있을 것으로 기대하기는 어려웠다.

샬럿 포이가 죽기 불과 2시간쯤 전에 수잔 드 상쥐와 대화를 나누는 동안 찢어버린 사진은 없어진 게 거의 분명했다. 맥키는 두 여자의 관계와 21년 전에 있었던 쓰디쓴 다툼에 계속 관심이 쏠렸다. 언덕 위의 큰 저택과 그 잔디밭 아래 있던 작은 집 사이의 가볍고 달콤했던 관계는 어느 날 날카롭게 끝이 나고 말았다. 제럴드와 짐 홀랜드가 그 사실을 확인해 준 바 있었다. 제럴드는 당시 겨우 여덟 살이긴 했지만 그 일을 또렷하게 기억하고 있었고 홀랜드는 열일곱 살이었다. 플라벨의 집과 그 작은 집 사이의 다툼은 이웃과 지인들에 의해서도 확인되었지만, 원인은 알려지지 않았다.

휴 플라벨의 두 번째 아내가 사망한 후 샬럿 포이가 형부인 그의 집으로 처음 돌아왔을 때 수잔은 아이들과 휴를 도우면서 계속 그녀와 함께 지냈다. 수잔이 아기를 잃고, 또 그 후 곧 남편을 잃으면서 힘든 시간을 보냈을 때 샬럿의 태도는 그저 친절하다고만 할 정도를 넘어선 것이었다. 맥키는 그 남편 루시앙 드 상쥐의 사연이 계속 머릿속에 맴돌았다. 젊은 아내에 비해 상당히 나이가 많고 술을 많이 마셨다는 것 외에는 시골 마을에서 그에 관해 아는 것은 별로 없었다. 그는 집을 비우는 날이 대부분인 남편이었다. 그러다가 그는 그리 자주 오지도 않았던 집으로 오는 길에 음주 섬망으로 쓰러지고 말았다. 그에게는 그런 증상이 습관적으로 있었던 것으로 보였다. 당시 수잔 자신도 몸이 좋지 않아서 샬럿이 드 상쥐를 간호했는데, 그것이 그의 마지막 병치레였고 다행인지 그는 회복되지 못했다.

경감이 흥미로웠던 점은 루시앙 드 상쥐가 휴 플라벨의 두 번째 아내와 함께 강 건너 공동묘지에 묻힌 직후 샬럿과 수잔 사이에 틈이 벌어졌다는 것이었다. 더 젊은 쪽 여자는 한 달도 못 되어 느닷없이 그 작은 집을 폐쇄하고 이스트포트를 떠났다. 20년이 지나서야 그녀와 플라벨 가족은 뉴욕에서, 이브를 통해 서로 재회했다. 수잔의 재등장과 함께 플라벨 가족에게는 다시 죽음이 찾아온 것이다. 갑작스럽고 폭력적으로….

우연이었을까, 아니면 더 사악한 뭔가가 있었을까? 맥키의 눈에 루시앙 드 상쥐의 마지막 몇 시간을 옆에서 지킨 샬럿 포이의 모습이, 발작이 온 남자의 웅얼거리는 소리에 귀를 기울이던 그 모습이 어슴푸레한 그림으로 보이고 있었다. 그리고 그는 자신이 바보가 되고 있다고 속으로 말했다. 드 상쥐와 버지니아 플라벨(결혼 전 성은 코리)은 이미 오래전에 먼지가 되어 버렸기에 지금으로서는 더 진행할 것이 전혀 없었다.

그것은 그의 착각이었다. 이스트포트의 경찰서에서 12시 5분에 피어슨이 그에게 전화를 했다. 30분이 채 되지 않은 조금 전에 레드 폭스 로드의 저택에서 모든 사람이 잠자리에 들었을 때 수잔 드 상쥐가 서재로 내려가서 그곳 벽장 속 옛날 앨범에서 죽은 자기 남편의 사진을 꺼내 없앴다는 것이었다.

토드헌터 형사가 창문으로 그녀를 지켜보고 있었다. 그가 미처 개입할 수 있기도 전에 그녀는 사진을 찢어서 성냥을 갖다 댔다. 그녀는 작업을 끝내지는 못했다. 형사가 들어오자 겁을 먹은 게 분명했다. 그러나 그녀의 행동과 관련된 내용은 훼손된 사진 뒤에 샬럿의 필체로 적힌 문구 속에 박제되어 있었다. "루시앙과 제럴드. 처음 잡은 송어를 들고 있는 제럴드, 1921년 3월 19일."

피어슨이 덧붙인 말로 보면 드 상쥐 부인은 누군가 자기를 지켜보고 있었다는 걸 정말 몰랐다. "그녀가 몰랐으면 좋겠군." 맥키가 말했다. 그리고 수화기를 조심스럽게 내려놓았다. 1921년 3월은 버지니아가 사망한 달이었고… 루시앙 드 상쥐가 그곳에 있었다. 수잔 드 상쥐가 지난 수요일 오후 샬럿을 찾아왔을 때 그녀가 없애버려서 한 귀퉁이만 남은 또 다른 사진 역시 그의 사진임이 틀림없었다. 두 여자가 다투는 동안 그들도 모르게 손에서 빠져나간 그 조각 위에는 두 여자의 지문이 묻어 있었다.

많은 것이 여전히 불분명했지만, 한 가지는 분명했다. 휴 플라벨이 사랑에 빠진 매력적인 과부는 경찰이 자신의 죽은 남편을 되살려내는 것을 원치 않았다. 거기에는 뭔가 사연이 있는 것이었다. '내일 그녀와 이 얘기를 해보자.' 그는 단단히 결심했다. 그러는 동안 사건의 문이 조금씩 열리고 있었다. 그가 추론을 검토하고 있을 때 또다시 전화벨이 울렸다. 디트로이트에 있는 커츠 경사였다. 커츠가 그 문을 살짝 더 밀었다.

맥키는 윈체스터 엽총이 두 장소에 동시에 있었던 문제를 탄도 전문가에게 단도직입적으로 물었다.

수화기 저편에서 커츠가 곰곰이 생각하며 말했다. "커닝엄이 그녀를 죽이지 않았다고 확신하시는 거죠? 글쎄요, 자, 경감님, 그건 상당히 어려운 문제입니다. 어디 보자…." 디트로이트의 전화 부스에서는 그가 계속 말을 했고 밝은 불빛과 침묵만이 가득하

뉴욕의 적막하고 좁은 방에서는 맥키가 그 말을 들으면서 계속 지시 사항을 받아 적었다. 하지만 그 내용을 이해하지는 못했다.

그가 수화기를 내려놓은 것은 1시 20분 전이었다. 그가 마을에 있다는 얘기를 들은 페르난데스가 들어와서 책상에 웅크리고 앉아 허공을 응시하고 있는 그를 발견한 것은 2시 25분이었다. 피곤한 그의 얼굴에서 눈이 빛나고 있었다.

그의 앞에 있는 책상 위에는 센터 스트리트에서 가져온 무기들이 일렬로 놓여 있었다. 짐 홀랜드의 육군용 콜트가 거기 있었고 이브의 작은 연발 권총, 제럴드 플라벨 소유의 남북전쟁기 나팔 총, 휴 플라벨의 유럽산 지팡이 산탄총 등 샬럿 포이가 죽은 다음 날 아침 수거해서 수사본부로 보낸 모든 총이 거기 있었다.

페르난데스가 인식표들을 읽었다. 그는 멍해져서 바라보고 있었다. "대체 뭘 **하려는** 건가?" 그가 말했다.

"아, 커츠가 내게 찾으라고 말해준 걸 찾고 있어."

"맙소사, 하지만 왜?" 페르난데스가 물었다. "샬럿 포이는 연발 권총이나 화승총, 산탄총이 아니라 브루스 커닝엄의 .351 엽총에서 발사된 탄알에 의해 살해됐잖아? 그게 아닌가?"

"맞네, 그녀는 커닝엄의 윈체스터에서 나온 탄알에 의해 살해됐어."

검시 과장이 화를 냈다. "그럼 도대체 이것들을 가지고 뭘 하고 있는 건가?"

맥키는 대답하지 않았다. 그는 계속해서 무기들을 하나씩 확대경으로 오른쪽, 왼쪽, 위, 아래로 훑어봤다. 그가 찾으라고 지시받은 것을 찾아낸 것은 12월 9일 월요일 새벽 3시 직전이었다. 그것은 갈색빛이 도는 초록색 작은 조각이었다.

맨눈으로는 거의 보이지 않는, 더할 나위 없이 약한 물체였다. 그것은 지팡이 산탄총의 발사 장치 안에 있었다.

경감은 핀셋을 사용하여 최대한 섬세하게 그것을 봉투로 옮겼다. 원자 하나도 소중했던 것이다. 5분 후에 그는 주머니에 그 봉투를 넣고서 실험실로 향했다.

19

"음, 그러니까, 맥키, 어쨌든 20년은 긴 시간이고 루시앙 드 상
쥐든 버지니아 코리든 둘 중 어느 쪽이 사망한 세부 사항에 뭔가
문제가, 어떤 속임수가 있었다면, 그리고 정황상 그게 독극물이어
야 한다면, 가망이 없을 거야. 토양 속 비소도 20년이 지난 후에
는 확실히 알기 어려울 테니까."

"그렇군." 맥키는 젖은 시멘트가 자신들 앞뒤로 쏠려 내려가는
모습을 침울하게 응시했다. 회색 비가 쏟아졌다. 두 남자는 노워
크 역을 출발하는 택시 안에 있었다. 화요일 오후 1시가 조금 지
난 시간이었다.

페르난데스는 에드거 벤틀리를 보기 위해, 그가 말을 할 수 있
도록 회복시킬 방법이 있는지 알아보기 위해 뉴욕에서 올라온 것
이었다. 검시 과장은 어떤 여자가 슈퍼마켓 앞에서 짐꾸러미와 씨
름하는 모습을 보면서 알겠다는 표정을 지었다. "좋아," 그가 수
긍했다. "논의를 위해, 뭔가 문제가 있었고 수잔 드 상쥐나 휴 플
라벨, 혹은 두 사람이 모두 연루되어 있다고 해보지. 자네는 그들
에게만 특별히 초점을 맞추고 있는 건가?"

"그럴 리가. 짐 홀랜드는 당시에 열일곱 살이었어. 무슨 일이 진
행되고 있었다면 그는 쉽게 알 수 있었을 거야."

"홀랜드라고? 아, 이브와 결혼하는 그 덩치 큰 친구. 정말이지,
그가 부럽군. 그녀는 사랑스러운 사람이야. 그 눈은…. 그런데 제

럴드와 알리시아는 어떤가?"

"집안의 비밀이란 새어 나가려고 하는 고약한 성미가 있는 법이니 샬럿 포이가 알고 있던 게 무엇이건 누군가 알아냈을 수도 있어."

"잠깐만, 맥키, 좀 확실히 이해하고 싶군. 샬럿 포이는 보스턴에 있는 나탈리의 변호사에게 어떤 더러운 일의 증거를 가져가려고 하다가 살해당했어. 하지만 그녀가 수잔 드 상쥐를 만난 건 버몬트에서 오고 난 11월 말 이후란 말이야. 그런데 그녀는 이미 10월 중순에 서부에 있던 스펜서 고램에게 연락하려고 애쓰고 있었어."

"맞아." 맥키가 말했다. "하지만 그녀는 수잔 드 상쥐가 나타나서 자신들 옆으로 돌아왔다는 얘기를 나탈리에게서 편지로 들었을 수도 있어. 아니면 10월 초에 캐나다에서 오는 길에 농장에 들른 휴나 알리시아, 혹은 제럴드 중 누군가에게서 들었을 수도 있고."

"샬럿이 알았거나 알아낸 게 무엇이든 그게 나탈리에게 위협이 되었다는 건데, 어떻게 그랬다는 거지, 맥키?"

"내 기억에 햄릿은 아버지의 유령 때문에 불쾌한 일을 겪은 것 같은데," 맥키가 건조하게 말했다. "샬럿이 말을 할 수 있었다면, 나탈리의 경우에 그건 그녀 어머니의 유령일지도 모르네. 피 묻은 손으로는 바람직한 계모가 될 수 없지. 하지만 그건 다 돌이킬 수 없는 일이네. 샬럿은 말을 하지 않았어."

"사정이 그런데," 페르난데스가 침착하게 말했다. "난 자네가 어떻게 진실에 도달할 수 있을지 모르겠네."

"그 작은 나무 상자," 맥키가 목소리를 딱딱 끊으며 말했다.

"수요일 밤에 나탈리가 브루스 커닝엄과 함께 집을 나간 후 제럴드 플라벨과 휴 외에 누가 헨더슨 스퀘어의 그 집에 있을 수 있었는지 알게 되면 누가 샬럿을 죽였는지 알게 되겠지. 그 상자의 내용물이 무엇을 의미하는지 밝혀내기 전까지는 왜 죽였는지는 모를 테지만 말이야."

"노란색 천…." 페르난데스가 뭔가를 생각하는 듯 중얼거렸다. "어쩌면 스카프일지도 모르지. 이사도라 던컨이 어떻게 죽었는지 기억하나?"

맥키는 무뚝뚝하게 고개를 끄덕였다. "그리고 다른 많은 사람이 있지. 사고가 아니라 끈 양쪽을 꽉 잡고 목을 둘러 잡아당겨서…."

"에드거 벤틀리가 뭔가를 안다는 게 자네 생각인가?"

"아, 그럼, 그렇고말고. 수잔 드 상쥐는 이른 봄에 유럽에서 돌아왔네. 샬럿이 죽기 전날인 지난 화요일에야 코네티컷에서 여기로 올라왔어. 그날, 이스트포트에 종종 오곤 하던 벤틀리가 레드 폭스 로드 초입에서 죽은 사촌 루시앙의 매력적인 과부와 마주쳤지. 두 사람은 우연히 만난 걸로 보이고 몇 분밖에 함께 있지 않았지만, 내 생각에 벤틀리는 플라벨의 부지 끄트머리에 있는 그 작은 집으로, 그리고 그다음엔 뉴욕으로 수잔 드 상쥐를 따라간 것 같네. 이유 없이 그렇게 하지는 않았겠지. 그가 그만큼 먼 거리를 갔던 데는 틀림없이 꽤 그럴싸한 이유가 있었을 거야. 뉴욕에서 그는 플라벨 가족과 수잔 드 상쥐에게 접근하기 편리한 헨더슨 스퀘어의 남쪽에 호텔 방을 잡았을 뿐만 아니라 실제로 수잔이 있는 플라벨의 집을 지켜보고 있었어. 그것도 샬럿 포이를 죽인 탄알이 발사되기 직전에 그랬다는 걸 염두에 두게."

"그게 내가 이해하지 못하는 것 한 가지네." 페르난데스가 불만스럽게 고개를 내저었다. "커닝엄이 한 짓이 아니라면, 어떻게 샬럿 포이가 커닝엄의 .351 구경 총탄에 의해 죽을 수 있었는지 말이야."

"그렇지. 그는 쏘지 않았고, 그녀는 맞았어." 맥키가 말했다. "탄알은 드와이어에게 있으니까 자네가 원하면 언제든지 볼 수 있네."

"그럼 그 .351 총이 그녀를 죽였다면 자네는 왜 어젯밤과 오늘 아침 그 지팡이 산탄총에 그토록 빌어먹을 관심을 보였던 건가?"

"커츠 때문이지." 맥키가 대답했다. "그렇다고 그가 확실히 알았다는 건 전혀 아니야. 그가 가진 건 이론이 전부지. 그는 내게 자세히 설명해 주지 않았어. 그저 뭘 찾아야 하는지를 알려줬을 뿐이네. 게다가, 풀리지 않을 것 같은 수수께끼를 그가 푸는 데 성공한다고 해도, 그 결과는 테이블 위에 엉망진창인 걸 통째로 던져 놓을 뿐이라네. 샬럿이 브루스 커닝엄이 아닌 다른 사람에 의해 어떻게 살해될 수 있었는지를 안다고 해도 누가 그녀를 죽였는지, 혹은 왜 죽였는지는 알 길이 없는 거지. 그래서 난 다른 무엇보다도 동기를 알고 싶은 거야. 에드거 벤틀리 씨가 입을 열어야 하는 이유도 그거지."

"좋아, 자네를 위해 할 수 있는 최선을 다하겠네." 페르난데스가 약속했다. "그를 검진하는 대로 바로 이스트포트 경찰서로 자네에게 전화하지."

그는 걷고 싶다고 하고는 몇 블록 떨어진 병원 언덕 밑에서 내렸고 맥키는 남은 길을 혼자서 택시를 타고 갔다.

30분 후에 그는 피어슨과 함께 키 큰 참나무들로 뒤덮인 언덕 길을 걷고 있었다. 잎이 다 떨어진 참나무의 검은 나뭇가지들 사이로 플라벨 저택의 지붕과 박공, 굴뚝이 비 내리는 잿빛 하늘 속에 음침한 모습을 드러내고 있었다. 비가 하염없이 내리고 있었다. 2시가 채 되지도 않았는데도 햇빛은 가늘게 아래로 내려와서 먼 곳들이 흐릿하게 보였다. 그들 아래로 음침한 물이 바람에 하얀 물보라를 일으키며 계속해서 높아지고 있었다. 고개를 숙인 오리들이 벤틀리가 떨어진, 금방이라도 무너질 것 같은 다리 근처에서 다섯 마리씩 무리를 이루어 밀물에 밀리며 헤엄치고 있었다.

맥키는 눈을 땅에 대고 걸으면서 피어슨의 보고에 귀를 기울였다. 새로운 것은 전혀 없었다. 때때로 그는 몸을 굽혀 낮은 관목 숲을 살피다가 다시 허리를 펴고 앞으로 나아갔다.

피어슨은 호기심 어린 표정으로 그를 계속 쳐다봤다. "뭘 찾고 계신 건가요, 경감님?"

경감은 시간을 거슬러 13세기 중세 언어로 말했다. "아무도 보지 못하는 이끼를 찾는 거라네.(No man myghte se hym for mos and leues.) 돌매화나무야, 반장. 작은 잎들이 있고 수없이 많은 흰색, 혹은 유색 꽃이 피는 포복성 덩굴 식물인데 대개는 뉴저지의 소나무 숲에서 발견되지."

피어슨은 힘겹게 짜증을 억눌렀다. 경감은 한 번씩 그렇듯이 침울한 상태였던 것이다. 그는 사건이 끝을 향해 가면 종종 이처럼 비이성적이고 약간 미친 것 같은 상태가 되곤 했다. "뉴저지에서 자라는 식물이라면, 그게 여기서 뭘 하겠어요?"

"아마도 이식됐겠지." 맥키가 말했다. "아니면 바람에 날려 왔거나. 비바람이 들이치지 않는 장소가 필요할 텐데… 아하." 그는 바람에 떨고 있는 흰 자작나무들이 반원형으로 모여 있는 곳의 끝에 멈춰 섰다. 자작나무들 가운데 땅에 그가 찾고 있던 이끼가 카펫처럼 가득 덮여 있었던 것이다.

그가 가져갔던 그 작은 조각이 돌매화나무의 줄기임을 그날 새벽 4시경에 실험실에서 확인해 준 바 있었다. 그는 회색이 도는 부드러운 초록색 카펫을 내려다봤다. 이 특별한 종류의 이끼가 이곳에 있다는 것이 뭔가를 결정적으로 증명하는 것은 아니었지만, 그것은 시사하는 바가 크고 흥미로웠다. 그는 무릎을 꿇고 커츠에게 보여주기 위해 부드러운 잎사귀 몇 다발을 모양이 흐트러지지 않게 모았다. 그 후 그는 피어슨을 그 다리에 남겨두고 드 상쥐 부인을 만나러 갔다. 그녀는 한 시간 전에 혼자서 비에 젖은 그 작은 집으로 들어갔다고 했다.

그녀는 멋진 몸매가 두드러져 보이도록 잘 만들어진 검정 원피스를 입고 그에게 문을 열어줬다. "아, 들어오세요, 경감님." 그녀는 그를 볼 것이라고는 예상하지 못했다. 그래서 겉으로는 평정심을 보였지만 그 아래에는 공포가 깔려 있었다. 그녀의 고운 손에는 먼지가 묻어 있었다. 왼쪽 집게손가락의 손톱은 부러져 있었고 멋진 다리를 감싼 값비싼 스타킹은 길게 올이 나가 있었다. 다리를 전혀 살피지 않았던 모양이었다.

스타킹의 올은 무릎에서 시작해서 밑으로 쭉 풀려 있었다.

"날씨가 지독하군요?"

"정말 괴팍해요. 기온이 영하로 떨어지면 도로가 엉망이 될 서예요.”

왼편에 있는 문이 어떤 방 쪽으로 조금 열려 있었는데, 여자의 방은 아니었다. 그 집에는 침실이 두 개밖에 없었다. 그 방은 아마도 루시앙 드 상쥐가 사망했던 방일 것이었다. 가구를 최근에 움직인 것 같았다. 때 묻은 바닥에 바퀴 자국들이 있었고 침대 발판이 벽에서 밀려나 있었던 것이다.

맥키는 죽은 남편의 사진을 전날 밤 없애버린 수잔 드 상쥐와 대면하여 그녀에게 여러 가지 질문을 할 작정으로 그 집으로 들어갔다. 그는 기습이라는 무기에 의거하여 이 여인의 침착함, 의뭉스러움, 그리고 물샐틈없는 노련함으로 세워진 난공불락 같은 요새를 돌파하고 교두보를 마련하고자 했었다. 그는 그 의도를 버렸다. 수잔 드 상쥐는 어떤 종류의 작전을 수행하는 중이었다. 당연히 그녀가 그 작전을 계속하도록 내버려두고, 그런 다음 그녀를 공략하는 것이 좋을 터였다.

그는 자신이 찾아온 것은 일상적인 절차라며, 진술서 세 장에 서명이 필요하다고 유쾌하게 말했다. “이건 그냥 요식 행위입니다, 드 상쥐 부인. 내일 여기 오실 건가요? 좋습니다. 그러면 그때 하면 됩니다. 저는 다른 사건을 시작하게 돼서 모든 것을 정리하고 싶습니다.”

그녀는 넓은 벽난로 끝에서 장밋빛 리넨 조각으로 손가락을 문지르며 그를 마주 보고 섰다. 그녀의 손이 움직임을 멈추었다.

“이 사건은… 끝난 건가요, 경감님? 브루스에게는… 희망이 전혀 없나요?”

석조 벽난로에 장작이 타오르고 있었다. 물건을 태울 수도 있는 불길이었다. 방은 따뜻했다. 수잔 드 상쥐는 몹시 추워 보였다. 입술 가장자리가 파랬다.

"새로운 증거가 나오지 않는 한, 유감스럽게도…."

그녀의 시선은 그를 넘어 어둠을 응시하고 있었다. 그녀가 낮은 울음소리를 내며 양손에 얼굴을 파묻었다. 맥키는 잠시 기다렸다가 그녀가 움직이지도, 말을 하지도 않자 그 쓸쓸하고 작은 집에서 나왔다. 그 작은 집의 훌륭한 매력은 그 집의 소유주인 여자와는 너무나 어울리지 않았다. 그녀는 그가 방해하기 전까지 아직 발견하지 못한 뭔가를 찾아 그 집을 이 잡듯 뒤지던 중이었다.

피어슨이 밖에서 그에게 전할 소식을 가지고 그를 기다리고 있었다. 경찰서에서 그를 찾는 장거리 전화가 왔다는 것이었다. 5분 후 메인 스트리트의 흉측한 빨간 벽돌 건물 후미의 작고 어두운 사무실에서 맥키는 거의 24시간 동안 수소문하고 있던 한 남자와 얘기를 나누고 있었다. 뉴욕에서 15년 이상 플라벨 가족의 주치의 노릇을 했던 중년의 뚱뚱한 의사 헨드릭스였다.

맥키는 휴 플라벨이 처형의 사망 소식을 듣고 기절했던 목요일 아침 이후 헨드릭스를 보지 못했었다. 그때 그는 플라벨 가족의 주치의가 입 밖에 낸 것보다 많은 것을 마음에 담고 있다고 확신했다. 전날 밤 사건의 시작부터 직접 사건을 재검토한 그는 1) 수요일 저녁 일찍 하녀가 샬럿을 나탈리의 침실로 불렀을 때 나탈리의 몸이 좋지 않았다는 것, 2) 샬럿이 나탈리를 헨드릭스가 치료하는 것에 만족하지 않고 보스턴에 있는 본인 담당 의사가 진료하게 하고 싶다고 말한 것이 갑자기 떠올랐다.

경감의 마음속에 어떤 끔찍한 의혹이 싹트기 시작했다. 그것은 단지 의혹일 뿐이었다. 그는 헨드릭스를 유도하지는 않고 단순히 질문을 던지기만 했다.

헨드릭스는 나탈리가 그녀의 이모가 사망하기 전에 한 달, 혹은 6주 정도 정상적인 몸 상태가 아니었지만 신체 기관의 이상을 발견하지는 못했다고 말했다. 그는 최대한 권위적인 태도를 취하며 방어적으로 그 말을 했다.

"그녀의 증상은 어떤 것이었습니까, 선생님?"

"아, 두통과 약간의 복통, 전반적인 기력 저하 등인데… 신경성 소화불량이랄까요…. 시도 때도 없이 여기저기 날아다니면서 여러 위원회의 너무 많은 업무에 시달리다 보니 과로로 인한 것이라고 말해야 할 것 같습니다. 나탈리는 원래 그리 튼튼한 적이 없어서…."

경감은 덥고 작은 사무실 낡은 책상 위에서 재떨이를 옆으로 조금 옮겼다가 다시 원래대로 놓았다. "동공과 침샘, 심박수는요?"

"심장요? 침은…" 헨드릭스가 말을 시작하면서 앞을 응시하고 이마를 닦았다가 입술을 축 늘어뜨리고 얼굴이 푸르죽죽해져서 의자 뒤로 깊숙이 앉는 것이 맥키의 눈에 보이지는 않았다. 그는 이런 것들을 전화상으로 느꼈다.

헨더슨 스퀘어 외곽의 어느 아파트 1층에 있는 진료실에서 헨드릭스는 부저에 손가락을 올렸다. 그는 경감이 무엇을 의도하고 있는지 알았다. 더 나쁜 점은, 당시에 마음이 불편했음을 자신이 알고 있었다는 것이다. 하지만 그 일은 전혀 불가능해 보였기에…. 간호사가 왔다.

"나탈리 플라벨의 진료 기록."

진료 기록이 왔다. 헨드릭스는 그것을 쳐다봤다. 그는 수화기에 대고 경직된 채 말했다. "강심제 말입니까?" 그의 말에 맥키가 대답했다. "네, 그런 것 같습니다." 그러자 헨드릭스는 진득하게 화를 냈다.

"세상에, 경감님. 그 약은 거기, 그 집에 있었습니다. 제가 휴 플라벨에게 처방한 건데… 이제 우리는 뭘 **하죠?**"

맥키는 알지 못했다. 그는 헨드릭스와 통화를 끝냈다. "나탈리는 지금은 강심제를 전혀 먹지 않고 있으니, 제가 내일 전화하겠습니다." 그는 이렇게 말하고는 전화를 끊었다. 행동해야 한다는 아우성을 느끼면서도 그는 자리에 앉아 갈라진 창문 틈으로 내리는 빗줄기를 응시하고 있었다. 그의 머릿속은 바깥의 풍경, 검은 나무들, 잿빛 강, 어둠이 내리는 강둑을 따라 옹기종기 모여 있는 건물들만큼이나 어두웠다. 두 사람을 중독시키고 한 사람은 몽둥이로 강타했다. 독의 종류는 기회가 주어질 때마다 달라졌다. 약이 있는 대로, 처음에는 휴 플라벨의 강심제가 사용됐고, 그다음에는 샬럿의 모르핀이었다.

이 교활한 살인 사건의 배후에는 극도로 빠르게 돌아가는 두뇌가 있어서 세계 최고의 경찰을 번번이 능가하며 기습적으로 허를 찔렀다. 그는 서서히 분노가 치밀었다. 그는 자제하며 그 증언을 검토했다. 나탈리의 돈, 전쟁으로 인해 엄청나게 증가한 그 돈이 이 어두운 일 전체의 원인이었다. 샬럿은 그것을 내내 두려워했다. 그녀의 두려움은 헨더슨 스퀘어의 집으로 돌아왔을 때 확고해졌다. 그녀는 나탈리가 강심제를 먹고 있었다는 것은 몰랐을

지 모르지만 나탈리에게 뭔가 문제가 있다는 것, 위협과 위험이 실재한다는 것은 알았다. 나탈리와 가장 가까운 사람들인 휴 플라벨과 제럴드, 알리시아에게 그녀가 이 사실을 털어놓지 않았다는 것이 중요했다. 대신 그녀는 나탈리의 변호사인 스펜서 고램을 만나려고 고군분투했다. 그녀는 원하던 바를 이루지 못했다. 그녀는 죽었고 그녀가 폭로했다면 풍비박산이 났을 그 가족은 아직 결속된 전체로 남아 있었다. 그 모든 사람이 함께, 여기 이스트포트의 한 지붕 아래 있는 것이었다. 쓰러진 휴, 제럴드와 알리시아, 수잔 드 상쥐, 짐 홀랜드와 나탈리, 그리고 이브가….

'강심제라.' 그는 긴장된 손을 뻗어 휴 플라벨을 진찰했던 현지 의사에게 전화를 했다.

레드 폭스 로드의 저택에는 강심제가 있었다.

맥키는 수화기를 제자리에 다시 놓으면서 어둠 속에서 지뢰밭을 건너가는 기분을 느꼈다. 브루스 커닝엄은 샬럿 포이 살해 혐의로 구속되어 있었다. 법이 요구하는 제물로 그가 바쳐지기 전까지는 아마도 더 이상의 시도는 없을 것이었다. 그럴 개연성만으로는 충분하지 않았다. 그렇다고 해도… 현상을 유지하기 위해 경찰이 무엇을 할 수 있단 말인가? 아무것도….

경감은 급격하게 자세를 바로 하고 앉았다. '방법이 있어.' 그는 생각했다. 성공하지 못할지도 모르지만, 만일 성공한다면 ― 그는 계속 탐색하고, 파악해 보고, 정리해 나갔다. ― 자신들에게 필요한 증거를 확보하게 될 것이다. 그는 줄타기를 하는 사람처럼 자리에서 일어나 모자를 쓰고 거센 비가 휘몰아치는 황혼 속으로 걸어 나갔다.

20

"그리고 그 지저분한 여자애가 앞치마를 입게 해주면 좋겠어, 스텔라. 도움받는 게 어렵다는 건 아는데, 겨우 며칠일 뿐이잖아. 어머, 깜짝 놀랐지 뭐예요, 경감님." 알리시아는 레드 폭스 로드 끝에 있는 저택의 큰 홀 한가운데를 휘젓고 다니는 중이었다. "들어오세요."

맥키는 이미 들어와 있었다. 그는 노크도 하지 않고 이중 현관문 중 하나를 열었다. 알리시아는 잔소리를 퍼붓고 있던 나이 든 가정부를 내보내고 우아한 손을 내밀었다. 그녀는 검정 새틴 바지와 중국풍의 코트를 입고 있었다. 옥 귀걸이가 귀에서 흔들거렸고 솜씨 좋게 화장한 매끈한 올리브 색 피부의 얼굴은 머리를 뒤로 빗어 넘긴 상태였다. 하지만 잘생긴 장식용 껍데기 속 내심은 심한 걱정에 시달리는 듯 그녀의 움직임은 날카로웠고 인위적인 목소리는 반 옥타브 더 높았다.

그녀는 큰 홀 주위와 계단 위쪽으로 공모자의 시선을 보내며 자신의 불안한 마음을 그에게 노골적으로 내보였다. "저는 한마디도 하지 않았어요, 경감님, 한마디도요. 가끔은 힘들었는데도 말이에요. 가엾은 냇. 냇과 얘기를 하려고 오신 건가요?"

알리시아 플라벨의 열성적으로 반짝이는 갈색 눈은 그녀가 고개를 흔들며 표현하는 연민이나 붉게 칠한 꽉 다문 얇은 입술과는 전혀 어울리지 않았다. 일요일 아침에 지방 검찰청 검사가 연

출한 그 장면 이후 그녀는 경찰이 와서 모든 일을 다 설명해 줄 것을 예상하고 있었음이 분명했다. 상황이 지연되고 아무런 행동이 없자 그녀는 신경이 곤두서고 있었다.

그녀는 은밀하게 그에게 가까이 다가왔다. "냇뿐만이 아니에요. 짐 홀랜드도 그렇죠. … 불쌍한 사람, 그는 이번 주에 결혼하자고, 로드십에 집을 보러 다니자고 이브에게 간청하고 있어요. 그와 가엾은 우리 냇이 그렇게 바보가 되는 걸 알면서 계속 지켜보고 있으려 애쓰자니 너무 끔찍해요."

맥키는 생각에 잠겨 그녀를 쳐다봤다. 나탈리에게 무슨 일이 생기면 휴 플라벨은 엄청난 부자가 될 것이었다. 하지만 그는 심장 문제가 있어서 언제든지 생명이 위태로울 수도 있었다. 예컨대, 그가 심근 경색 같은 걸로 사라진다면 제럴드와 이브는 자연 상속인들이다. 이브가 그보다 먼저 결격 사유자가 되면 상속인에서 제외되고, 그러면 제럴드가 나탈리의 전 재산에 대한 단독 수혜자가 될 것이었다.

그는 알리시아의 손을 토닥이며 큰 소리로 말했다. "걱정하지 마세요, 플라벨 부인. 우리가 필요한 증거를 확보하는 대로 어떤 조치가 취해질 겁니다. 지금은 이브 플라벨 양과 다른 문제로 얘기를 좀 하고 싶은데요. 그녀를 데려다주시겠습니까?"

"그럼요, 경감님." 알리시아는 몸을 돌렸다. 그러나 이브는 이미 계단을 내려오는 중이었다. 그녀는 자기 침실 창문으로 경감이 도착하는 것을 봤던 것이다. 날씬하고 곧은 몸 선을 따라 흘러내린 검정 드레스 목 위로 하얀 얼굴과 섬세하고 검은 눈썹 아래 검은 윤곽의 사랑스러운 눈이 어둠 속에서 빛났다. 붉은 입술은 긴장감으로 팽팽해져 있었다.

그녀는 맥키를 따라 텅 빈 넓은 응접실로 들어갔고 문이 닫혔다. 5분 후 그는 나갔고 이브만 혼자 남았다. 그녀는 그가 떠난 곳에, 활활 타오르는 벽난로 불 옆 안락의자에 웅크리고 앉아 있었다. 그가 했던 말이 머릿속에서 계속 들려왔다. "오늘 밤 당신과 여동생이 잠자리에 들 때 문을 잠그세요. 그리고 확실히 잠긴 걸 확인하세요."

'두려운 것과 확실한 건 전혀 다른 얘기야.' 그녀는 침울하게 생각했다. 생각하기 싫은 일이었다. 그녀와 나탈리는 그 집 안의 누군가에 맞서서 문을 잠가야 했던 것이다. 몸이 떨리기 시작했다. '그만,' 그녀의 정신이 경고했다. '생각하지 마. 그냥 주어진 지시에 따르면 돼.' "무슨 일이 있어도 당신들 둘은 방에서 나오지 마세요. 밤새 당신들 창문 밑에 형사가 있을 겁니다. 무슨 일이 생기면 창문을 열고 피어슨 반장을 부르기만 하면 됩니다." 그는 그녀에게 더 많은 것을 말해줬다. 에드거 벤틀리는 머리에 난 상처 속에 작은 녹 입자들이 있는 것으로 보아 쇠 파이프에 가격당한 것인데 배관공들이 남기고 간 쇠 파이프들이 마구간에 많이 있었다.

밖에는 창문을 두드리는 빗소리가 요란했지만 방 안은 따뜻했다. 넓고 어두운 마룻바닥, 희미하게 일렁이는 카펫, 벽난로 반대편에 놓인 회청색 의자의 무늬, 벽 앞에 놓인 푹신한 노란색 소파, 벽난로 불빛에 비쳐 은은하게 빛나는 벚나무 책상, 이 모든 것이 제자리에 있지 않고 만화경처럼 움직이는 것만 같았다.

복도에서 누군가 말을 하자 누군가 대답했다. 이브는 긴 숨을 들이마시고 주머니에서 콤팩트를 꺼내 떨리는 손으로 입술을 그렸다. 입술이 얼룩지자 그녀는 붉은 색깔을 닦아내고 다시 그렸다. '나탈리가, 내 동생이 위험하다.' 그녀는 생각했다. 견갑골이 날카로워질 정도로 몸이 마르고, 턱은 뾰족해지고 옷이 헐렁해져서 입지도 못할 만큼 고통받은 동생이 말이다. 나탈리는 이미 너무 많은 고통을 겪었기에 그녀의 용기와 인내심에도 불구하고 조금만 더 타격을 입으면 무너질 수도 있는 상태였다.

"안녕, 오늘 새 비행기를 만들었구나, 우리 귀염둥이?" 제럴드였다. 현관문이 닫히고 있었다. 지팡이 덜커덕거리는 소리가 났다. 짐이 브리지포트에서 돌아온 것이었다. "이브는 어디 있나요?"

방이 미친 듯이 소용돌이치다가 제자리로 돌아왔다. 그녀는 결연한 의지를 다졌다. 바람과 비를 맞아 달아오른 얼굴로 크고 탄탄한 몸을 불편한 다리에 살짝 의지한 채 짐이 그녀에게 다가오고 있었다. "대단한 밤이야!" 그는 허리를 굽혀 그녀의 입술에 가볍게 키스한 후 몸을 펴고는 오래도록 그녀를 바라봤다.

그는 뭔가 문제가 있다는 것을 알았다. 그녀는 그에게 털어놓고 모든 부담을 내려놓고 싶은, 그가 그 부담을 같이 지고 내일이라는 불가능한 목표를 향하고 있는 자신을 돕도록 하고 싶은, 거의 감당할 수 없는 충동에 휩싸였다. 경감은 "벤틀리는 5시에 노워크 병원에서 수술을 받았습니다. 마취에서 깨어나면 그는 말을 할 수 있을 거예요. 시간이 걸리겠지만, 내일이면 모든 것이 끝날 것이라고 약속할 수 있습니다"라고 말했었다. "무슨 일이야, 이브? 내가 없는 동안 무슨 일 있었어?" 벽난로에 몸을 기댄 채 짐이 조용히 말했다.

이브는 고개를 저었다. 그리고 공포에 질려 울기 시작했다. 자기도 모르게 나온 주체할 수 없는 반응이었다. 능숙하게 자제하던 그녀가 마지막으로 무너진 순간이었다. 짐은 그녀 앞에 무릎을 꿇고 손수건으로 그녀의 눈을 닦아주었다. "내가 당신 화장을 망쳐버렸네. 자, 콤팩트를 이리 줘봐. 얼굴을 고쳐줄 테니…" 그는 손바닥으로 그녀의 뺨을 감쌌다. "무슨 일이야, 이브? 나한테 말해봐."

그녀는 어설프게 미소 지으며 그가 불을 붙여 입술에 넣어준 담배를 한 모금 피웠다. "아무 일도 없었어요, 진짜 아무 일도요. 그러면 된 거죠, 짐. 난 그냥 피곤하고 하루가 너무 길어서…"

그는 알겠다는 듯 고개를 끄덕였다. "이 일에서 벗어나서 결혼하자, 자기야. 샬럿 아주머니가 돌아가시지 않았다면 우리는 거의 일주일 전에 결혼했을 거잖아. 어떻게 생각해? 내일 뉴욕으로 가면 돼. 난 하루 휴가를 낼 수 있으니까…" 그의 손가락이 그녀의 뜨거운 이마에서 머리카락을 뒤로 쓸어 넘겼다.

"내일은 안 돼요, 짐. 지금은 나탈리를 두고 갈 수가 없는걸요."

"이런, 하지만 이브, 여길 봐…."

알리시아와 제럴드, 그리고 다음으로 나탈리가 들어와서 그녀는 다시 언쟁을 하지 않아도 되었다. 그녀에게는 그럴 만한 힘이 없던 터였다. 길고 부드러운 금발 머리에 묻힌 나탈리의 얼굴은 창백하고 지쳐 있었다. 그녀는 희망을 품은 얼굴로 이브를 쳐다봤다. "최대한 빨리 내려왔어. 경감님은 뭘 원한 거야? 브루스에 관해 뭐라도 말했어?"

이브는 쾌활하게 말했다. "응, 경감님이 브루스를 만났더니 그가 네게 전해달라며, 1년만에 처음으로 잠을 제대로 자고 있다고, 목요일에는 네가 면회할 수 있다고 했대. 그렇게 하도록 다 조율됐다고."

알리시아는 슬리퍼로 장작 하나를 제자리에 밀어 넣고는 이브를 곁눈으로 쳐다봤다. "참나, 경감은 이브 아가씨를 제일 좋아하는 것 같네. 그런 말은 경감이 나탈리에게 하면 되는 건데 말이야. 그게 그가 말하고 싶었던 전부인 거야?"

"아뇨," 알리시아에 대한 반감이 급격히 커지는 바람에 이브는 날카롭게 말했다. "그는 에드거 벤틀리에 관해 더 많은 질문을 했어요. 그날 밤 그가 혼자 있었는지, 함께 있던 사람은 없었는지 등등."

그 말은 효과가 있었다. 알리시아는 그녀를 가만히 관찰했다. 제럴드는 논리도 뭐도 없이 말했다. "내 말 잘 들어. 그 친구가 이 모든 일의 원흉이야. 내 말이 틀렸는지 두고 봐."

"두고 봐." 이브의 귀에서 끊임없이 울리고 있던 무서운 읊조림에 이 말이 더해졌다. "오늘 밤 당신들 방문을 잠그세요. 그리고 두고 보세요."

"에드거? 에드거가 어쨌다고?" 침착한 여자의 저음이 질문을 했다. 수잔이었다. 그녀는 벽난로 앞으로 와서 물음을 던지는 눈빛으로 이브를 쳐다봤다. 그녀는 올이 풀리지 않은 스타킹을 신고 있었고, 양손에 흙도 묻어 있지 않았다. 그녀는 자신이 갈 길을 확실히 알기 때문에 다른 사람에 대해서는 신경 쓸 필요가 없다는 듯 평소처럼 차분한 모습이었다.

이브는 지시받은 대로 말했다. "그가 회복될지 아닐지 경찰은 모른다고 해요, 수 아주머니. 말을 할 수 있을 정도로 회복된 건 전혀 아니라고요." 수잔은 느릿느릿하게 "불쌍한 에드거, 그는 언제나 엉큼하고 양심이 없었지만, 난 그가 안됐다고 느끼고 있어"라고 말했지만 그녀의 반짝이는 눈에 섬광처럼 스쳐 지나간 것은 안도감이었다고 이브는 맹세할 수 있을 것 같았다.

그때 휴가 심근 경색 이후 처음으로 아래층에 내려왔다. 그는 중세 기사 같은 분위기의 가운을 입고 있었는데 창백한 얼굴은 여전히 잘생겨 보였다. 알리시아가 세심히 그를 배려하며 그의 주위를 맴돌고 있었다. 제럴드는 칵테일을 만들었고 그들은 금세 저녁 식사를 하러 갔다.

나탈리는 이브 옆에 있었다. 그녀는 무척 조용했지만 제럴드가 채근하자 순순히 수프를 먹었다. "자자, 내 동생, 예전 생활, 예전의 활력을 조금만 되찾는 게 어떻겠니?" 에디 부인이 다음 음식을 내왔고 양초가 그들의 모습을 반질반질한 나무 벽에 비추었다. 겉으로 보면 모든 것이 완벽히 정상적이고 화기애애했다. 그러나 이브에게는 그렇지 않았다. 에드거 벤틀리가 다치던 날 밤 그녀가 가족을 속였던 것에 대해 다른 사람들은 일찌감치 그녀와 화해를 했지만 아버지는 그녀가 말할 때마다 적대감과 의혹의 눈초리로 그녀를 보곤 했다. 알리시아는 계속해서 수잔을 툭툭 건드리는 말을 했고 수잔은 자존심이 아주 강하고 독립적인 사람이었지만 그녀의 말을 계속 무시했다. 제럴드는 단단히 마음먹기라도 한 듯이 너무나 천하태평이었고 짐은 오래도록 아무것도 보지 않고 무거운 휴식에 들어간 얼굴이었다. 그러나 어느 한 사람을 주목하게 할 만한 점은 전혀 없었다.

그 후 거실에서도 마찬가지였다. 이브는 커피를 마시며 전쟁과 휴전에 관한 얘기며 짐과 제럴드가 헬리콥터를 두고 벌이는 논쟁을 들었다. 실재와 허상 사이의 정신적 전투가 끊임없이 일어나고 있는 그녀의 내면은 사방에서 그림자들이 모여드는 끝 모를 황혼 같았다. 그녀가 보고 있는 오직 한 사람만이 선명했을 뿐 다른 사람들은 미끄러지고 떨어지고 괴물처럼 형상이 바뀌면서 옆으로 밀려나 있었다. 그러다가 그녀가 두려운 시선으로 재빨리 다시 봤을 때 그들은 제 모습으로 돌아와 있었다.

그녀의 아버지는 벽난로 앞에서 수잔과 카드 게임을 했다. 조금 뒤에 그녀와 나탈리, 그리고 제럴드와 알리시아가 브리지를 했고 짐은 선반 작업에 관한 책을 읽으며 파이프 담배를 피웠다. 저녁은 그렇게 계속 흘러가고 있었다. 이브를 지탱해 준 유일한 것은 브루스에 관한 생각, 그의 석방, 그의 무죄 입증에 관한 생각뿐이었다. 그 생각마저도 그녀의 눈앞에서 춤추는 끝없는 물음표로 인해 얼룩덜룩해지고 어두워져 갔다.

그들이 10시에 자리를 파하기 직전에 나탈리를 찾는 전화가 왔다. 그녀는 힘없이 나갔지만 한참 후 돌아왔을 때는 다른 사람이 되어 있었다. 가늘고 예민한 그녀의 얼굴은 뒤에 등불이 켜진 것처럼 상기되어 있었다. 방 안이 한바탕 술렁거렸다.

브루스의 변호사 제라드 버셜에게서 걸려 온 전화였다. 나탈리는 휴와 제럴드, 그리고 알리시아의 질문에 대해 버셜이 자신을 격려했고 희망적이라고 했다는 말 외에 별다른 말을 하지 않았지만, 이브와 위층에 단둘이 있게 되자 급히 팔을 내밀어 이브를 껴안았고 벅찬 기쁨의 말을 쏟아냈다.

브루스는 제라드 버셜에게 맥키 경감과 면회한 것에 관해 별말을 하지 않았으나 버셜은 분명 무슨 일이 일어나고 있다고 생각했다. "아, 이브 언니, 목요일에 브루스를 면회하러 구치소에 가지 않아도 된다면 얼마나 좋을까? 그가 풀려난다면 말이야?"

브루스가 풀려난다는 생각은 엄청난 파도였기에 이브는 싸워내지 않으면 안 되었다. 브루스가 곧 위험에서 벗어나면 그녀는 언제나 따라다니던 견딜 수 없는 두려움에서 풀려날 것이었다. 그와 헤어지는 고통, 무슨 일이 생겨도 연결될 수 없는 헤어짐의 고통이 그녀에게 되돌아와서 커졌다.

나탈리는 계속 말을 하고 계획을 세우며 물건들을 뒤적거리다가 흰색 실크 잠옷을 입었다. 그 옷을 입은 그녀는 키 큰 아이 같았다. 누가 브루스를 대신해 철창 너머 감방으로 들어갈지는 궁금하지 않은 모양이었다. 이브는 기뻤다. 그날은 곧 올 것이고 그녀는 작은 행복을 누릴 권리가 있었다. 경감은 자신이 내린 지시를 그녀가 나탈리에게 말할지 안 할지는 알아서 하라고 했었다. 그녀는 말하지 않기로 했다. 나탈리는 부르면 닿을 곳에 있었고 그들 사이에는 문이 열린 욕실만 있을 뿐이었다. 게다가 그녀는 나탈리의 좋은 기분을 망칠 수 없었다.

기쁨도 슬픔만큼이나 사람을 지치게 할 수 있었다. 나탈리는 무척이나 지쳤다. 이브는 문이 잠겨 있는지 확인한 후 나탈리를 침대로 눕게 하고 불을 끈 후 자기 방으로 들어갔다. 10분 후 그녀는 1미터 앞의 커다란 창문을 최대한 위로 올려 열어놓고서 침대에 누웠다. 창문 아래 비와 어둠 속에는 필요할 경우를 대비해 형사가 있었고 양쪽 침실 문은 모두 잠겨 있었다. 아무것도,

아무도 그들에게 접근할 수 없었다. 그렇게 생각하자 마음이 놓였다. 그녀는 가능한 한 오래도록 깨어 있으려고 했지만 저녁 내내 긴장하여 기력이 쇠진해진 탓인지 거의 곧바로 깊은 잠에 빠지고 말았다.

두 시간 후 특별한 이유도 없이 그녀는 느닷없이 완전히 잠이 깼다. 귀에서 쿵쾅거리는 소리가 났고 온몸이 떨리고 있었다. 하지만 방에는 아무도 없었고 빗방울 떨어지는 소리와 똑딱거리는 시계 소리 외에는 아무 소리도 들리지 않았다. 그녀는 가만히 누워 마음을 다잡으려 애쓰며 귀를 기울였다. 그때, 떨어지는 빗방울 소리 사이로 그 소리가 들렸다. 그녀의 근처 어디선가 누군가 문손잡이를 부드럽게 앞뒤로 돌리고 있었다.

사태를 판단할 필요도 없었다. 이브는 곧바로 침대에서 일어나 가운을 집어 몸에 걸치고는 나탈리의 방으로 들어갔다. 동생이 먼저였고 그다음 형사를⋯. 그녀는 어둠 속에서 손을 내밀어 뭔가에 부딪치거나 소리를 내지 않도록 조심하며 나탈리의 침대를 향해 움직였다. 손가락이 나무에 닿았고 새틴 이불에 닿았다. 그녀는 부드러운 이불을 훑으며 손바닥을 폈다. 심장이 덜컥했다. 그녀는 그대로 멈춰 섰다. 침대는 비어 있었다. 나탈리는 거기 없었다. 그녀는 방 어디에도 없었고 방문은 잠겨 있지 않았다.

이브는 이제 소음 따위는 신경 쓰지 않고 욕실을 가로질러 자신의 방 창문으로 날아갔다. 그녀는 창틀에 손을 얹고 자욱한 안개 속으로 몸을 내밀었다. 비는 거의 멎어 있었다. "반장님," 그녀가 빠르게 불렀다. "피어슨 반장님." 그리고 기다렸다. 몸이 떨리기 시삭헸다. 대답이 없었다. 어둠과 안개, 처마에서 천천히 떨어

지는 물방울, 그리고 더 멀리서 일어나는 바람의 속삭임이 있을
뿐이었다.

그 순간 이브가 찾았던 그 남자는 몇백 미터 떨어진 경찰 부스
에서 노워크 병원에 있는 맥키 경감과 전화 통화를 하고 있었다.
2시 20분 전의 일이었다.

"경감님이 알고 싶으실 것 같아서요." 피어슨이 말하며 보고를
했다. 짤막한 보고였다. 수잔 드 상쥐는 플라벨의 집에서 자고 있
어야 했다. 그런데 12시 45분에 그녀가 그 집을 나와서 자기 집으
로 내려갔다는 것이다. 그녀는 들어가서 문을 잠갔지만 반장은 미
리 열어 놓았던 지하실 문을 이용했다. "그녀는 찾던 일을 계속했
습니다, 경감님. 그리고 남편이 죽은 그 방을 깨끗하게 빗자루로
쓸더군요. 그러더니, 1시 20분쯤에 찾고 있던 걸 발견했어요. 보
자, 그러니까… 한 사흘을 찾았던 거네요"

"그게 뭔지 봤나, 반장?" 맥키는 긍정적인 대답이 나오리라고는
거의 기대하지 않았으나 놀랍게도 피어슨이 말했다. "네, 봤습니
다, 경감님. 운이 좋았던 셈이죠. 그녀가 거실로 들어오더니 벽난
로 옆 테이블 위에 뭔가를 내려놓고 침실을 정돈하려고 다시 가더
군요. 그래서 제가 본 겁니다. 그건 분홍색 구슬이었어요."

"분홍색이라…"

"네, 작은 분홍색 구슬에 구멍이 뚫려 있었어요. 끈을 넣는 구
멍 같은 게요. 그리고 평평한 한쪽 면에는 검은색으로 작은 말발
굽 같은 무늬가 있었습니다. 상당히 더럽긴 했지만 어쨌건 분홍
색이었어요."

드디어 그 물건이 손 닿을 곳에 있었다. 맥키는 샬럿 포이의 침

실에 있던 그 작은 나무 상자 속 분홍색 구슬 줄이 사라져 버린 것을 생각했다. 아니, 확실한 건 아니었다. "지금 그건 어디 있지, 피어슨?"

"그녀가 가지고 있습니다, 경감님. 그녀가 침실 정돈을 끝내는 동안 저는 넉넉하게 몸을 피할 수 있었습니다. 저는 그녀와 대면하지는 않았어요. 경감님이 제가 뭘 하기를 원하시는지 몰랐으니까요."

맥키가 즉각 말했다. "저택으로 돌아가서 기다리게. 그곳에 있는 토드헌터에게 자네가 필요할지도 몰라. 한 시간 전후로 내가 가겠네." 그는 전화 부스를 나와서 넓고 어두운 복도를 내려가서 에드거 벤틀리의 병실 근처 페르난데스가 잡지를 보며 졸고 있는 일광욕실로 갔다. 병원이 환자로 만원이어서 벤틀리는 산부인과 응급실 중 한 곳에 입원 중이었다.

페르난데스가 하품을 하며 자세를 바로 하고 앉았다. 맥키가 방금 전화로 들은 내용을 말하자 그는 황급히 주의를 기울였다. "정말, 자네가 옳았군그래. 그녀가 그 작은 상자에서 그 물건을 꺼낸 게 틀림없어." 그가 부드럽게 휘파람을 불었다.

"그래. 벤틀리는 얼마나 있어야 볼 수 있겠나?"

"한 30분 정도면 될 거야."

만족할 만한 시간이 아니었다. "알겠네," 페르난데스가 말했다. "지금 한번 해보지."

두 남자는 복도를 따라 내려가기 시작했다. 복도는 이제 비어 있지 않았다. 간호사들이 2시 수유를 위해 포대기에 싸인 아기들을 산모들에게 부산하게 데려가고 있었다. 한 아기가 가느다란 소리로 울었다. 간호사 중 한 명이 다른 한 명에게 뭔가를 말했고 그들은 두 남자를 쳐다봤다. 맥키는 그들 옆을 지나 벤틀리의 병실 문 앞에 섰다. 남자 잡역부 한 사람이 쟁반에 수유 컵을 들고 문을 나오고 있었다. 그가 급히 자리를 비키자 컵이 춤을 추듯 살짝 들렸다가 쟁반 바닥에 쟁그랑 내려앉았다.

맥키가 갑자기 멈칫했다. 그는 쟁반을 응시하고 있었지만 그것을 보고 있지 않았다. 대신 그는 알리시아가 지방 검사에게 폭로했다는 말을 듣던 브루스 커닝엄의 여위고 검은 얼굴, 그의 날카로운 움직임을 보고 있었다. 그리고 그 순간 잃어버린 작은 톱니 하나가 제자리에 끼워지면서 샬럿 포이 살인 사건의 전체 그림이 작디작은 세부 사항까지 완전히 선명하게 드러나는 것이었다.

페르난데스는 그를 쳐다보고 있었다. "무슨?" 그가 참지 못하고 말했다.

"가야겠어. … 벤틀리는 감시 상태로 있어야 하네. … 난 이스트포트로 돌아가야 해." 맥키가 더듬거리며 말했다. 그는 다른 말은 하지 않고, 게다가 그가 그토록 학수고대하며 만나려고 했던 남자가 반쯤 열린 문틈으로 흰색 높은 침대에 누워 있었음에도 그에게 눈길도 주지 않고 돌아섰다. 그리고 달리고 싶은 충동을 억누르며 멀리 있는 엘리베이터를 향해 급히 걸어갔다.

21

레드 폭스 로드에 있는 어두운 큰 저택의 2층 침실에서 이브는 열린 창문 옆에 오래 있지 않았다. 안개가 밀려드는 창문 밖은 침묵뿐, 목소리도, 도움도 없었다.

그녀에게 짧은 순간 분노가 넘실거리다가 사라졌다. 나탈리 외에는 아무것도 생각할 시간이 없었다. 두려움이 열병처럼 그녀를 휩쓸었다. 그녀는 그것을 떨쳐냈다. 무엇이 나탈리를 방에서 나가게 했는지는 중요하지 않았다. 가능한 한 빨리 나탈리를 찾는 것 외에는 아무것도 중요하지 않았다. 이브는 그 이상은 생각하지 않으려고 했다.

그녀의 방문은 여전히 잠겨 있었다. 그녀는 문을 열고 복도로 뛰어나갔다. 긴 복도는 텅 비어 있었고 중앙 계단 맨 위 갓이 씌워진 전등 주위에 동그랗게 모인 빛을 제외하고는 컴컴했다. 아버지의 방과 제럴드와 알리시아의 방은 왼편에 있었고, 수잔 드 상쥐와 짐 홀랜드는 오른편에 있었다. 어느 쪽일까? 이브는 잠시 멈춰서 귀를 기울였다. 하지만 그녀를 이끄는 것은 전혀 없었다. 밖에서 나는 빗소리와 윙윙거리는 바람 소리 외에는 소리라곤 들리지 않았다.

그녀는 방금 나온 방을 등지고 있었다. 그녀에게는 침대 너머 벽장 문이 열려 있는 것도, 한 남자가 그 벽장에서 나와서 어둠 속에 몸을 숨기고 서 있는 것도 보이지 않았다.

그녀의 눈에는 다른 것이 보이고 있었다. 그녀의 침실은 집 전면에 있는 계단의 맞은편에 있었다. 내려가는 계단은 오른쪽이고 올라가는 방향은 왼쪽이었다. 그녀는 오른쪽으로 반쯤 돌아섰다가 그것을 봤다. 심장이 쿵쾅거리고 순간적으로 눈앞이 캄캄해졌다. 그녀는 손으로 눈을 문지르고는 그 손을 목에 댔다. 하얀 새틴 슬리퍼, 나탈리의 슬리퍼 한 짝이 3층으로 올라가는 긴 계단의 다섯 번째 칸에 놓여 있었다.

이브는 한시도 허비하지 않았다. 그녀는 눈 깜짝할 사이에 계단의 중심 기둥을 돌아서 넓고 얕은 층계를 뛰어 올라갔다. 그녀는 맨 위에서 스위치를 찾아 눌렀다. 위층은 인적 없이 추웠다. 길고 좁은 복도는 아래층과 마찬가지로 텅 비어 있었다. 텅 빈 느낌만이 더욱 깊었고 침묵은 더욱 꿈쩍도 하지 않고 있었다. 이곳은 옛날에 지어진 부분이어서 지금은 드나드는 사람이 거의 없었다. 복도 중간에 쭉 깔린 카펫은 색이 바래고 먼지가 쌓여 있었고 석고 보드는 페인트칠이 필요했으며 공기는 퀴퀴하고 답답한 냄새를 풍겼다. 꼭대기 층의 오른쪽을 다 차지하고 있는 커다란 휴게 공간에 나탈리는 없었다. 반대편에 있는 반쯤 해체된 두 곳의 침실에도 없었다. 이브는 세 번째 문의 뻣뻣한 걸쇠를 잡아당겼다. 낡아빠진 걸레 뭉치가 그녀를 맞이했다. 맨발 사이로 쥐 한 마리가 지나가는 바람에 그녀는 비명이 나오려는 걸 겨우 참았다. 그녀는 계단 맨 위에서 점점 멀어져서 녹색의 희미한 어둠 속에 잠긴 집 후면을 향해 더 깊숙이 계속 나아갔다. 악몽처럼 이어지는 문들 안쪽에는 거미줄과 어둠, 구석진 곳에 말려 있는 매트리스와 침대 틀 말고는 아무것도 없었다. 여기는 하녀들이 여름에 짐을 자던 곳이었다. 지금은 아무도 없었다.

아무도 ─. 그럼에도 나탈리는 여기로 올라와야 했던 것이다. 그게 아니라면 왜 그녀의 슬리퍼가, 주인을 잃고 한없이 불쌍해 보이는 그 작은 물건이 가늘고 긴 발에서 빠져서, 혹은 떨어져서 계단 위에 놓여 있었단 말인가? 지금까지 억누르고 있던 두려움이 밀물처럼 이브의 내면에 차오르고 있었다. 당장이라도 공황 상태에 빠질 것 같았다. 그녀는 이곳이 싫었다. 전혀 마음에 들지 않았다. 의식하지 못하던 눈물이 뺨을 타고 흘러내렸으나 그녀는 그것을 무시했다.

그녀는 마지막 문 앞에 있었다. 그 너머에는 침묵에 빠진 그 집의 깊숙한 곳으로 내려가는 좁은 나선형 뒷계단의 시커먼 입구가 있을 뿐이었다. 문은 높았고 굉장히 넓었다. 아래쪽 절반은 다른 문들처럼 무거운 판자로 만들어졌지만 위쪽 절반은 갤러리 문처럼 가로대가 이어져 있었다. 이브는 그 문을 쳐다보며 어깨 위로 서늘한 기운이 퍼져오는 것을 느꼈다. 희미한 그림이 떠오르고 있었다. 제럴드가 그 문을 열었다는 이유로 샬럿 이모에게 뺨을 맞는 모습, 샬럿 이모가 그에게 화를 내며 "너 죽고 싶은 거니?"라고 말하던 모습이었다.

그러자 그녀는 그 문이 무엇인지 알게 되었다. 그 문 뒤에는 70년대와 80년대에 집에 물을 공급했던 오래된 배관의 잔해가 있을 뿐이었다. 큰 기둥과 물탱크 같은 것들이었다. 어린아이의 눈에 그것은 단테의 불타는 지옥 편에서 나온 것 같은, 기괴하게 무섭고 기분 나쁜 어떤 것이었다.

그녀는 손잡이를 비틀었다. 그러자 마치 그녀를 초대하기라도 하는 듯 문이 부드럽고 쉽게 그녀를 향해 다가왔다. 문이 활짝 열리면서 복도를 막았고 빛은 완전히 차단됐다.

문턱에 서서 이브는 목을 밀어 안을 들여다봤다. 목이 뻣뻣해졌다. 어둠 속으로 빠져 내려간 기둥이 거기 있었다. 그 양쪽은 바닥이 아니라 텅 비어 있었다. 이브는 바닥이 있어야 했던 어둠 속을 뚫어져라 봤지만 아무것도 보이지 않았고 머리 위쪽 지붕으로 떨어지는 빗소리와 앞쪽 어디선가 들리는 희미한 픽픽 소리, 그리고 더 많은 물방울 소리 말고는 아무것도 들리지 않았다. 손전등을 가져오기만 했더라면 하는 생각이 절망스럽게 들었다. 본능적으로 주머니에 손을 넣었더니 종이 성냥갑이 하나 있었다. 그녀는 그것을 꺼내 탁하고 쳤다. 작은 불꽃이 환하게 타오르기 시작했다. 그 짧은 빛은 짙은 그림자를 드리웠다. 그러나 아무것도 없는 것보다는 나았다.

물방울이 떨어진 곳은 약 1.5미터 깊이의 푹 꺼진 작은 사각형 방처럼 보였는데, 실제로 그것은 수조였다. 안쪽 사방이 납빛이었다. 나탈리는 어디에도 보이지 않았다. 이브는 다시 성냥을 하나 더 켜고 가만히 쳐다봤다. 그녀가 서 있던 곳 바로 밑에 등받이가 구부러진 식탁 의자가 있었다. 거기 있은 지 그리 오래되지 않은 의자였다. 먼지가 쌓여 있지 않았던 것이다. 사다리로 사용된 것이 분명했다. 이브는 의자에 발을 디디고 바닥으로 내려갔다. 맨발에 닿은 젖은 금속은 차갑고 끈적끈적했다. 그림자가 계속 빛을 막아서 그녀는 모든 것을 한 번에 선명하게 볼 수가 없었다.

배수로로 연결된 녹슨 관 입구에서 물이 조금씩 흘러나오고 있었다. 그녀는 새로 붙인 성냥을 옆으로 조금 휘둘렀다 심장이 미친 듯이 쿵쾅거리며 뛰고 있었다.

문에서 제일 멀리 떨어진 오른쪽 구석에 바닥을 잘라낸 직사각형 구멍이 있었다. 길이는 1.5미터, 너비는 1미터 정도였다. 예전에는 그 위에 덮개가 있었다. 그 덮개는 지금 없었다. 나탈리의 슬리퍼 다른 한쪽이 검은 직사각형 구멍의 끝부분 가까이에 놓여 있었다.

이브는 벌어진 구멍 가장자리에 손을 대고 무릎을 꿇었다. 그녀는 성냥을 높이 들고 그 위로 한참 몸을 기울였다. 저 멀리 밑에는 젖은 벽돌들이 원형을 이루며 아래로, 아래로 내려가고 있었다. 그녀는 그것이 옛날에 저장 탱크 역할을 했던 오래된 물탱크였다는 것을 깨달았다. 그 바닥에 아득하게 원을 그리며 고여 있는 검은 물에서 작은 불꽃이 그녀를 향해 반짝이고 있었다.

나탈리는 거기 없었다. 있을 수가 없었다.

뒤에서 어떤 소리가 났다. 아주 작은 소리였다. 그녀는 몸을 돌렸다. 그리고 비틀거리며 일어섰다. 현기증이 나서 몸이 휘청거렸다. 그녀가 활짝 열어 뒀던 머리 위의 큰 문이 거의 닫혀 있었다. 하지만 다른 문이 열리기 시작했다. 전에는 보지 못했던 작은 문이었는데, 납으로 된 얇은 판에 좁고 기다란 틈이 나 있었다. 그 문 뒤에 누군가가 있었다. 누군가 거기서 나오고 있었다.

이브는 숨을 제대로 쉬지 못하고 크게 흐느끼며 폐로 공기를 들이마시려 했지만 그럴 수가 없었다. 눈먼 공포의 불길이 감각을 조이며 그녀를 덮쳤다. "안 돼." 그녀는 뻣뻣하게 읊조리며 한 걸음 뒤로, 또 한 걸음 뒤로 물러섰다. 움직이는 그 작은 문에서 눈을 뗄 수가 없었다. 그녀가 아는 인물이 거기 있었던 것이다.

그 사람이 문 뒤에서 나오고 있었다. 그녀를 향해 다가오고 있었다. 그리고 그녀는 여기, 집 꼭대기에… 검은 구덩이 끝에… 혼자 있었다.

어디선가 물이 떨어졌다. "안 돼." 그녀는 다시 비명을 질렀다.

그녀는 문 뒤에 있는 사람이 누군지 알았다.

죽음의 슬픔이 그녀를 가득 채웠다. 그녀는 뒤로 물러섰다. 발뒤꿈치가 텅 빈 공간으로 넘어갔다. 그녀는 불안정하게 서서 눈앞이 번쩍이고 소리가 폭발하는 밤의 나락으로 떨어지고 있었다.

22

이브는 19번가 가게 안쪽 작고 쾌적한 방에서 수화기를 내려놓았다. 1월 14일 오후 4시였다. 밖에는 눈이 내리고 있었다. 앞쪽 물방울무늬 커튼 너머로 큼직한 하얀 눈송이가 방향을 획획 바꾸며 휘날리고 있었다. 녹색 벽을 따라 전등불들이 켜져 있었다. 불빛들 사이에는 그늘이 드리워져 있었다.

이브는 책상 옆 안락의자에 앉아 멀리 있는 문을 멍하니 바라봤다. 문이 열리면 맨해튼 살인 수사반 수장의 모습으로 과거가 들어올 것이었다. 그녀는 그 과거를 잊고 싶었지만 결코 잊을 수 없다는 것을 알고 있었다. 이스트포트의 저택에서 끔찍한 마지막 장면이 벌어진 이후 한 달 이상이 흘러갔다. 이브는 일급 살인 혐의 기소가 이미 철회되었다는 것 외에는 사건의 자세한 내막을 거의 알지 못했다. 이브는 이동이 가능해지자마자 뉴욕으로 왔다. 그녀는 모든 것에서, 최소한 공간적으로라도 모든 것에서 벗어나고 싶었던 것이다. 하지만 그 공포를 벗어날 수는 없었다. 그것은 언제나 그녀를 따라다닐 것이었다.

브루스는 몇 주 전에 석방되었다. 그녀는 그 정도는 알고 있었다. 한때 브루스를 생각하던 그녀의 마음속은 이제 무감각하게 비어 있었다.

문이 열리고 눈송이들이 대거 맥키 경감을 따라 가게 안으로 들어왔을 때 그녀는 커튼 너머로 떨어지는 눈을 보며 거기 앉아 있었다. 그는 혼자가 아니었다. 품격 있는 검시관이 그와 함께였다. 두 사람은 이브에게 조용히 인사를 했고 그녀는 억지로 표피적이고 기계적인 반응을 보였다. 현실과는 동떨어진 그런 반응을 보이는 데 그녀는 이제 익숙해져 있었다. 레드 폭스 로드의 저택 꼭대기에 있는 물탱크와 그녀를 점령했던 공포만이 이 세상에 유일하게 실재하는 것이었다. 그것으로 나머지 모든 것은 다 죽어 버렸다.

맥키는 몇 가지 마지막 세부 사항을 확인하러 왔다고 말했고 이브는 그에게 의무적으로 대답했다. "네", "아뇨", "맞는 것 같아요"가 그녀가 한 말들이었다. 그가 그녀에게 서명할 서류를 주자 그녀는 자기 이름을 쓴 다음 펜을 내려놓고 기다렸으나 경감은 바로 떠나지 않았다.

대신 그는 의자에 더욱 편안하게 자리를 잡고 담배에 불을 붙였다. "제 생각엔, 플라벨 양," 그가 말했다. "몇 가지 일들이 당신에게는 그리 명확하지 않을 것 같습니다."

이브는 맞은편 책장에 있는 책들을 보고 있었다. 맨 위 칸에 있는 책들이 약간 비뚤어져 있었다. 그녀는 말을 할 수가 없었다. 그녀가 침묵하고 있어도 경감은 단념하지 않은 것 같았다. 그가 말하기 시작했다. 반은 페르난데스에게, 반은 그녀에게 하는 말이었다. "우리가 체포를 단행하던 날 밤에 당신 침실의 벽장에는 우리 형사 중 한 명인 토드헌터가 있었습니다. 그는 당신을 따라 복도로 나와서 3층으로 올라갔고 거기서 피어슨 반장과 합류했어요. 그들이 더 빨리 움직이지 않은 것은 우리가 증거를 확보해야 했기 때문입니다. 그래서 그들은 당신이 습격당할 때까지 그 작은 방 바깥에서 기다렸던 거죠."

이브는 양손을 꽉 쥐고 자신이 거의 던져질 뻔했던 검고 깊은 그곳을 생각했다. 어두운 그림자와 그 물 떨어지는 소리를 생각했다. 그녀는 부드러운 머리를 이마 위로 밀어 넘겼다. "알고 싶은 게 한 가지 있어요, 경감님." 그녀가 천천히 말했다. "한 가지가 분명하지 않아요. 범죄가 어떻게 저질러진 거죠? 브루스는 샬럿 이모를 죽이지 않았는데 이모는 어떻게 브루스의 총에 의해 돌아가시게 된 건가요?" 그러자 맥키는 이브에게 탄도국 커츠 경사의 도움을 받아 그가 앞서 국장과 지방 검사에게 설명했던 내용과 그를 뒷받침하는 증거를 제출하여 브루스 커닝엄을 즉시 석방하게 했다는 말을 들려줬다.

"헨더슨 스퀘어 집에 있는 당신 아버지의 방대한 서재에 있는 총기 관련 책자의 화기 발사에 관한 한 장이 그 해답입니다." 그가 말했다. "10월 말에 브루스 커닝엄의 엽총이 엘든 플레이스의 아파트에서 없어졌습니다. 그 총은 이스트포트로 가져간 것이고 그 총으로 몇 발의 탄알을 개울 건너편 들판에 발사했습니다. 그 탄알 중 하나는 회수되었고요."

맥키는 가져온 빨간 산탄총 탄피를 주머니에서 꺼냈다. 봉투도 하나 꺼냈다. 그 안에는 이끼가 들어 있었다. 그가 플라벨의 부지 내 개울 옆 공터에서 채집한 이끼의 일부였다. 다른 주머니에서 그는 사용된 엽총 탄알을 꺼냈다.

"보세요." 그가 손가락을 움직여 납빛 탄알 주위의 얇은 이끼를 감쌌다. 나중에 샬럿 포이를 죽였던 브루스 커닝엄의 엽총에서 발사된 탄알은 이렇게 처리된 것이었다. 이끼가 탄알 위 선조

흔을 보호하는 덮개 역할을 해서 이스트포트에서 중위의 .351 엽총 탄알이 처음으로 총열을 통과했을 때 그 총의 강선에 의해 탄알에 생긴 6개의 선조흔은 손상되지 않고 그대로 남아 있게 된 겁니다."

그는 이끼로 덮인 탄알을 빈 탄피에 떨어뜨렸다. 그는 더 많은 이끼를 넣어 탄피를 꽉 채운 다음 그렇게 처리된 탄피를 손바닥에 올려 이브에게 내밀었다.

"브루스 커닝엄의 엽총에서 나온 탄알이 장전된 이런 탄피 하나가 헨더슨 스퀘어의 집 복도에 있는 우산꽂이에 꽂혀 있던 지팡이 산탄총의 약실에 들어 있었습니다. 그것은 이제 기회가 오면 살인에 쓰일 준비가 된 것이죠. 그사이, 커닝엄 중위의 엽총은 엘든 플레이스 아파트로 되돌아갔습니다. 살인자는 샬럿 포이가 살해되던 날 밤 그녀와 중위가 전화로 한 약속을 엿들었죠. 그녀는 약속 시간에 맞춰 나갔다가 철책 밖에서 브루스 커닝엄의 조작된 탄알에 맞은 겁니다. 엘든 플레이스 아파트에 안전하게 있던 그 엽총이 아니라 지팡이 산탄총의 발사 장치에서 날아갔던 것이죠. 이끼로 보호된 탄알이 샬럿을 맞혔을 때 중위의 .351 총은 현장 근처 어디에도 없었지만 그럼에도 그 탄알에는 그 총의 6개 선조흔이 나 있었던 겁니다. 그래서 여기 가게에서 당신에게 모르핀이 투여되었고요. 그 총이 경찰에 의해 발견돼야 했으니까요."

이브는 아무 말도 하지 않았다.

밖에는 눈이 내리고 벽난로 불꽃이 바쁘게 속삭였다. "대단히 영악한 작업이야, 맥키." 페르난데스가 말하며 곤혹스러운 눈빛으로 이브의 고요하고 아름다운 얼굴을 쳐다봤다. 그녀의 평정심에는 뭔가 무서운 느낌이 감돌았다.

맥키 역시 그것에 영향을 받았다. 그는 일어나서 앞뒤로 걷기 시작했다. 레드 폭스 로드의 저택에서 있었던 그 마지막 장면에 이브는 존재하지 않았다. 피어슨과 토드헌터가 물탱크로 뛰어들었을 때 그녀는 안타깝게도 의식을 잃은 상태였다. 맥키는 이브가 마음속에 쌓은 얼음의 벽을 깨뜨려야 한다는 페르난데스의 의견에 동의했다. 슬픔, 반항, 눈물 ― 그 무엇이라도 이 하얀 마비 상태보다는 나을 것이었다. 바닥을 빨리 치면 칠수록 그녀는 더 빠르게 올라오게 될 것이었다. 그는 그녀에게 살인의 배경을 간결하게 설명하며 다시 말하기 시작했다.

"1921년 봄에 당신의 아버지와 샬럿 포이, 제럴드, 그리고 어린 나탈리는 이스트포트 저택에 살고 있었죠. 당신 아버지의 두 번째 아내인 버지니아 플라벨이 사망한 지 6주쯤 지났을 때였습니다. 버지니아가 죽자마자 샬럿이 당신들 모두를 돌보기 위해 돌아왔어요. 아기였던 버지니아의 딸 나탈리에게 신탁으로 남겨진 코리 집안의 재산 덕분에 가정은 새로운 기반을 마련했고 돈은 이제 더는 부족하지 않았습니다. 모든 것을 다 할 수 있을 정도로 풍족했죠."

맥키는 벽난로 선반에 팔꿈치를 대고 타고 있는 석탄을 들여다봤다. "당시에 잔디밭 아래 작은 집에는 수잔 드 상쥐가 아기와 단둘이 살고 있었죠. 남편은 드문드문 집을 찾아왔고요. 수잔은 버지니아와 플라벨 가족의 가까운 친구였습니다. 샬럿이 집안일을 떠맡았을 때도 수잔은 똑같이 잘 지냈고, 그래서 상황은 그대로 유지되고 있었죠. 그해 봄에 백일해가 유행했습니다."

그는 새 담배에 불을 붙이고 성냥을 불길 속으로 던졌다. "플라벨의 아이들이 먼저 백일해에 걸렸죠. 당신과 제럴드, 그리고 생후 6주 된 나탈리가요. 하지만 특별한 불안감을 불러일으키지는 않았어요. 가벼운 감염이었고 당신들 모두는 최고의 진료를 받았어요. 그러던 중 수잔 드 상쥐가 그 병에 걸려 앓아누웠고 샬럿은 정신없이 바빴죠. 샬럿은 당신들 셋뿐만 아니라 수잔까지도 헌신적으로 간호했어요. 드 상쥐 부인의 아기만이 유일하게 감염을 피했는데 샬럿의 보살핌 덕이 컸습니다.

1921년 6월 4일 밤까지는 상황이 그랬습니다. 그날 밤, 샬럿은 수잔을 편안하게 해주고 수잔의 아기인 루시를 돌본 다음 그 작은 집에서 나온 후 언덕으로 올라가 큰 저택으로 들어갔어요. 당신과 제럴드는 잠들어 있었죠. 휴는 서재에서 책을 쓰고 있었고 손님으로 와 있던 짐 홀랜드는 예일대 입시를 위해 자기 침실에서 공부하고 있었어요. 그날은 유모가 쉬는 날이었습니다. 샬럿은 생후 6주 된 나탈리를 마지막으로 살펴보기 위해 아기방으로 들어갔습니다."

맥키는 말을 잠시 멈추고 이브를 향해 고개를 돌렸다. "그때 일이 벌어진 겁니다. 그 어린 나탈리 플라벨이 기침 발작을 일으키며 몸을 굴려 얼굴로 엎어진 겁니다. 샬럿이 그 아이를 들어 올렸을 때 그녀가 제일 두려워했던 일이 현실이 되었어요. 나탈리 플라벨이 죽은 겁니다."

"나탈리 플라벨이 죽었다"라는 말이 무감각하게 자기 안에 침잠해 있던 이브의 장벽에 귀를 먹먹하게 하는 마침표가 되어 부딪쳤다. 그녀는 고개를 들어 경감을 쳐다봤다. 그가 고개를 끄덕였다.

"죽은 아기를 위해 특별히 만들어진 크고 호화로운 아기방의 침대 옆에 서서 샬럿은 경악을 금치 못했습니다. 그녀는 어린 나탈리의 죽음이 의미하는 것, 풍요로움 대신 궁핍, 당신 아버지가 다시 재정을 걱정해야 하는 상황의 도래, 자신이 너무나 좋아하던 아이이자 비용이 많이 드는 수술이 필요했던 제럴드, 버지니아의 아기 몫으로 정해진 돈이 코리 가문으로 돌아가 플라벨의 궤도에서 영원히 사라질 것을 생각하니 소름이 끼쳤죠. 버지니아의 부는 갓난아기인 딸의 몫이 되었는데 그 딸이 죽은 겁니다.

그때 샬럿에게 그 생각이 떠오른 거였어요." 맥키가 말했다. "염두에 둬야 할 게 뭐냐면요," 그는 생각에 잠긴 채 말을 이어 갔다. "그녀가 엄청난 충격을 받았다는 것이고 제럴드와 제부인 휴에게 온 신경을 쏟고 있었다는 겁니다. 그래서 평소에 그녀를 통제하던 억제력이 없어져 버렸죠. 그녀는 상상력이 풍부한 여자는 아니었지만 명징한 논리적 사고를 갖고 있었어요. 죽은 아기를 품에 안고서 그녀는 언덕 밑 작은 집에 있는 살아 있는 아기를 생각했죠. 처음에는 분노와 반발심으로, 그다음에는 물음을 안고서 말입니다. 두 아이는 모두 여자아이였고 거의 비슷한 월령이었죠. 갓난아기 나탈리를 돌보던 사람은 자신과 유모뿐이었습니다. 샬럿은 또 수잔 드 상쥐의 아기도 돌보았죠. 수잔은 아기에게 백일해를 감염시킬까 봐 거의 한 달 동안 아기를 보지 못했습니다. 아기를 바꿔치기하고 유모를 해고해 버리면 아무도 모를 거라고 그녀는 생각했습니다. 생각해 볼수록 가능한 일로 여겨졌어요. 그녀는 그것을 실행에 옮겼습니다.

특별히 어려운 건 없었죠. 드 상쥐 부인은 작은 집 안쪽의 침실에 아파 누워 있었어요. 샬럿은 죽은 나탈리를 데리고 그곳으로 내려갔습니다. 실제로 아기를 옮기는 건 간단한 일이었어요. 두 아이를 구별할 수 있는 유일한 것은 두 아이가 태어났던 노워크 병원에서 손목에 채워준 분홍색 구슬 팔찌뿐이었습니다. 한 팔찌에는 나탈리, 다른 팔찌에는 루시가 적혀 있었죠. 그런데 팔찌를 바꾸기 위해 루시의 팔찌를 벗기는 과정에서 고무줄이 끊어져서 구슬 중 하나가 바닥으로 떨어졌는데 샬럿은 혼란스러운 마음으로 급히 서두르느라 그걸 찾지 못했던 겁니다."

맥키는 한 달여 전 그날 밤 수잔 드 상쥐가 자기 집 마루판 사이에서 끄집어낸 분홍색 구슬을 꺼냈다. 피어슨이 무늬가 있다고 했던 뒷면에 빛을 비추었다. 그것은 글자 U였다.

그는 페르난데스와 이브 너머로 창문을 휩쓸고 지나가는 폭풍을 바라보며 레드 폭스 로드의 저택에서 코리 가문의 돈이 그 언덕에서 사라지는 것에 알리시아가 격렬히 반발하던 것을, 그 모든 이야기는 거짓이며 샬럿은 죽었고 맥키에게는 증인이 없다고 주장하던 것을 생각했다.

그는 증인을 만들어 냈다. 그것은 나탈리 자신이었다. 그들이 물탱크실의 작은 통제실에서 의식을 잃고 구석에 쓰러져 눈을 감고 목에는 멍 자국이 있는 그녀를 발견하여 데리고 나온 후 그녀는 의식을 회복하자마자 그에게 모든 것을 털어놓았다. "그 돈은 내 돈이 아니에요. 그게 아빠에게, 그리고 브루스에게 어떤 의미가 있다고 해도 사실대로 말할 수밖에 없어요. 그 돈은 보스턴의 코리 가문에 되돌아가야 할 겁니다."

그는 계속해서 이브를 위해 큰 소리로 사실을 명확하게 설명했다. "샬럿은 10월 중순에 버몬트에서 사람을 보내 나탈리를 불렀어요. 나탈리가 몬트리올에서 내려오는 길에 당신의 이모를 만나러 들렀을 때 살롯은 그 사건을 모두 밝혔습니다. 그녀는 원래의 재산이 그토록 어마어마하게 늘어나지 않았다면, 그리고 나탈리가 브루스 커닝엄이 아니라 코리 집안의 사람과 결혼할 것이었으면, 상황은 달라졌을 것이라고 말했죠. 상황이 그렇게 정리되지 않았기에 그녀는 결심했습니다. 그녀는 스펜서 고램에게 연락을 취해서 21년 전에 자신이 저지른 잘못을 바로잡으려고 한 거죠."

이브가 손으로 눈을 가린 채 낮은 목소리로 말했다. "나탈리만 그 사실을 알고 있었던 게 아니었군요?"

"네." 맥키가 동의했다. "수잔 드 상쥐는 지난봄 뉴욕으로 돌아와서 나탈리를 봤을 때 알게 됐죠. 나탈리에게서 루시앙 드 상쥐의 젊었을 때 모습을 본 겁니다. 벤틀리는 수잔을 통해 알았거나 의심하고 있었던 겁니다. 그날 헨더슨 스퀘어의 집에서 드 상쥐 부인은 루시앙의 사진을 가지고 샬럿과 대면했습니다. 샬럿은 사진을 빼앗아 찢어버렸어요. 그녀는 분홍색 구슬을 언급하며 말했죠. '그 집에서 그걸 찾아낸 거군.' 그녀는 틀렸습니다. 드 상쥐 부인은 나중에야 그걸 찾아냈으니까요."

그는 그 구슬을 손바닥 안에 넣고 굴리며 12월의 그 밤으로, 레드 폭스 로드 저택의 거실에 깜짝 놀라 모여 있던 사람들에게로 기억을 거슬러 되돌아갔다. 이브는 의식을 잃은 채 위층에 있었다. 그는 갑작스러운 소란의 중심이 된 한 사람을 쳐다봤다. 강한 젊은 몸이 빠르게 높이 오르며 금발의 머리가 솟구치는 것을….

나탈리 플라벨은 한참을 그렇게 서 있었다. 양손을 감청색 실내복 주머니에 넣고 가늘고 하얀 얼굴은 일그러져 있었다. 그토록 오래 그녀가 교묘하게 통제하고 있던 폭력과 분노, 증오로 불타오르는 커다란 갈색 눈은 탈출의 가능성을 헛되이 모색하며 어두운 창문을 응시하고 있었다.

모든 것이 끝났다. 그는 몸을 한번 부르르 떨고는 현재로 돌아왔다. 이브는 고개를 숙이고 어깨를 움츠리고 있었다. '그녀는 그 모든 것을 한 번에 깨끗하게 날려버려야만 해. 그래야 치유가 시작될 수 있어.' 그는 마음을 정했다.

그는 거침없이 말을 이어갔다. "나탈리는 당신의 이모를 설득하지 못하자 그녀를 죽였어요. 그녀는 당신에게 모르핀을 주입했고, 나중에 시더스 레스토랑에 그걸 버렸죠. 그녀는 당신과 브루스 커닝엄의 감정을 알고 있었습니다. 두 사람을 모두 파괴하고 싶었죠. 그녀가 이스트포트의 다리에서 벤틀리를 공격한 것은 자기가 샬럿을 뒤따라갔을 때 그가 헨더슨 스퀘어의 집 바깥에 있었을지도 모른다고 생각했기 때문이고 자기가 모르핀을 없앴을 때 그가 시더스 레스토랑에 있었기 때문이죠.

나는 그 마지막 날 밤에 제라드 버셜을 시켜 그녀에게 전화하도록 했습니다. 나의 지시에 따라, 그가 커닝엄 중위가 혐의를 벗을 것이라는 말을 그녀에게 하자 그녀는 적어도 당신이라도 없애버리자고 결심한 거죠.

우리가 물탱크실의 그 작은 통제실 바닥에서 그녀를 발견했을 때 그녀는 의식을 잃은 척하고 있었던 겁니다. 그녀는 자기 목에 멍 자국을 만들었어요. 이전에 샬럿이 고램에게 가지 못하도록 하기 위해 강심제를 복용했던 것처럼 말입니다. 영리하게도 슬리퍼를 떨어뜨려서 만든 자취를 당신이 따라오기를 기다리며 그녀가 물탱크로 들어가는 것을 피어슨이 본 게 우리로서는 다행이었죠."

이브는 양손에 얼굴을 파묻었다. 밖은 어두워져 가고 눈은 점점 더 많이 내리고 있었다.

페르난데스가 목청을 가다듬고 재빨리 맥키에게 말하기 시작했다. "난 아직 이해가 안 되네, 크리스토퍼. 일이 마무리되기 며칠 전에 어떻게 자네가 범인이 누군지 안다고 말할 수 있었는지 말이야."

경감은 어깨를 으쓱했다. "그 작은 나무 상자가 말해준 거지. 그 안에 들어 있던 진짜 나탈리의 작은 노란색 모직 옷과 분홍색 구슬 팔찌는 샬럿을 제외한 다른 사람에게는 아무런 의미가 없는 물건이었어. 하지만 발견된다면 의혹을 불러일으킬 수도 있는 호기심과 의문의 대상이었지. 누구든 샬럿을 죽인 사람이 그걸 없앴던 거야. 휴 플라벨은 샬럿이 죽은 후 그 상자의 내용물을 조사하려고 그녀의 방에 들어갔어. 그 상자 위의 지문은 그의 것밖에 없었지. 그는 분명 자기 지문을 우리에게 선물로 주려고 그 상자를 닦지 않았던 건 아니겠지. 샬럿은 그날 밤 나가기 전에 그 상자를 직접 만졌어. 그러니까 그 상자를 닦은 행위는 그녀가 집을 나간 후, 그리고 휴 플라벨이 그 침실에 들어오기 전에 이루어진 거지. 상자를 닦은 사람이 범인이었어. 그리고 그렇게 할 수 있었던 유일한 사람은 나탈리였고."

이브는 여전히 얼굴을 가리고 있었다. '그녀에게 시간을 좀 줘야 해.' 페르난데스는 생각했다. "말이 나왔으니까 말인데, 맥키,

뉴워크 병원의 복도에서 왜 그렇게 갑자기 행동을 바꾼 거야? 왜 벤틀리의 병실에서 나오던 잡역부와 그 간호사들을 보고 입을 떡 벌리고 거기 서 있었던 건가?"

"난 그들을 보고 있었던 게 아니네." 맥키가 이브를 관찰하며 말했다. "내가 본 건 아기를 안고 있는 간호사들이었어. 생각의 연상 작용이 일어났던 거야. 난 그때 막 분홍색 구슬 얘기를 들었던 참이었지. 아기 포대기를 안고 있는 간호사들을 보면서 내 마음속에 '아기'라는 단어가 들어왔어. 그와 동시에 잡역부가 가져가던 그 수유 컵이 쟁그랑거렸지. 그 소리를 듣자 브루스 커닝엄의 인식표가 생각났어. 알겠나? 아기, 인식 팔찌, 구슬. 그때 난 샬럿이 무슨 짓을 했는지 짐작했던 거야."

이브가 자세를 바로 하고 앉았다. 그녀는 스웨터 주머니에서 천 조각을 꺼내어 젖은 눈을 닦았다. 그녀의 얼굴은 어두웠다. "저로서는," 그녀가 분명치 않은 목소리로 말했다. "일어난 그 모든 일에 대한 책임이 제게 있다는 게 최악이에요. 나탈리는 저와 브루스… 때문에 그런 일을 하게 된 거예요."

맥키는 바로 그 말이 나오기를 기다리고 있었다. "전혀 그렇지 않습니다, 플라벨 양." 그가 그녀에게 무뚝뚝하게 말했다. "당신은 완전히, 절대적으로 잘못 생각한 거예요. 커닝엄 중위가 존재하지 않았다고 하더라도 샬럿 포이는 똑같이 살해당했을 겁니다. 샬럿이 나탈리에게 진실을 말했던 그 순간부터 그녀는 죽을 운명이었어요. 나탈리는 그때 버몬트에서 자신이 샬럿을 죽이지 않은 것은 오로지 발각될 것이 두려워서였다고 으스댔어요."

"으스댔다니…." 이브는 경악을 금치 못하며 울었다.

그러자 페르난데스가 끼어들었다. 그는 조용히 말했다. "제 생각에는, 당신의 여동생, 그러니까 여동생이라고 생각한 그 아가씨는 결코 극형을 받지는 않을 겁니다, 플라벨 양. 그녀는 미친 건 아니지만 경계선상에 있는 게 분명해요. 그녀는 항상 변덕이 심하고 안정적인 것과는 거리가 멀었다고 들었습니다. 샬럿의 폭로로 인해 그녀는 정상 범위를 벗어나 선을 넘게 된 거죠. 그녀는 휘어지지 못했기에 부러진 겁니다."

이브는 그를 응시했다. 그녀의 회색 눈빛이 반짝거렸다. 그녀는 눈을 더 크게 떴다. "극형이 아니라고요…." 그녀에게 삶이 다시 찾아오고 죽음이 떠나가기 시작했다. '페르난데스 선생님 말이 맞아.' 그녀는 어린 시절 나탈리의 성질이 갑자기 날카롭게 폭발하곤 하던 일을 기억하며 생각했다. 그렇게 폭발하는 일은 나중에는 표면적으로 거의 드러나지 않았는데, 그것은 그녀가 제지당하거나 견제받지 않았기 때문이었다. 그랬다. 그런 기질과 샬럿의 폭로로 인해 그녀가 받은 타격을 생각해 보면 그 일은 충분히 논리적이었다. 논리적이고 끔찍했다. 그러나 그녀가 움츠러들지 않고 그 일을 직시하려고 힘을 내자 자신의 책임이라고 느껴지던 무게감이 처음으로 점점 줄어들었고 그녀는 다시 숨을 쉬고 느낄 수 있었다.

그녀는 한숨을 조금 쉬며 바로 앉았다. "브루스도 모든 걸 다 알고 있나요?" 그녀의 목소리는 낮았지만 안정되어 있었다.

맥키가 자리에서 일어서고 있었다. 이제 이브가 정신을 차렸기에 그들이 여기서 할 일은 끝난 것이었다. "그래요," 그가 말했다. "중위도 알고 있습니다." 그는 더는 아무 말도 하지 않았다. 그는 이브와 악수를 했다. 페르난데스도 그랬다. 그런 다음 두 남자는 사라졌고 이브는 홀로 남았다.

그녀는 뻣뻣하게 일어나서 벽난로 쪽으로 갔다. 그리고 불을 내려다보며 서 있었다. 그녀의 잘못이 아니라는 걸 브루스는 알고 있었다. 내면의 고통이 빠르게 커졌다. 브루스는 알면서도 그녀에게 다가온 적이 없었다. 짐은 더 좋은 사람이었다. 그녀가 그에게 잘못을 저질렀지만, 그녀를 비난하거나 책망하는 말 한마디 하지 않고 그녀에게 작별을 고한 사람이었다. 차가운 바람이 그녀의 어깨에 와 닿았다. 그녀는 반쯤 몸을 돌렸다. 그리고 움직이지 못하고 그대로 서 있었다.

브루스가 가게 안으로 들어오고 있었다. 은색 휘장을 단 무거운 코트의 넓은 어깨와 모자에 눈이 쌓인 채 그녀에게 다가오고 있었다.

그녀는 말없이 그가 오는 것을 지켜봤다. 심장이 쿵쾅거렸다. 그의 얼굴은 어둡고 고요하고 강렬했으며 그의 눈은 그녀에게 흔들림 없이 고정되어 있었다.

"이브," 그가 말했다. 그리고 그녀의 옆에 와서 그녀의 차가운 두 손을 잡았다. "최대한 빨리 왔어요." 그가 말했다. "석방된 이후 난 워싱턴에 계속 있었어요. 특수 업무를 맡아서… 더 일찍 오거나 말을 전할 수가 없었죠. 누구와도 연락하면 안 되는 상황이었거든요."

이브는 몸을 곧추세웠다. 여전히 감각이 멍했지만 통증은 계속되고 있었다. 지금 그녀는 그 통증을 견딜 수 있었다. 무엇이든 견딜 수 있었다. "브루스," 그녀가 속삭이듯 말했다. "브루스…."

그는 그녀의 두 손을 더욱 꼭 쥐었다. "택시를 타고 나와 함께 미셸 필드로 가요. 난 5시 15분에 서부로 날아갑니다. 어쩌면 오래 걸릴지도 모르지만, 돌아오면⋯."

그는 그녀에게 키스하지 않았다. 하지만 두 손을 맞잡고 그곳에 서서 몇 달을, 몇 년을, 어쩌면 영원히 기다려야 할지도 모를 이별을 눈앞에 둔 이브와 그녀를 내려다보는 키 큰 제복의 남자는 알 수 없는 평온한 느낌에 사로잡혔다. 말하지 않아도 그들은 알고 있었다. 살아 있다면, 자신들이 겪은 개인적인 공포가 시간을 따라 무뎌지고 전쟁이라는 더 큰 공포가 완전히 사라지고 나면, 자신들은 영원히 함께할 것임을.

"기다려요. 코트를 가져올게요." 이브가 미소 속에 리듬을 싣고 말했다. 옷걸이에서 꺼낸 코트를 브루스가 입혀주자 그들은 나란히 문으로, 그렇게 폭풍우 속으로 나갔다.

옮긴이 최호정

서울대학교 미학과와 한국외국어대학교 통번역대학원 한노과를 졸업하고 뉴욕주립대학교 빙엄턴에서 번역학 박사과정을 수료했다. 옮긴 책으로는 『반투 스티브 비코』, 『도스또예프스키와 함께 한 나날들』, 『무엇을 할 것인가』, 『킬러스 와이프』, 『리슐리외 호텔 살인』, 『크림슨 레이크 로드』, 『샤론 저택의 비밀』, 『거울 자매』, 『린든 샌즈 미스터리』, 『사냥이 끝나고』등이 있다.

문 이 열리면
ⓒ 2024 키멜리움

초판 펴낸 날 2024년 06월 10일

지은이 헬렌 라일리
옮긴이 최호정
디자인 이명아
편집 이경희
인쇄 프로메테우스 미디어
펴낸이 김찬휘
펴낸곳 키멜리움
주소 04025 서울특별시 마포구 방울내로11길 16 하나빌딩 4층
전화 02) 544-9294
팩스 070) 7614-2454
전자우편 cimeliumbooks@gmail.com
등록 2021년 4월 23일 (제2019-000016호)
ISBN 979-11-983812-2-4(03840)

* 책값은 뒤표지에 있습니다.
* 잘못된 책은 구입하신 곳에서 교환 가능합니다.